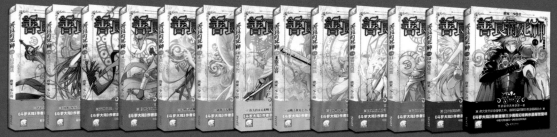

斗罗大陆

第二部

绝世唐门 1

唐家三少 ◎ 著

湖南少年儿童出版社
HUNAN JUVENILE & CHILDREN'S PUBLISHING HOUSE

目录

CONTENTS

引子
神界！唐三一家

柔和的光晕宛如母亲的手，轻轻地触摸着云雾的细腻肌肤，虚幻的空间有着异常动人的实质感。隐约中，就在不远处，似乎有着一座巍峨的宫殿，在这柔和的光晕抚触下虚幻而真实。

一道身影就那么静静地伫立在云雾之间，眺望着无尽的远方，不知道在看着些什么。

他有着一头宛如瀑布般的水蓝色长发，一直垂到脚下，如果不是他那伟岸的身形和宽阔的肩膀，仅仅从后面去看，恐怕会以为他是个女子。

华贵的蓝色长袍上仿佛有水波荡漾，如果仔细去看，眼神瞬间就会被那深深的蔚蓝所吸引，甚至整个灵魂都会被吸入那如同大海般深邃、无尽的蓝色之中。

看上去不过二十多岁的英俊面容上却有着一双深邃的眼眸，他的眼神看似空洞，但却又像是包罗万象，偶尔闪过一道紫意，更是动人心魄。会有一种刹那芳华、瞬间生死寂灭的质感。

"哎——"男子轻轻地叹息一声，眉宇间多了一丝淡淡的忧伤，双目微合，似乎在感悟着天地至理。

"三哥。"一声轻轻的呼唤响起。一道身影就那么从虚幻中跨出，来到了那蓝衣男子身边，自然而轻柔地挽住了他的手臂，这仿佛已经做过千百次的动作看上去是那么的圆融如意。

那是一名身穿粉色长裙的女子,一头长发梳拢成长长的蝎子辫轻轻垂下,从侧后方能够看到她那精致修长的白皙美颈,长裙束腰处盈盈一握,将她那动人的身材完美勾勒出来。

绝美的容颜上带着一丝淡淡的微笑,搂着那蓝衣男子的手臂,轻轻地将头贴在他的肩膀上,柔顺的蝎子辫也随之晃动,落在男子身后的蓝色长发之上悄然卷曲,将男子的长发缠绕起来。

蓝衣男子英俊的面庞上流露出一丝有些无奈的宠溺微笑,"都当妈妈了还这么调皮。"

粉裙女子有些不满地嘟起嘴道:"当妈妈怎么了?就不能撒娇了么?你成为神界执法者、海神之后,不还是叫唐三吗?还是我的三哥。"

唐三将粉裙女子拥入怀中,微笑道:"当然可以撒娇,无论什么时候,你都是我最爱的小舞。只要你别让你那宝贝女儿看见就好。不然,她可要和你争宠了。"

小舞一听唐三提起女儿,眼中顿时尽是温柔之色,"小七这丫头太黏人了,趁着她睡觉的工夫我们才能过一会儿二人世界。三哥,刚才我看你神色不愉,又是因为斗罗大陆的事么?"

唐三点了点头,轻叹一声,道:"神界一天,凡间一年。任何位面皆是如此。当初,我本想在斗罗大陆多停留一些时日,却因善良与邪恶两位神王的赌约而不得不回归神界主持大局。却不想,神界之中二十多年过去,斗罗大陆万年之后,唐门却已凋零。"

小舞没好气地道:"善良和邪恶那两个家伙实在是太狡猾了。以赌约为名,自己到下界去玩了,真是太不负责了。他们找来替代神位的那对小夫妻之前的经历太可怜了,要不然,就让他们主持大局,你也能轻松点。"

唐三道:"神王与神界执法者看上去高高在上,但却并不是每个人都愿意承担啊!斗罗大陆经过这万年变迁,显得有些纷乱了。尤其是四千多年前那次地壳变动引来的大陆碰撞,不但令斗罗大陆面积增大了超过一倍,同时也带去了许多变数。"

小舞道:"唐门也就是从那时候开始衰败的啊!三哥,你也别想太多了,其实,从

某种意义上来说，唐门的凋零也是因为时代与位面的进步。"

　　唐三点了点头，"你说得对，但唐门毕竟是我一手缔造，实在舍不得就此消亡。而我身为神界执法者，更不能去干涉一个位面的变化。不过，最近斗罗大陆似乎有一颗新星应运而生，更与我唐门会有千丝万缕的关系，我试图看清他的命运，但却迷雾重重。希望一切是向着好的方向发展吧。"

　　小舞眼睛一亮，道："连你都说是新星，那肯定是不错的人选了。要是以后他能来接替你的神位，我们岂不是就有时间到处去玩了么？"

　　唐三抬手宠溺地在她鼻子上刮了刮，"你啊，就知道玩！"

　　就在他们说话的时候，不远处的云雾中，探出一个小脑袋，看上去十一、二岁的样子，漂亮的大眼睛眨了眨，她的样貌看上去至少与唐三有七分相像，但线条又要柔和得多，眼睛更像小舞一些。

　　"总听爸爸、妈妈说起斗罗大陆，似乎很好玩啊！嘻嘻。"一边说着，她那娇小的身躯悄悄在云雾中隐没不见。

第1章
灵眸少年

好大的一座宫殿似的建筑，金黄的琉璃瓦在阳光下闪耀着耀眼的光芒。宫殿金顶、红门，这古色古香的格调，使人油然而生庄重之感。

从远处望去，雾气沼沼，瓦窑四溏，就跟一块砖抠的一样。占地面积之广，竟有一眼望不到尽头之感。高达五丈的正门牌楼上，有着"公爵府"三个大字。

这座占地面积超过三千亩的巨大府邸并不属于任何一座城市，而是单独建立在星罗帝国首都星罗城外西北方五十里外。由此可见，这府邸的主人在星罗帝国是有着何等尊崇的地位。

此时日正当中，明媚的阳光洒落在晶莹的琉璃瓦上，令整座公爵府都蒙上了一层耀眼的金色，哪怕从星罗城城头眺望也是依稀可见。

公爵府北侧的后门悄无声息地开了，一道瘦小的身影悄悄地溜了出去。

那是一名看上去十一二岁的少年。身材匀称适中，一身简单的灰色布衣干干净净，背上背着一个不大的小包袱，黑色短发显得干净利落。英俊的小脸上流露着超越同龄人的坚毅之色。

轻轻地将公爵府的后门掩上，少年迅速走出几步后又猛然停住，回身看向公爵府。他那一双深蓝色的眼眸中流露着浓浓的恨意。

"妈妈，您的在天之灵看着吧。无论付出多少努力，总有一天，我会回来的，将这

里的一切践踏在脚下。从现在开始，我就随您的姓，改姓霍，霍雨浩。"

说完这句话，他再次深深地看了一眼公爵府，转身，义无反顾而去。

他没有朝着公爵府东南方的星罗城方向走，而是向北方跑去，小小的身影在正午强烈的阳光照耀下渐渐远去，虽然他身材瘦小，可在离去的过程中却并未给人半分无助的感觉。

公爵府往任何方向都有宽阔的官道，霍雨浩一边向前奔跑着，眼圈却渐渐红了。

"妈妈……"脑海中不自觉地再次出现了母亲离世时神色间的那份不舍与不甘，霍雨浩就不禁咬紧牙关。

坚强，我一定要坚强。妈妈教过我，人只能靠自己，只有自己坚强，才能更好地活下去。

有记忆以来发生的一幕幕不断从霍雨浩脑海中闪过。

霍雨浩的母亲是公爵的贴身大丫鬟，从小跟随公爵一起长大，贴身大丫鬟本就是为了侍候主子而存在的，十二年前的一个夜晚，霍雨浩悄悄地出现在了母亲腹中。

十月怀胎、一朝落地。

无论霍雨浩的母亲是什么身份，但他终究是公爵之子，在府内的待遇虽然不算好，但也不算太差。母亲也不再当丫鬟，母凭子贵，有了自己的一个小院子。

一切本来都应该安稳地过下去，可谁知道，灾难很快就来临了。

公爵代表星罗帝国外出征战，府内事务全部由公爵夫人掌管，公爵夫人已有两子一女，对于所有可能未来对自己子女造成影响的因素，全部在她打压的范畴内。公爵在府内的时候还好些，公爵一走，府内就成为了公爵夫人的天下。她更是当今星罗帝国皇帝最宠爱的幼女。

霍雨浩的母亲因自幼随同公爵一起长大，本身很受公爵宠爱，一直就受公爵夫人嫉妒，顿时就成为了首要目标。公爵夫人以霍雨浩母亲身患传染恶疾为由，将他们母子赶到仆人区后面的柴房居住。并且断去了他们一切经济来源。那时，霍雨浩才两岁。

艰苦的生活令霍雨浩母亲本就不算好的身体渐渐崩溃，更何况还有公爵夫人手下仆人不时的打压，霍雨浩母亲终于在霍雨浩十岁那年一病不起，溘然而逝。

斗罗大陆因为四千多年前被西方大海漂浮而来的日月大陆碰撞，面积大增的同时，

也令大陆战事频繁。

万年前，斗罗大陆原本只有两个国家，天斗与星罗。而万年后的今天，原斗罗大陆却已经变成了三个国家。其中，星罗帝国依然存在，但皇室却易主。所幸他们平定了当时国内的所有王国，令星罗一统，成为了最强的一股力量。

而天斗帝国则因为当时的几大王国尾大不掉，最终分裂成为天魂帝国和斗灵帝国。

来自西方的日月大陆面积辽阔、资源丰富，比斗罗大陆略小一些，但却只有一个国家，是为日月帝国。

两大陆碰撞之后，战争立刻就展开了。斗罗大陆上的三大国家在同仇敌忾之下，出动联军，经历了近二十年的战争，终于击败了日月帝国，从而将大陆统一名称为斗罗，日月大陆之名不复存在，只有斗罗大陆上的日月帝国。

不过，日月帝国虽败，但却并未被完全侵略，凭借着自身优势以及原斗罗大陆上三大帝国彼此之间的矛盾，四方渐渐形成了僵持却稳定的局面。但战争却是连年发生。

公爵因为经常踏上战场，在府邸内的时间很少。而霍雨浩母子在公爵夫人的刻意隐瞒下，也渐渐被他所遗忘了。公爵问起时，公爵夫人只是说霍雨浩的母亲身患恶疾。

霍雨浩的母亲含辛茹苦地将他抚养长大，六岁那年，他在府邸中进行了武魂觉醒。

武魂，是斗罗大陆上每一个人都会拥有的能力，日月帝国虽然与其他三国的发展方向不同，但武魂也同样是根本。

每个人天生都会有一个武魂，六岁可以进行觉醒，武魂可以是任何东西，譬如器具、动物等等。动物类的武魂一般被称之为兽武魂，除了兽武魂以外，其他类型的武魂被统称为器武魂。当然，也有一些特殊的变异武魂例外。

在武魂觉醒后，只有很少一部分人的武魂会带来一种特殊的力量，就叫做魂力。也只有这些在觉醒时拥有魂力的人，才能修炼成斗罗大陆上最高贵的职业，魂师。

魂师分为九等，由低到高分别是：魂士，魂师，大魂师，魂尊，魂宗，魂王，魂帝，魂圣，魂斗罗和封号斗罗。

等阶越高的魂师，能力就越强大。到了最高的封号斗罗级别，近乎有移山填海、斗转星移的恐怖实力。

魂力从一级到十级都属于魂士的范畴，武魂觉醒时，出现的先天魂力越强，就意味着成为魂师后的天赋越好，修炼速度也会越快。觉醒时如果魂力为十级，那就是天赋最好的先天满魂力，也被称之为天才魂师，只要武魂本身不是太差，都会有不小的成就。

霍雨浩虽然身为公爵之子，却并未继承属于公爵一脉的强大武魂，否则的话，就算公爵夫人再不喜欢他，只要他有公爵一脉的武魂出现，也必须要上报公爵，从此霍雨浩和母亲的命运也会改变。

可惜，霍雨浩的武魂却出现了极其罕见的变异。

灵眸，这就是霍雨浩的武魂。

在武魂的类别中，有一个细小的分类，既不属于器武魂也不属于兽武魂，是为本体武魂，就是觉醒后武魂是身体的一部分，譬如手、脚等等。

几乎所有的身体武魂都非常强大，但出现的几率又极小，可以说是凌驾于兽武魂、器武魂之上的存在。所以一经出现都会很受重视。

可惜的是，霍雨浩的武魂却是个例外。

灵眸武魂出现的位置自然是眼睛，而且，更是极其罕见的精神属性武魂。正常情况下，霍雨浩本来应该受到极大的重视才对。可惜的是，有两点制约了他的发展。他在武魂觉醒时，先天魂力只有一级，可以说是天赋极差，修炼速度必定是慢之又慢。而第二点则更加致命，精神属性不但是武魂少见，精神属性的魂兽也同样是极其罕见。而每一位魂师当修为提升到以十级为单位的瓶颈时，都必须要猎杀一只与自己属性相合的魂兽，获取魂环而产生突破。

魂环不但是突破瓶颈的必需品，更能提供给魂师一个技能，这也是魂师强大起来的根源所在。

两点制约，几乎已经注定了霍雨浩这一生不可能有所作为。

不过，无论怎么说他也是公爵之子，终究还是得到了最简单的魂力修炼方法。而之后很长一段时间，也证明了他在修炼方面的天赋确实是太差了。

公爵府内，就算是一些仆人的孩子，只要先天有武魂觉醒，最多三年，也足以达到魂力十级，由最低的魂士级别去冲击魂师级别了。

可霍雨浩今年已经十一岁，足足用了五年时间，他的魂力才堪堪达到十级。而且，这五年来，他付出的努力几乎是同龄人的三倍啊！

母亲死后，霍雨浩在公爵府中又留了一年，他还小，冒然离开公爵府根本没有任何生活来源，所以他只能将一切的恨意与委屈都压在心中。而在生活所迫之下，他的心也比同龄人成长得快得多。

母亲告诉霍雨浩，想要出人头地，唯一的可能就是成为一名魂师。哪怕只是一名最普通的魂师，在大陆上，也有着比普通人高得多的地位。

就在昨天，霍雨浩通过五年的刻苦努力，硬是在天赋极差的情况下，将魂力修炼到了十级。而这也是他给自己制定的离开公爵府的日子。

他需要一个魂环，哪怕是最低等的十年魂环也好啊！那样，他就能够成为一名真正的魂师，拥有一个属于自己的技能了。

在斗罗大陆上，魂兽的级别是按照存在年限进行区分的，魂环的能力就和魂兽生存的年头以及魂兽本身的能力息息相关。

一般来说，魂兽被统一区分为十年魂兽、百年魂兽、千年魂兽、万年魂兽和十万年魂兽。

魂师必须要亲手猎杀魂兽，才能在魂兽死亡后从其身上得到一个魂环。

继续留在公爵府，霍雨浩知道，自己根本没可能获得魂环。在那里，根本没有人会帮他。因此，哪怕他知道自己孤身去寻找精神系魂兽可以说是九死一生，但却凭借着一股初生牛犊不怕虎的勇敢，硬是离开了公爵府。

一路向北，很快他就踏上了官道，霍雨浩虽然年龄还小，但为了达到获得魂环的目的，他早就开始做准备了。在他那小小的背包中，除了一身换洗衣服外，还有一些干粮和这些年他母亲在府内做粗活攒下来的一点钱和一柄短刀。最重要的是，还有一张简易的大陆地图。

公爵府和星罗城都位于星罗帝国中北部，而霍雨浩选择去猎杀魂兽的地方，就在星罗帝国北部，与天魂帝国接壤的星斗大森林。在这片几乎占据了一个行省大小的森林中，生活着种类繁多的魂兽，其中不乏超级强大的魂兽存在。

如果有人知道年仅十一岁的霍雨浩，在没有师长陪同的情况下竟敢孤身前往星斗大森林，一定会被他的不自量力所震惊。一个魂技也没有的他，就算是遇到了十年魂兽也未必能够战胜啊！

大路笔直，霍雨浩沿着路边快速向前走着，他虽年幼，但毕竟已经是十级魂士，比一般成年人体力还要好上许多。

一边向前走着，霍雨浩极目远眺，如果仔细看就能发现，他那双深蓝色的眼眸瞬间变得更加澄澈，隐隐似有光晕流转。

自从灵眸觉醒之后，霍雨浩就发现自己的视力远超常人，近，能看到许多旁人无法看清的细节，远，则能看到普通人两倍以上的距离。

而随着魂力的提升，视力还在不断地进步之中。正是因为身体随着修为增加而出现的变化，也令他越发坚定了母亲所说的话，魂师，一定要成为一名魂师。

"妈妈说，如果我能够拥有一个魂环，那么，我就是一名控制系战魂师了。我的武魂并不差，天赋差，我就用比别人更多的时间努力修炼。"

在这份坚定的信念支持下，霍雨浩一边前行一边修炼，渴了，就找些山泉水喝，饿了，就吃点随身所带的粗饼。除了赶路就是打坐冥想，以他的年纪，一天时间竟然能赶路三百里，不得不说是个奇迹。

他身上只有七个银魂币和五个铜魂币，花钱极为节省。

自从斗罗大陆与日月大陆之战结束后，大陆经过数千年衍化，货币完全统一，一金魂币等于十银魂币等于一百铜魂币。

小时候，母亲为了让他吃得好一点，偶尔会带着他悄悄溜出公爵府，在外面的树林里找一些果子和野菜吃。所以小雨浩认识的植物种类相当多。很多时候，他甚至连最便宜的粗饼都舍不得买，就在赶路的过程中从路边树林里找些吃的。

霍雨浩终究是第一次出门，尽管有地图的指引，但他还是不可避免地几次走错了路。还是在不断询问路人的情况下，才重新找到了正确的路径。

正所谓读万卷书不如行万里路，几天下来，他自己都觉得学到了不少东西。少了公爵府中的压抑与束缚，心情也好了许多。一路行来所见到的新奇事物令他兴奋不已。他毕竟还小，身体恢复得也快，赶路不觉疲倦，反而像是脱离了笼子的鸟儿，在母亲去世后，第一次有了快乐。

"已经走了六天了，应该就快要到了吧。"霍雨浩小心翼翼地看着手中纸绘的地图，再看看道路两旁树影所指引的方向，他断定，自己距离星斗大森林已经很近了。

抹掉额头上的汗水，霍雨浩走进路旁的树林，找了个树荫处刚要坐下来冥想恢复体力，突然，淙淙的流水声传来，顿时令刚要坐下的霍雨浩兴奋地跳了起来。

有水，就意味着可以改善生活了啊！

闭上双眼，霍雨浩静静地聆听那流水声传来的方向，身为精神武魂的拥有者，他的六感要比普通人强得多。尤其是当他闭上眼睛的时候，其他五感就会放大几分。

很快，他就认准了方向，小心翼翼地在树林中前行。他的小心并不是因为树林中的地面不平，而是怕衣服被荆棘划破。这衣服还是妈妈亲手为他做的。

不到两百米，他就找到了自己的目标，一条宽约三米的小溪，溪水清澈见底，清冽的溪水带来一份舒爽的清凉。

霍雨浩欢呼一声，迅速脱掉衣服，一下就跳入了只有不到两尺深的溪水之中。上次洗澡还是两天前呢，两天的赶路，早就令他一身的汗渍，在这清冽的溪水中洗个澡简直是再舒爽不过的享受。

洗了个痛快，当他重新上岸的时候，整个人都有种焕然一新的感觉，心中暗想，反正也快到星斗大森林了，就在这里先好好休息一下。

他换上包袱里的干净衣服，将之前的脏衣服在溪水中洗好，晾在树枝上。然后又掰了一根长约三尺的树杈。

右手从后腰处摸出一柄连鞘短刃。短刃大约有一尺二寸长，刀鞘呈墨绿色，是用坚韧的皮革做成，霍雨浩也不知道是什么魂兽或者是动物的皮革。他只知道，这柄短刃是父亲送给母亲唯一的礼物，一直被母亲视若珍宝，直到去世前的一刻，才将这柄短刃交给了霍雨浩。

刀柄长约五寸，没有什么华丽的装饰，却给人一种古朴之感。握在手中不但契合，而且异常舒服。

抽刀出鞘，没有发出半点声音，长约七寸的刀刃宛如一汪秋水，纤薄的刀刃仿佛透明一般，森森寒气令已经有所习惯的霍雨浩还是不禁打了个寒战。

白虎匕，这是母亲告诉他的名字。

霍雨浩看着白虎匕，眼中的兴奋顿时变成了浓浓的伤感，从那光可鉴人的刀刃上，他仿佛又看到了母亲的身影。

拿起刚刚折下的树杈，白虎匕在树杈前端削了下去，散发着淡淡碧光的刀刃从树杈上划过，就如同切入豆腐一般毫无阻隔。三两下，树杈前端就被削得锋锐起来。

霍雨浩将白虎匕插回刀鞘重新别在自己的后腰上，拿着树杈来到小溪边。

略微深吸口气，他的双眸顿时亮了起来。顿时，清澈的溪水中，一切细节在他眼眸中放大。水波流转的细微变化，甚至是河底石缝中的小小虾米都逃不出灵眸的注视。而且，这所有的一切在他眼中都慢了下来。

突然，霍雨浩出手如电，手中树杈飞速向溪水中插去。

"噗——"抬手，翻腕，一条半尺长的青鱼就被他插了上来。

插鱼对于普通人来说绝对是个技术活。但对于有灵眸准确定位的霍雨浩来说却是再轻松不过。这也是为什么他听到有流水声时那么兴奋的原因。除了自己抓鱼之外，这六天来他再没吃过什么其他的肉食了。

一条小鱼当然不够他吃的，只是一会儿的工夫，霍雨浩就从河里插上来十几条半尺到一尺长的青鱼。

"太好了，起码够吃两天的呢。烤熟了也不容易坏。"

霍雨浩兴高采烈地蹲在溪水旁用白虎匕辅助，将这些青鱼全都处理干净。锋利的白虎匕无论是刮鳞还是开膛破肚，都是轻松如意。对于从小就跟母亲一起干活的霍雨浩来说，这种工作毫无难度，一刻钟的时间，十几条鱼就全都处理好了。

从树林中找来一些大树叶，在溪水中洗净，再把洗干净的鱼放在上面，找来一些干树枝当做柴禾，一会儿的工夫，一小堆篝火就在溪边点燃了。

霍雨浩身上的调料只有盐巴，但对于烤鱼来说却已是足够。他用粗树枝做成几个小架子，再用细树枝穿上洗干净的青鱼，把盐巴抹在青鱼肚子里，再从包袱中拿出前几天在树林中采摘的一种名叫紫苏的叶子洗净、撕碎，也塞入青鱼腹中，这才将处理好的鱼放在粗树枝做成的烤架上烤了起来。

时间不长，一股特殊的香味儿开始在火堆上方弥漫而出，香味儿很浓郁，更有着一种只属于它的诱惑。在霍雨浩缓慢的翻转中，青鱼渐渐变成了金黄色，配着那浓浓的香气，分外诱人。

第一次霍雨浩只烤了两条，其他的鱼则先都处理好。一次烤太多的话，火候掌握容易出问题。

"好香啊！"

正在这时，一声惊喜的娇呼声响起，声音清脆悦耳，却吓了霍雨浩一跳。

他顺着声音传来的方向看去，只见沿着溪水旁走来两人，走在前面的是一名少女，看上去十五六岁的样子，长长的黑发梳成马尾垂在身后，一身淡蓝色的劲装将她那含苞待放的娇躯勾勒得充满青春气息。

丹凤眼，眼睛大而灵动，挺翘的鼻梁，近乎完美的瓜子脸，漂亮的娇颜带着几分惊喜之色，眼睛直勾勾地看着霍雨浩的烤鱼。

跟在少女身后的是一名看上去和她年龄相仿的少年，少年身材修长而挺拔，一头深蓝色的短发在阳光的照耀下散发着宛如宝石般的光泽。他年纪虽然不大，但看上去却给人一种儒雅的感觉，英俊的面庞上带着一丝懒洋洋的温和笑意，双手抱着后脑，也是一副感兴趣的样子看着霍雨浩这边，不过他看的是人而不是烤鱼。

走在前面的少女已经三步并作两步般雀跃地跑到霍雨浩面前，一副馋涎欲滴的样子道："小弟弟，你这烤鱼卖不卖，好香哦，你是怎么做的啊！"

漂亮的女孩儿霍雨浩不是没见过，在公爵府中，甚至有许多丫鬟都很美，但却从未如此近距离地接触过，而且，公爵府内那些女子没有一个能和眼前这少女相比的。这少女并不是绝色的完美无瑕，但她却有一种钟灵之秀的气质。

霍雨浩小脸有些涨红地道："我、我请你们吃吧。"

少女扑哧一笑，道："小弟弟，你还害羞呢。那我可就不客气了哦。"一边说着，她伸手接过霍雨浩递来的烤鱼，很没形象地坐在一旁一边大呼着"烫"，一边小心翼翼地吃着。

与少女一起的少年此时也已经走了过来，一脸无奈地先向霍雨浩抬手打了个招呼，然后向少女道："小雅，这小兄弟还没吃呢，你倒是先吃起来了。"

小雅美眸大睁，嗔怒道："你叫我什么？"

少年顿时举起双手做投降状，"好啦，小雅老师，总行了吧。"

小雅白了他一眼，道："这还差不多，要注意你的身份。"她年纪虽然不大，但这一瞥却是风情万种，看得少年不禁一呆，旁边的霍雨浩更是不敢再看，将烤好的另一条

鱼递向少年，道："大哥哥，也请你吃。"

少年微微一笑，道："君子不夺人所好。小兄弟，你还没吃呢。这些鱼是你从河里抓上来的么？"

霍雨浩点了点头，道："没事的，我还可以再烤。"一边说着，他一边站起身将烤鱼塞给少年，自己动作熟练地将处理好的另外两条烤鱼放在了木架上继续烤了起来。

少年温和一笑，道："我叫贝贝，她叫唐雅，小兄弟，你叫什么名字？"

"我叫霍雨浩。"霍雨浩一边认真地烤鱼一边回答道。他这一路走来，在野外露宿的时候不止一次遇到过旅人，也得到过他们不少的帮助，因此，唐雅向他要烤鱼吃的时候霍雨浩毫不犹豫就将烤鱼递给了她。这些天让他学会了，出门在外就是要互相帮助的。

贝贝在唐雅身边坐了下来，他吃烤鱼的动作就要比唐雅优雅得多了，起码不会弄得满手都是油。

霍雨浩第二轮烤鱼熟了的时候，唐雅早已眼巴巴地等在那里，在贝贝无奈地注视下，她还是抢了一条。

不过，这次贝贝却不肯再吃了，示意霍雨浩自己先吃。霍雨浩也早就饿了，一边继续烤鱼，一边自己也吃了一条。

虽然调料只有简单的紫苏和盐巴，但烤鱼的味道却极为鲜美，十几条鱼虽然体积都不算大，但总量还是不少，却被三人全都吃掉了。

"太好吃了。从来没吃过这么好的烤鱼。霍雨浩小弟弟，要不我聘请你做厨师吧。好不好？"唐雅直接躺倒在草地上，满足地伸着懒腰，曲线毕露自己却丝毫不觉。贝贝看着她的样子直挠头却是毫无办法。

"你有钱吗，小雅老师？"贝贝泼凉水道。

"呃……以后会有的。"唐雅有些尴尬地坐起身，瞪了贝贝一眼，似乎很是不满他的拆台。

霍雨浩站起身道："贝大哥，唐姐姐，我要先走了。"

贝贝道："霍小弟，这里荒郊野外的，而且距离魂兽出没的星斗大森林不远，你这是要去哪里啊？"

霍雨浩摇了摇头，摘下树枝上已经基本干了的衣服收好在包裹里，向两人笑了笑，挥手告别。在唐雅有些惊讶的注视下转身离去。

"他不会是要去星斗大森林吧？"唐雅看着霍雨浩离开的背影若有所思地说道。

贝贝摇了摇头，道："不好说。我能隐约感觉到他拥有魂力，但却很弱小，可看他的样子又像是孤身一人。确实有些奇怪。"

唐雅吐了吐舌头，道："有魂力哦，要不，吸收入我们唐门？"

贝贝没好气地道："你不会是因为人家烤鱼好吃所以才想要吸收人家入门的吧？"

唐雅被说中了心事，俏脸一红，向贝贝吐了吐舌头。

贝贝道："这位霍小弟一定是有过什么经历，从他的眼神中能看出远超同龄人的成熟。只是不知道天赋如何。"

唐雅脸上涌起喜色，道："这么说，你是同意了？"

贝贝苦笑道："伟大的唐门门主唐雅小姐，在你收我为徒之前，唐门就你这一个光杆司令。你的志向又是要壮大唐门，有适合的人当然要吸收了。这霍小弟看起来挺沉稳的，如果天赋还可以的话也是个选择。从他的衣着上能看出来，他的家境应该不会太好。我们唐门现在也就能吸收吸收这样的弟子了。"

唐雅有些好奇地看着贝贝，道："看不出来，你还挺狡猾的嘛。"

贝贝站起身，掸掸衣服，道："这叫聪明，或者你说睿智我也能接受。走吧，吃了人家这么多烤鱼，无论是否吸收他入唐门，总要保护他一段路程，以免他遭遇到魂兽出现的危险。"

唐雅也站起身，嘻嘻一笑，道："这次你确实是聪明的，因为你和我想的一样。我清洗一下咱们就走。"

霍雨浩自然不知道他走后贝贝和唐雅的交谈，原本计划带着一些烤鱼上路的，现在却没能实现。他不想暴露自己是魂士的身份，所以才没有再次抓鱼。妈妈教导过他，逢人只说三分话，不可全抛一片心。虽然他对贝贝和唐雅印象很好，但吃饭后还是选择和他们分开了。

霍雨浩虽然年纪小，但心思却不少，他能看得出，唐雅和贝贝应该不是普通人，因为正如贝贝所说，这边是荒郊野外，可他们身上却连包袱都没有。所以最后他认为还是

尽快和这两位哥哥、姐姐分开比较好。

吃了一顿好的，霍雨浩的体力已经完全恢复了过来，他在地图上标注了之前小溪的位置，说不定回来的时候还能用得到呢。

前行不久，路边的一块木牌吸引了霍雨浩的注意。

"前方五十里处将进入星斗大森林境内，有魂兽出没，注意安全。"

果然没走错，终于要抵达目的地了，此时的霍雨浩，除了兴奋之外，多少还有一丝紧张，摸了摸后腰上的白虎匕，他压下心中的那份不安，迈着坚定的步伐向前行去。

成为魂师，是唯一的出路，这是霍雨浩心中的执念，他绝不后悔自己的决定。

空气渐渐变得清凉起来，在清凉之外，似乎也有着一份特殊的凝重，星斗大森林就像是一只张大了嘴的魂兽，等待着一个年轻生命的进入。机遇或是……吞噬！

第2章
天梦冰蚕

霍雨浩的年纪毕竟还小，在短暂的惊讶紧张之后，情绪更多地转化为了兴奋。走了这么多天，目的地终于到了，只要一想到自己有可能获得一个魂环从而真正成为一名魂师，他就有种热血沸腾的感觉。他虽然年仅十一岁，为了这一天的到来，却已经刻苦修炼了五年多的时间。

在兴奋的状态下，霍雨浩下意识地加快了自己前进的步伐，前往星斗大森林的速度就有些迫不及待了。

正向前行进着，突然，一丝有些怪异的感觉出现在他脑海之中，霍雨浩只觉得自己的双目略微有些刺痛，他下意识地将魂力催动到灵眸之内。

微弱的气流围绕着双眼盘旋，霍雨浩似乎看到前方道路左侧有一道黑影一闪而逝。

作为极其罕见的精神类变异武魂，灵眸有着很强的预警能力，危机感令霍雨浩的反应一下变得敏锐起来，身体迅速向左边扑倒，同时右手迅速地从腰后抽出了白虎匕。

一道黑色的身影从他先前所在的位置一闪而过，扑在了旁边的地面处，近在咫尺，霍雨浩顿时看清了它的样子。

那是一只高度大约有一米左右的狒狒，全身长有棕黄色的毛发，双眼是褐色的，一双手臂奇长，手爪上有锐利的指甲，口唇处犬齿外露，双眼中凶光外放。一击不中，它顿时向霍雨浩发出一声低沉的咆哮，有力的后肢一蹬地，再次向霍雨浩扑来。

虽然霍雨浩的灵眸还没有附加一个魂环，但它的基本作用还是相当不错的。在魂力的注入下，扑来的狒狒在他眼中动作慢了许多。霍雨浩先前就是扑倒在地的，迅速向左侧一滚，弹身而起，跌退出几步的同时将白虎匕提至胸前。

紧张的心跳声清晰响起，霍雨浩的呼吸明显变得急促起来，这还是他有生以来第一次面对敌人，不，敌兽的攻击。握住白虎匕的掌心中已经布满了汗水，更是有些茫然得不知该如何应付。

狒狒连续两击不中，似乎也被激怒了，上身扬起，双拳用力地捶击着自己的胸口，一声咆哮的同时，猛然朝着霍雨浩的方向张开了大嘴，顿时，一团白光从它口中喷出，直奔霍雨浩飞去。

此时就算霍雨浩再没经验也能看得出他所面对的是一只魂兽了。此地和星斗大森林还有一定的距离，他又没有半分准备，眼看着就要被那白色光团击中，以他现在的修为，一旦被命中，那么，很可能就是灭顶之灾。

霍雨浩此时大脑已是一片空白，灵眸之中，那团白光飞来的速度看似不快，可实际上转瞬就到了他身前。

在喷出白光的同时，狒狒自己也飞速朝着霍雨浩扑了过来，眼中凶光毕露。

白光已到面前，紧张中失去思考能力的霍雨浩只是随着身体的本能下意识地抬起了右手中的白虎匕，与那白光撞个正着。

奇异的一幕就在这时出现了。白光撞上白虎匕的同时，狒狒就已经扑到了，一双修长的手臂前伸，带有利爪的双掌同时抓住了霍雨浩的双肩。

战斗进行到这里，似乎霍雨浩的命运已经注定，他真的就要殒灭在这只魂兽的爪下了么？

狒狒抓住霍雨浩的双肩，强壮的身体随着冲势在空中翻转一周，就要狠狠地将霍雨浩摔出。

与此同时，一道白光就在狒狒摔出霍雨浩的同一时间在它身下一闪而过。狒狒的身体似乎僵硬了一下，原本应该是被砸向地面的霍雨浩被甩得飞了出去。而那狒狒本身却在地上一阵翻滚后不动了。

"砰——"霍雨浩的身体撞击在不远处的树干上，他只觉得眼前一黑，剧烈的疼痛令他瞬间失去了呼吸的能力。

此时的霍雨浩，样子看上去实在是有些凄惨，两边肩膀上各留下了数道长长的血痕，上衣几乎被撕碎了。

不过，他却也在这份剧烈的痛苦中中清醒了过来，目光下意识地看向了那只倒地不动的狒狒。

淡淡的白色光芒出现在狒狒身上，渐渐地，这些白光缓缓地在它身体上方凝结成一个白色的光圈，光圈并不清晰，光芒也是若隐若现，但却依旧让霍雨浩看呆了。

魂环，这是魂环？霍雨浩激动得身体甚至有些颤抖起来，身上的伤口似乎也不那么疼痛了。

在公爵府内，他学过的只有最基础的冥想方法，但对于魂兽、魂环的话题却听得太多、太多了。几乎每一名公爵府内的侍卫都会经常提到这些。而这却是他第一次亲眼看到。

难道它已经死了？霍雨浩呆呆地想，只有魂兽死去，才会释放出魂环啊！可是，它是怎么死的？

灵眸的作用在这一刻显现了出来，记忆如潮水般在他脑海中涌现。

狒狒发出的白光撞击在白虎匕上的瞬间，白虎匕突然光芒大放，居然将那白光全部吸收了进去。而这也是改变整个战局最关键的一刻。

按照狒狒的战斗本能，霍雨浩这个弱小的人类被它的本命魂技击中后一定会丧失战斗力，然后再被它狠狠地砸在地面上，至少一条命会去了半条。可它却万万想不到，自己的本命魂技居然被霍雨浩的白虎匕下意识地化解了。而在它抓住霍雨浩，身体翻转要将霍雨浩摔出的时候，霍雨浩同样是在身体本能的作用下，双臂上甩，右手中的白虎匕很自然地向上撩起。

本来白虎匕的长度是够不到已经腾空而起的狒狒，但是，就在那一瞬，白虎匕上突然释放出了尺长刀芒，从狒狒身上一掠而过。似乎是将先前吸入的白光化为了锋锐。虽然霍雨浩当时大脑一片空白，记不清斩中了什么位置，但可以肯定的是，那刀芒一定是斩在狒狒身上了。

我竟然赢了？霍雨浩看着那白色魂环，心中的兴奋却渐渐消失。

　　魂环对于魂师的重要性就像男人对某柱状物的依赖，是魂师进阶的必需品。但是，并不是所有魂环都适合魂师吸收的，只有与自身武魂契合度高的魂环才能被更好地吸收。

　　好的魂环带给魂师的技能也会更加强大。而魂环的强度是根据魂兽修炼年限来区分的。

　　其中，白色魂环代表的就是十年魂兽所出。所有修为在十年到一百年之间的魂兽被杀死后，都会有白色魂环产出。无疑，此时被霍雨浩在运气下杀死的这只狒狒就是一只十年魂兽，那十年魂环也清晰地出现在了霍雨浩面前。可惜，这却并不是他所能吸收的魂环。

　　虽然霍雨浩对于猎杀魂兽毫无经验，也看不出这狒狒是什么属性的存在，但他却能够肯定，这狒狒绝不是精神属性的魂兽。它的魂环更不适合自己。

　　霍雨浩有心去看看狒狒的情况，可刚想站起，却是全身一阵酸软。过度的紧张导致他此时一丝力气也用不出来，再加上肩头的疼痛，用力之下，更是让他闷哼一声，险些昏过去。

　　他毕竟只有十一岁啊！刚刚遭遇大变，他心中的坚定甚至出现了一丝动摇。精神属性魂兽的数量极为稀少，这还只是他遇到的第一只魂兽，更只是十年魂兽级别，就已经险些杀死了他。万一遇到一只百年魂兽呢？他更是没有半点幸免的可能，运气不可能每次都站在他身边。而白虎匕刚才所展现出的瞬间神奇显然不能弥补他弱小的能力。

　　我该怎么办？霍雨浩挣扎着勉强坐起来，靠在先前撞击的大树上，大口大口地喘息着。

　　我不能死，我一定会成功的。我还要为妈妈讨还公道，我不能就这么放弃。霍雨浩咬紧牙关，不断地在心中坚定着自己的信念。但是，先前与狒狒短暂搏斗的一幕幕却不断地在心中告诉他什么叫做不自量力。

　　正在霍雨浩心中充满了茫然不知所措之时，突然间，毫无预兆地，一个声音在他脑海中响起。

　　"终于让我遇到了一个精神属性的人类，可惜哥不会流泪，不然一定是泪流满面啊！"

霍雨浩被吓了一跳，他完全不明白为什么在自己脑海中会突然出现一个声音。就在这个时候，他身下的地面突然毫无预兆地震颤起来。前方两米外的地面开始出现一道道裂痕，裂痕渐渐变大，变成了裂缝。隐约间能够看到淡淡的金白色光芒从那裂缝中闪亮起来。

这、这是什么？又是魂兽？

霍雨浩下意识地握紧白虎匕，紧张地看着那渐渐扩张的裂缝。如果不是身体酸软，说不定他已经拔腿就跑了。

一丝丝冰冷的寒意从地面的裂缝中散发出来，周围的温度开始明显下降，裂缝出现的面积越来越大，一会儿的工夫竟然达到了直径五米开外。而那金白色的光芒也终于露出了真容。

那是一个圆滚滚的头部，看上去肉乎乎的，直径足有一米多，它蠕动着缓缓爬出来，身长足足超过了七米。

伴随着它的出现，霍雨浩的呼吸开始出现了冰雾，冰冷的寒意不禁令他接连打了几个寒战。

这个绝对是魂兽的家伙，看上去竟然像是一只蚕宝宝。只不过它和普通的蚕宝宝相比不知道要大了多少倍。

通体呈现为白玉色，晶莹剔透，虽然是从泥土中钻出来的，但光滑的皮肤上却没有任何污垢。表皮下光晕流转，头部上竟然还有一双金光闪闪的小眼睛。最为奇特的是从它头部半米处开始，每隔一段距离就有一道环绕的金纹，从头到尾，一共有十道金纹之多。

看着它那庞大的身体，霍雨浩已经紧张到露出了绝望之色，这么庞大的身躯，还有改变温度的能力，这起码也是一只百年魂兽吧。完了，一切都完了。

"别怕、别怕。哥不会伤害你的。"先前的声音又一次在霍雨浩脑海中响起，那巨大的蚕宝宝向他点了点头，巨大的头颅垂下来，在距离霍雨浩一米外停下，从它身上，甚至还传出淡淡的清香气息。

霍雨浩吃惊地道："是你在跟我说话？"

巨大的蚕宝宝向他点了点头，声音依旧是在他脑海中响起，"当然是哥。是不是被

我漂亮的娇躯迷住了？"

没有感觉到这巨大的蚕宝宝流露出半分恶意，霍雨浩紧绷的心弦也随之放松了几分。

"你要干什么？"

蚕宝宝道："先自我介绍一下，我就是英雄与侠义的化身，智慧与美貌并重的魂兽王中王，绝代强者，修炼百万年之久，创造斗罗大陆寿命最高纪录的天梦冰蚕。嗯，你可以叫我天梦哥！"

霍雨浩的眼神瞬间呆滞了，"百、百万年魂兽？"这和他的判断相差了足足一万倍，而且，这个世界上，真的有百万年魂兽这样的存在么？斗罗大陆上最强大的魂兽应该是十万年的啊！

天梦冰蚕扬扬得意地道："是不是很惊讶？是不是很兴奋？能够见到本大能本体的人类，你还是第一个。"

霍雨浩呆呆地道："那你要干什么？"

天梦冰蚕的声音突然变得郑重起来："哥要成为你的魂环，斗罗大陆上史无前例的第一个智慧魂环。"

"啊？"霍雨浩目瞪口呆地看着面前的天梦冰蚕，一时间他已经有些失去思考的能力了。

这一切来得实在太突然，他固然渴望一个魂环，但一直以来，他想要得到的都只是一个十年魂环而已，从未有过更多的奢望，而此时此刻，突然从地面上钻出一只硕大而且会说话的蚕宝宝，告诉霍雨浩它是一只伟大的百万年魂兽，并且愿意成为他的魂环，这让霍雨浩完全不明白是怎么回事儿，更是不知道这天梦冰蚕所说是真是假。

但是，无论真假，眼前这巨大的蚕宝宝都不是他所能抗衡的。

天梦冰蚕巨大的头颅朝着星斗大森林的方向警惕地看了看，然后再回过头来看向霍雨浩，道："我要开始了哦。放心，我会轻一点的，不会弄得你太疼。"

"你……"没等霍雨浩发出反对的声音，一股极寒的气息已经瞬间令他失去了意识。他只是隐约看到一团白乎乎的东西向自己冲了过来，下一刻，一切思考的能力就已经远离他而去了。

　　天梦冰蚕身上的十个金色光环就像是活过来一般律动着。霍雨浩看到的那个白乎乎的东西，其实就是天梦冰蚕将头探过去抵住他的额头。

　　十个金色光环迅速地笼罩上了霍雨浩瘦小的身体，而天梦冰蚕本身则化为一股股白色光晕不断向他体内涌去。

　　"太弱了、太弱了，这也太惨了点。我好可怜啊，我要用多少道封印附加在自己身上才能让你这弱小的身体承受，这智慧魂环真不是好当的！"

　　一股无形的精神波动就在天梦冰蚕将自身向霍雨浩体内涌去的时候从它身上向外扩散开来。恐怖的精神力几乎是瞬间覆盖了直径百里内的每一处角落。

　　正在加速赶路想要追上霍雨浩的贝贝和唐雅被这股精神波动覆盖时，顿时陷入了短暂的呆滞之中。精神冲击并不具备太大的破坏力，但却能够让一切生物在短时间内全部失去思考的能力。

　　这一刻，星斗大森林的南端大部分地区，静得可怕。

　　也就在这时候，前一刻还万分晴朗的天空突然暗了下来，一声炸雷般的轰鸣在高空中响起，在那一瞬间，太阳的光芒竟然完全被黑暗所遮挡。一股令人喘不过气来的巨大威压从天而降。

　　正在努力将自己融入霍雨浩体内的天梦冰蚕在那声炸雷般的轰鸣响起时庞大的身躯剧烈地震荡了一下，两只金色的小眼睛向上翻转，看向空中。眼神中顿时流露出惊骇之色。在惊骇中还有几分茫然，显然这天空中的压抑与它无关，更是超出了它的认知。

　　一道灰色气流，就像是遭遇到了巨大的吸力似的从天而降，只是一瞬间，就落在了霍雨浩的后脑处并悄然钻入。

　　"什么东西敢和哥抢人？"天梦冰蚕大怒，庞大的精神波动瞬间奔涌，试图将那灰色气流从霍雨浩体内驱赶出去。

　　一个十分模糊的身影在霍雨浩背后浮现出来，苍老的声音带着一种难以形容的威严响起，"手握日月摘星辰，世间无我这般人。没想到老夫竟然还能有一丝残魂得以留存。"

　　面对天梦冰蚕庞大的精神力冲击，这模糊的虚幻身影却像是没有受到半分影响似的，嗖地一下，钻入霍雨浩后脑中消失不见。

天梦冰蚕却不敢再加大精神力冲击了，因为霍雨浩的七窍之中已经渗出了血丝。它发现，那团灰色气流在进入到霍雨浩脑海中后，立刻化为了一颗只有黄豆粒大小的灰色珠子，然后就沉寂了下来。虽不和它的力量冲突，但也不被它的力量所影响。

"不会这么倒霉吧。好不容易找到一个精神属性的人类，却还有混蛋跟我抢。难道是天妒英才？哥好可怜啊！"虽然在发着牢骚，但天梦冰蚕的动作却是一点也不慢。浓浓的白光渐渐变得越来越凝实，缓缓地注入到霍雨浩体内，而它的本体则在这个过程中渐渐变得透明起来，同时体积也在迅速地缩小。在它将力量开始注入到霍雨浩体内的那一刻，就已经没有退路了。

霍雨浩的身体已经完全变成了如玉般的白色，就像先前的天梦冰蚕一样。双肩上的伤口以肉眼可见的速度愈合着。

"哇哈哈，不管怎么说，哥终于解脱了。那些把哥当成食物的混蛋们，你们没有机会啦。哇哈哈。"天梦冰蚕得意的声音渐渐变小，先前那覆盖了直径百里的庞大精神力也以惊人的速度收缩而去，渐渐消失。

星斗大森林深处，数个恐怖的气息同时剧烈地波动起来，似乎是在感受着什么，但它们却注定要无功而返了。

也就在天梦冰蚕的声音完全消失时，霍雨浩身下，一圈莹白色的光环悄无声息地浮现而出，围绕着他的身体连续盘旋三周后，才重新淡化，融入到他体内消失不见。

霍雨浩完全不知道，在不知不觉间，他真的拥有了第一个魂环，而且真的是斗罗大陆历史上绝对独一无二的魂环。

莹润的白色渐渐褪去，一层淡淡的冰蓝色开始从霍雨浩皮肤下浮现而出，持续了大约十几秒后再渐渐淡化，恢复了他皮肤的本来颜色，他的身体也是一歪，倒在了先前背靠着的大树下。

一层带着淡金色的薄薄白膜悄无声息地从地面上飞了起来，迅速缩小后凝结为一团钻入霍雨浩怀中消失不见。天梦冰蚕也再没有半分气息残留下来。

道路上那个大坑不知道什么时候已经合拢了，除了倒下的霍雨浩之外，就只有不远处那头被他杀死的狒狒尸体还在那里。所有的一切也似乎都恢复了正常。

时间不长，两道身影以极快的速度向这边奔驰而来。

"呀！"一声惊呼中，一道身影瞬间加速，飞快地来到霍雨浩身边停了下来。

"我们来晚了，雨浩小弟好像是受到了攻击。这些魂兽真是越来越嚣张了，这都出了星斗大森林了啊！"唐雅小心地将霍雨浩从地上扶起来，一脸的郁闷和担忧。

贝贝则是到了那头狒狒身边，将狒狒的尸体翻过来，能够看到，狒狒从胸口处被斜斜地划开了一道长达尺余的创口，就连心脏都被划破了，这显然是它的致命伤。

"这是风狒狒，看这大小和肌肉强度，应该是十年魂兽级别的。已经死了。"贝贝来到唐雅身边，蹲下身体和她一起检查霍雨浩的情况。

令二人惊讶的是，霍雨浩身上的衣服虽然破损得厉害，但却并没有找到什么伤痕。

贝贝右手食指在霍雨浩手腕上一点，白虎匕落入他掌握之中，一层淡淡的蓝色光芒在贝贝手上一闪而没，顿时，白虎匕上涌现出一层蓝蒙蒙的光彩。

"这是一件魂导器。雨浩应该是用它杀死了风狒狒。这只风狒狒虽然只是十年魂兽，但速度和力量都是相当不错的，还有本命魂技可以攻敌。雨浩小弟这个年纪能够击杀它已经是相当不错了。看来，之前我们对雨浩的判断还不够准确，他应该已经是一环魂师级别。"

唐雅焦急地检查着霍雨浩的身体，道："现在说这些还有什么用，都怪我非要洗手、洗脸才耽误了时间。要是小雨浩因此而出事，我永远都原谅不了自己。不管他天赋怎么样，我已经决定了，一定要说服他加入我们唐门。"

贝贝焦急的看着唐雅，目光变得更加柔和了，他最喜欢的就是唐雅这份发自内心的善良。"别急，他没事。你没看他的呼吸很正常么？身上又没有什么伤势。从他昏倒的位置来看，应该是在与风狒狒战斗的过程中被冲击得撞在树上导致的昏厥，休息一会儿应该就能恢复了。"

唐雅愣了一下，抬头瞪了贝贝一眼，"那你不早说，害我着急。"

贝贝无奈地道："谁知道你连这都看不出来。"

"哼！"唐雅扶着霍雨浩，让他倚靠在自己身上，确认了他确实没什么大问题后，这才松了口气。

贝贝则站起身，目光平和地看向四周，默默地守护在她身边。

霍雨浩昏迷后觉得自己做了一个梦，他梦见自己来到了一片洁白的空间，在这片空

间之中，有着许许多多的光点，一眼望不到边际。而他的视线又偏偏像是能够蔓延到这个空间每一个角落似的。

就在他体会着这个空间的神奇时，空间内突然风起云涌，一道道金色光芒穿插而入。

这些金色光芒汇聚成十个巨大的金色光环悬浮在半空之中，空间内所有的光点都因为它们的出现而变得大了许多。

十个金色光环开始缓慢地旋转起来，每一个光环内部，都有着乳白色的光晕出现，光晕越来越强，渐渐变成了十个巨大的光球悬浮在那里。整个空间的高度和体积都随之增大了不知多少倍。

也就在这个时候，在其中一个光球附近，出现了一个不起眼的灰色光团，这个光团的体积要比其他十个光球小得多。那些光球也都在释放着浓烈的金光，似乎要将它赶走。但那灰色光球却是平静地悬浮在那里，任由金色光芒如何冲击，也无法对它产生任何的影响。

最终，那十个光团只能放弃了无谓的努力，各自稳固下来，闪烁着淡淡的光彩。

霍雨浩的神志也渐渐变得清晰起来，那些悬浮在空中的光点渐渐沉落在下方，汇集成一片淡金色的海洋，承载着那十个巨大的金白色光球，唯有那很小的灰色光团依旧悬浮在空中，不肯与这些大光球聚集在一起。

"原来你叫霍雨浩。"一个突如其来的声音响起，紧接着，霍雨浩的视线瞬间收缩，他下意识地低头看去，只见身无寸缕的自己就站在那金色海洋的上方，也是那十个金白色光球之间。

"这是哪里？我为什么会在这里？"霍雨浩吃惊地问道。

"这是你自己大脑之中的意识之海或者说是精神之海。以后这也是哥的家了。地方太小，哥帮你扩充了一下。不过，你的身体太弱了，只能先凑合着住。"

"你是天梦冰蚕？难道我不是在做梦么？"听着那说话的语气和声音，霍雨浩更是震惊了。眼前所看到的一切，已经完全超出了他的认知。别说他只有十一岁，就算是成年人遇到如此神奇的一幕也会被吓得心惊胆战。

"做梦？要是能有这样的美梦，你岂不是要美死了？这当然不是做梦，我都说了，

这是在你的精神世界之中。"天梦冰蚕没好气地说道。

霍雨浩呆呆地道："精神世界又是什么？"

天梦冰蚕道："你真是傻得可以。怎么跟你解释呢？这么说吧，你自己的眼睛自己知道吧。就是你那意识中叫做灵眸的武魂。我刚刚拓印了你的记忆，你以前的事情我都知道了。这灵眸是你的武魂，也是你的眼睛。而精神之海就是你精神力储存的地方。对你来说，想要将灵眸武魂发挥出威力，那么，就需要将魂力转化为精神力，再通过灵眸释放出去。而储存精神力的地方，就是你的精神之海。具体的位置可以说是在你那双灵眸后面的大脑里。你现在是意识沉浸在精神之海内，你所看到的身体并不是你的本体，是我用精神力帮你凝聚而成的，为了能和你交流交流。"

听着它还算详细的解释，霍雨浩终于明白了几分，内心的恐惧也随之淡化了许多，孩子有的时候比成人更加敏感，他能够感觉到这天梦冰蚕对自己确实没有任何恶意。

"那你为什么会出现在我的精神之海里？"霍雨浩再次问道。

天梦冰蚕道："我之前不是对你说过了吗？我要做你的魂环啊！智慧魂环。现在我已经是了。为了能够成为你的魂环，我大大地压缩和封印了自己的力量，以后你就有魂环了。也就是成为了你们人类所说的魂师了。不过，你的天赋实在是比我想象中还要差，简直可以用差得离谱来形容。我真不知道自己的选择是对还是错。"

霍雨浩有些羞惭地道："我天赋是不怎么好，可是，我会努力的。我的先天魂力只有一级。"

天梦冰蚕郁闷地道："以后我想想办法，在后天上为你改善吧。"

伴随着交流的持续，霍雨浩的胆子也大了起来："天梦冰蚕。"

"叫我天梦哥。"

"好吧，天梦哥。你说你是百万年魂兽，这是真的么？还有，你为什么选择我啊！我听说，魂士能够承受的魂环不能超过四百年，你却是百万年魂兽，怎么会成为我的魂环呢？"

天梦冰蚕突然长叹一声，"你以为我愿意选择你啊！我是没办法啊！再不有所选择，我的生命就要终结了。而一旦我死了，恐怕我的身体也会成为星斗大森林中那些家伙的食物。无奈之下，我只能出此下策，依附于你们人类。这也是我唯一的出路。想

不想听听我的故事？以后我们要在一起很久，我也不想隐瞒你什么，索性都告诉你好了。"

霍雨浩点了点头，道："天梦哥，你说吧。"

天梦冰蚕道："我本是一只很普通的冰蚕魂兽，并不是出生在星斗大森林的，而是生于大陆北方的极寒之地。我们冰蚕天生是精神属性与冰属性双修魂兽，但本身的战斗力却受到速度的严重影响，只能算是很普通的魂兽而已，更何况我们又有天敌的存在，几乎很少有族人能够修炼到万年以上。而我却是个例外。"

"在我十三岁那年，在一次躲避天敌追杀的时候，不小心掉入了一个冰缝之中，当时我以为自己完了，可谁知道，我却掉入了一团万年寒髓之中，然后我就陷入了沉睡之中。那时的我还很弱小，身长只有不到三寸，这一睡，就是一万年。等我醒来的时候，发现自己在一处冰窟内，原本的万年寒髓早已消失不见，全都被我给吸收了，我也从而成为了万年魂兽。当时的我，真是惊喜莫名啊！但我却发现，找不到出路了。"

"在那冰窟内，周围都是万载寒冰，极其坚硬。我虽然已经是万年魂兽，但我们冰蚕一族在战斗力方面一向弱小，根本不可能强行突破出去的。幸好，在冰窟内还有许多的孔洞可以让我爬行，于是，我就在里面爬着找出路。结果，出路没找到，却又找到了一团更大的万年寒髓。有了万年寒髓，就意味着我有了食物，于是，我就再次陷入了沉睡之中，这一睡，就又是数万年……"

第3章
百万年魂环

　　霍雨浩听着天梦冰蚕的讲述，突然有种奇怪的感觉，它这天梦冰蚕的名字，不会是因为天天做梦而起的吧？

　　"那洞窟我虽然出不去，但万年寒髓给我的感觉却实在是太舒服了。后来，我索性也不寻找出路了，就在里面爬啊爬地找万年寒髓吃，找到一团大的，我就睡一觉。到了后来，连我自己都不知道自己睡了多久，直到我身上第一圈金纹的出现。"

　　"金纹对于我们冰蚕来说，有着极其重要的意义，它象征着我的修为进入到了十万年层次。在我的记忆中，我们冰蚕一族还从未有过十万年修为的存在。我就是史无前例的第一个啊！那时候，我就进化成为了金纹冰蚕。当时，我也已经有足够的力量破开坚冰出去了。那时我还不知道，原来成为十万年魂兽后会受到极大的限制，很难再提升修为了。也许是我的运气好，再加上我们冰蚕一族自身的战斗力较弱，我竟神奇地没有引来任何天谴。咳咳，那个，睡得多了吧，我也就懒得出去了。索性就在冰窟里继续睡啊睡。因为我的修为高了，以前不能去的地方，也能够破开坚冰进去了。就让我在冰窟深处发现了更多的极品寒髓，它们也成为了我的食物。"

　　"就这样，我吃了睡、睡了吃的，也不知道怎么时间就过去了，只有身上的金纹才能计算我存在的时间。"

　　"终于有一天，冰窟内的寒髓被我全都吃光了，我也直接从冰窟底部钻了出去，到

了大海之中。我顺着大海飘啊飘的，沿着大陆边缘向南方飘去。也就在这个过程中，我第一次遇到了敌人。"

"那时，我已经有九道金纹了，是强大的九十万年魂兽。我本以为自己在这个世界上应该是无敌的存在才对。可是……"

说到这里，天梦冰蚕明显有些不好意思了，"可是，我似乎除了睡觉以外，什么也不会干，也不太会战斗。最终还是凭借精神力的庞大吓走了那敌人。这一下，也终于引起了我的警惕，我尝试着修炼攻击的能力。可我却发现，修炼的年限长却并不意味着实力就强大。我确实是百万年魂兽，可我的战斗力其实还不如一些万年魂兽。那些擅长战斗的十万年魂兽更是我根本没可能战胜的。外面的世界，实在是太危险了。可是，我却已经找不到回去的路了。"

"海里危险，或许陆地上就会安全一些吧。于是，我就上了陆地。可是，我却发现，陆地也不太平。或许是吸收寒髓太多的缘故，我的身体有一种特殊的味道，能够吸引一切魂兽的注意。会引得它们将我当成食物。"

"终于，我被这星斗大森林内的一只强大的十万年魂兽抓住了。但它却并没有第一时间杀死我，而是将我带到了星斗大森林中。我听它说才知道，原来，我拥有着太多的天地元气，只要能够将我的这些力量吸收、转化，那么，任何魂兽都可以成为十万年魂兽，而十万年魂兽则能够脱离修炼年限的限制。同时，也因为我那修炼了百万年的力量太庞大，所以需要很长时间才能被它吸收，它这才将我带回了它的老巢。"

"但是，那家伙却小看了哥的厉害。虽然我不太擅长战斗，但我却能将自己的气息变强。于是，我把星斗大森林内所有的十万年魂兽都引来了。嘿嘿。"

"那一场大混战，几乎囊括了所有星斗大森林内万年以上的魂兽。它们打得那叫一个惨烈啊！我本以为自己有机会逃走了，可谁知道，这些家伙却狡猾得很，打得差不多了居然停下来谈判。结果哥就悲剧了。它们最终商议，一起吸收我的力量，反正我体内的魂力够庞大。然后它们就把我困在星斗大森林中心，逼着我把自身的天地元气释放出来供它们吸收。修为越强的魂兽距离我就越近，得到的好处也就越多。这些混蛋，简直就是把哥当成食物了。"

"哎，没法反抗，我也只能任由它们摆布。哥一边被它们压榨一边思考有什么方法能够脱离它们的控制。我的魂力很纯净，足够它们吸收上万年的，经过几千年的思考和观察，我发现，想要脱离它们的控制不只是要逃走，更要把我的气息隐藏起来才行。你们人类渐渐出现在了我的视线内。有几次，有些特别强大的人类进入到了星斗大森林深处想要猎杀那些十万年魂兽。可惜，他们悲剧了。在哥的滋润下，星斗大森林内的高阶魂兽肯定已经是斗罗大陆上最强大的一批魂兽了，虽然那些人类有着很强大的武器，却依旧吃了大亏。这让我认识到了你们人类的优点。"

"哥是精神与冰双属性魂兽。思前想后之下，我决定想办法成为一个人类的魂环，这样一来呢，那个人类一定会特别强大，凭借我的精神属性，我可以保持自己的意识不消失，成为你们人类史无前例的智慧魂环。哼哼，到了那时候，哥一定要报仇，帮助那人类杀死所有迫害过哥的混蛋。于是，我就开始尝试了。可谁知道，第一次尝试就失败了。我选中的那个家伙好像是你们人类什么封号斗罗。他的实力也挺强的，但真是废物，居然一下就被我撑爆了，甚至都没见到我的本体，只是精神力的冲击他都没承受住。我这才发现，想要成为我的宿主也不是那么容易的。首先必须要有精神属性才行，然后还要有足够承载我魂力的能力，这就更难了。于是，我找了几千年都没有成功。而我的魂力也让那些十万年魂兽压榨得差不多了。眼看哥就要油尽灯枯了。"

"上天还是眷顾哥的，就在哥已经绝望的时候，我的身上生出了第十道金纹。终于成为了史无前例的百万年魂兽。这第十道金纹出现后，我终于拥有了与那些战斗型十万年魂兽抗争的力量，也能够隐藏自己的气息了，于是我自己给自己命名为天梦冰蚕，不再是金纹冰蚕。但我肯定打不过它们那么多十万年魂兽，更何况，我身上的天地元气也被它们吸收得差不多了，只剩下对它们来说最为大补的本命魂力，也就是我的两大属性未被吸收。报仇我自己是做不到了。于是，我找了个机会，终于凭借突破后的力量隐藏气息遁地而逃。"

"哎——"天梦冰蚕道，"可惜的是，哥却依旧是个悲剧。突破百万年竟是一柄双刃剑。虽然让我勉强脱离了它们的控制，但是，我的寿元却因为突如其来的天谴走到了尽头。如果不能以其他方式存活的话，很快我就要生命衰竭而亡了。也就在这时候，哥遇到了你这个小家伙。虽然你弱得可怜，但哥没有别的选择啊！好歹你也是精神属性。于是，哥只能勉为其难地和你融为一体了，不管怎么说，那些混蛋是得不到哥最珍贵的

东西了。"

听着天梦冰蚕的讲述，霍雨浩早已忘记了恐惧，义愤填膺地道："它们太可恶了，怎么能这样，居然囚禁了你近万年之久。"

天梦冰蚕同仇敌忾地道："可不是么。虽然哥长得可爱一些，帅气一些，实力强大一些，它们也不能把哥当食物啊！这下好了，总算是跑出来了，没让它们得到哥的身体。霍雨浩啊，你虽然年纪小了点，能力差了点，但好在还算单纯，哥就当是养成计划了，等你以后强大了，可一定要替哥报仇啊！它们不是依靠吸收我的魂力进化么？以后把它们都给变成魂环、魂骨，哼哼！"

"好，等我长大了一定帮你报仇。"霍雨浩毫不犹豫地就答应了下来。一人一兽之间的关系在这个有些离奇却又神奇的故事中迅速拉近。

其实，这天梦冰蚕虽然已经活了百万年，但它接触到的毕竟只有少量魂兽，智慧虽然不逊于人类，可却怎知人心险恶？如果是人类遭遇到它的这种情况，绝对不会将自己的故事轻易示人。选择了霍雨浩这个同样是一张白纸的孩子，其实是它的幸运。

"天梦哥，我还有些不明白，你这么强大，成为我的魂环又要封印自己的力量，这究竟是怎么回事？那你还能赋予我魂技么？"恐惧消失后，霍雨浩心中拥有的是更多的好奇。

天梦冰蚕嘿嘿一笑，道："哥自然有办法。我琢磨了这么多年，早已有了妥善的安排。有过之前撑爆人类的经历后，我就明白，对你的帮助一切都要以你的安全为主。我现在已经没有退路了，如果你死了，意味着我也要玩完。我原本的魂力已经被那些星斗大森林的魂兽们吸收得差不多了。否则，就算我封印自身力量你也一样承受不起。而我融入到你体内的，更多的是我的本源力量和精神力量。你看到这十个光球了吧，它们就是我设下的十层封印。从另一种角度来看，也可以说是我赋予你这第一魂环的力量，只不过你暂时还无法使用罢了。"

"也就是说，你的第一魂环虽然是百万年级别的，但现在却并没有百万年魂环的威能。但随着你修为的进步，我封印在你体内的力量就会被逐渐解封，增强你这魂环的威力，甚至也可以增强你以后其他魂环的威能。毕竟，我积蓄了百万年的力量对你来说实在是太庞大了些。"

霍雨浩眨了眨眼睛，道："我还是有些不太明白。"

天梦冰蚕没好气地道："笨蛋。我再说得简单点，你现在拥有第一魂环的身体，最多只能承受四百年魂兽的魂环，那么，你这第一魂环实际的威能就是四百年。等以后你再有突破，能够承受一千年魂兽的魂环了，你这第一魂环就变成了一千年。你的第一魂环的威能是随着你身体的承受能力而提升的。也就是说，你这第一魂环可以随时进化，就连以后获得的其他魂环也是如此。当然，我能赋予你的进化之力是有限的，你获得的其他魂环越强大，对于我的力量节省也就越多。以我封印在你体内的力量，最多支撑你有十个魂环能够达到十万年级别。"

"啊？这么多？我们魂师最多不也只能拥有九个魂环么？"霍雨浩吃惊地问道。

天梦冰蚕冷哼一声，傲然道："那是普通人。有了哥的融合，你就已经不是普通人了。单一武魂当然只能吸收九个魂环，但你现在已经不再是单一武魂。杀死十万年魂兽，必然能够获得一块魂骨和一个带有两个魂技的十万年魂环。这个你应该知道吧。"

霍雨浩点了点头。

天梦冰蚕道："作为百万年魂环，更是史无前例的第一个智慧魂环，我当然要比它们强得多了。我所化身的第一魂环不但可以根据你的身体状况进行无限进化，更会赋予你四个魂技。我没有魂骨给你，但却可以给你增加一个武魂。"

尽管霍雨浩已经猜到了百万年魂环对自己的作用会很大，却也没想到会大到如此地步。一个能够无限进化的魂环就已经令他惊喜莫名了，但更大的惊喜居然还在后面。四个魂技加一个武魂，这是什么概念？

既然四个魂技都是第一魂环带来的，那么，毫无疑问，它们的威能也必然会伴随着第一魂环的进化而进化。是可以一直使用下去的能力啊！而增加一种武魂简直可以用神迹来形容。相当于是将只有灵眸武魂的他变成了一名双生武魂的天才强者。增加的一个武魂，至少也能附带九个魂环，也就是增加九种魂技。这样的增幅又岂是十万年魂环所能比拟的！尽管得到这些增幅后他自身实力依旧很弱，需要一点点地提升，但无疑为他打开了一扇通天的大门，令原本资质平庸低下的霍雨浩有了无限可能的未来。

"我赋予你的武魂是冰，但目前还是没有灵魂的冰。"天梦冰蚕的话将霍雨浩从惊喜中拉了回来。

"没有灵魂的冰？那是什么？"霍雨浩一脸疑惑。

天梦冰蚕道："也就是说，我赋予你的武魂目前只有属性，却没有形态。等你什么时候吸收了第一个冰属性魂环时，你的这个武魂才会定型。你是从什么魂兽身上吸收的魂环，那么，你的第二武魂就会是什么。也就是说，你的第二武魂肯定是兽武魂。这个你不用着急，我已经替你想好了。但你目前的修为还不够。等你的实力强一些我再带你去完成冰属性第一魂环的附加。现在你明白我为什么说我能够为你魂环增幅的力量不够了吧。因此，你以后在选择魂环的时候一定要慎之又慎，要多听我的意见。"

"好。"霍雨浩兴奋地答应下来，"那我的四个魂技又都是什么？"

天梦冰蚕道："这就要靠你自己去体悟了。自己体悟的东西总比我直接告诉你的更加清晰。不过，你也别高兴得太早。没错，我给你提供了四个魂技，而且都是精神属性的。我封印在你体内的力量也很庞大，但是，有几点你要记住。首先，我封印在你体内的力量只能在你修为达到的时候帮你提升魂环的年限，也就是魂技的威力，却无法帮你提升自身所修炼的魂力。其次，我赋予你的四个魂技因为我自身的原因，几乎都是辅助性的，没有太多的攻击能力。因此，你现在一样还是很弱小，想要变得强大还有很长的路要走。明白么？"

"我明白。妈妈教导过我，没有人能够一步登天，只有一步一个脚印，依靠自己的勤奋与努力，才有成为人上人的可能。天梦哥你放心，我一定会刻苦努力的。"

"这就好。不过，你的资质实在是差了点。哎……以后有机会找些天材地宝给你吃才行。你那灵眸武魂乃是变异而来，本身潜力是不错，但也因为它在变异的过程中令你的身体机能自幼受到了不小的影响。经脉狭窄、滞涩，修炼起来有些困难。慢慢来吧，这也急不得。哦，对了，还有件事我必须要告诉你。"

"看到上面那个灰色光球了么？"

霍雨浩道："看到了。那也是你的力量么？"

天梦冰蚕道："不，我也不知道那是什么。在我融入你身体的时候，突然出现了变化，似乎是被我的精神力吸引来的。那灰色光球是一丝灵魂，好像并不是属于我们这个世界的，究竟从何而来我也不知道。不过，这一丝灵魂虽然微弱，但品级却是极高，我拿它也没办法。不过，我能感受到它并没有什么恶意。现在应该是陷入沉睡了。有可能在你一生中它也不会清醒，但也有可能清醒过来会带来一些麻烦。不过你放心，它不动也就算了，要是真对你有什么不利的话，我护住你也是毫无问题。"

"好了，你也该出去了。外面那两个人类一直等着你呢，对你也没什么恶意。"

"两个人类？"霍雨浩正在惊讶之中，眼前的一切景物突然变得模糊起来，他只觉得自己仿佛瞬间被带入了一个巨大的旋涡之中，陷入一片黑暗。

……

"怎么还不醒啊！"唐雅在霍雨浩脸上拍了拍，向身边的贝贝露出询问的眼神。

贝贝温和地一笑，道："他的气血十分平稳，体内魂力也很正常，而且十分旺盛，如果我没猜错的话，应该是刚刚突破了魂士，进入魂师级别的象征。他的身体需要融合这部分力量，再适应突破的魂力，自然是需要一定时间的。可惜了，只是十年的风狒狒。"

唐雅哼了一声，道："这有什么好可惜的，第一魂环弱一点也很正常嘛。他孤身一人能够击杀风狒狒已经很不错了。"

贝贝呵呵一笑，道："想要抓住一个女人的心果然是要先抓住她的胃。更别说是你这种心和胃连在一起的了。"

唐雅俏脸微红，"呸，你才心和胃连在一起。没大没小的，别忘了，我可是你老师。"

贝贝也不反驳，只是温和地笑着看她。

"嗯……"一声轻哼从霍雨浩口中发出，他缓缓睁开了蒙胧的双眸。

"小雨浩，你总算是醒了，急死我了。"唐雅看到睁开眼睛的霍雨浩顿时大喜。

霍雨浩只觉得脑海中有些混乱，定了定神才清醒过来，先前与天梦冰蚕交谈的一幕记忆清晰，他不禁下意识地自言自语道："我真的不是在做梦么？"

唐雅嘻嘻一笑，在他手臂上掐了一下，霍雨浩顿时吃痛，"小雅姐姐，你干吗？"

唐雅笑道："我帮你检验一下是不是在做梦啊！怎么样，清醒点了没？你胆子可真够大的，居然敢孤身一人前往星斗大森林。"

霍雨浩有些尴尬地挠挠头，在遭遇了风狒狒之后，他才真正认识到自己的弱小与不自量力。不过，他很快就被一种急切的心情从尴尬中引导出来。从地上跳起来，催动体

内魂力。

顿时，令霍雨浩惊喜莫名的一幕出现了。

体内原本已到瓶颈的魂力有了质的变化，就连他的身体强度似乎也增加了一些，柔顺的魂力奔涌而出，灵眸所看到的一切更加清晰，更有许多的本能烙印出现在他脑海之中，正是一个个技能。四个，果然是四个技能啊！天梦哥真的存在，我并不是在做梦，这一切都是真的，我竟然真的拥有了一个百万年魂环啊！

直到此刻，霍雨浩才敢相信先前发生的一切都是真实的。心中的狂喜不可抑制地奔涌而出，忍不住大喊一声："我成功了——"

贝贝和唐雅看到，一圈莹白色的魂环从霍雨浩脚下升起，徐徐向上，到达头部处再缓缓向下律动。正是第一魂环。

贝贝下意识地想到，果然是十年魂环。只是心中略微有些疑惑，为什么霍雨浩这十年魂环的白色看上去有种晶莹剔透的感觉，似乎和普通的十年魂环略有不同。难道那风狒狒的修为较高？他又怎么想得到，百万年的魂环，也同样是白色。

变化的不只是魂环，还有霍雨浩的双眼，他那双深蓝色的眼眸上出现了一层淡金色的光泽，贝贝和唐雅都能感受到他双眸之中的魂力波动以及一种令他们出现瞬间恍惚的精神波动。

先前天梦冰蚕散发出的强大精神力曾经令他们暂时失去思索的能力，不过因为他们与天梦冰蚕之间的实力对比相差太大所以并未察觉。但此时近在咫尺的霍雨浩就不同了，那份由眼眸散发出的精神波动令两人都是大吃一惊。

"精神属性武魂？而且还是融合了风狒狒作为第一魂环的精神属性武魂？"一向沉稳的贝贝也不禁脸色微变，按照他所掌握的魂师理论，这似乎是不可能成立的啊！可事实却摆在眼前。

淡金色的光芒很快从霍雨浩眼眸中隐没，他也回过神来，兴奋得跳了起来，"成功了，我真的成功了，我是魂师了。"

贝贝和唐雅对视一眼，彼此都看出了对方的震惊，唐雅忍不住问道："小雨浩，你的武魂难道是精神属性的？我刚才感受到了强烈的精神波动。"

霍雨浩这才回过神来，有些不好意思地道："是啊！我的武魂是灵眸。一种变异武

魂，精神属性。"

唐雅眼睛一亮，"灵眸？本体武魂？好呀。"

贝贝显然也意识到了什么，点了点头，道："真没想到。可惜，我们来晚了一步，不然的话，应该帮助霍小弟找到更好的魂兽进行融合才是。"

霍雨浩此时已经从惊喜中清醒过来，他虽然年纪小，但自幼的经历令他心中多少也有几分警惕，立刻就猜到贝贝和唐雅一定将他刚刚吸收的第一魂环当做是那只狒狒了。虽然他不明白为什么百万年魂环也是白色的，但这无疑是他目前最好的掩饰，自然不会去解释什么。

"贝大哥，小雅姐姐，你们是来追我的么？有什么事么？"霍雨浩试探着问道。

唐雅嗔道："原本我们还只是猜测，你一个人在这边是打算进星斗大森林。没想到还真是，你的胆子也太大了。不知道星斗大森林有人类禁区的称号么？就连一些修为极高的魂师都不敢深入内部。像你这么大的小家伙更是一定要有师长陪同才能在星斗大森林附近活动。我们追来，是为了保护你，我和贝贝也都是魂师哦。不过你运气还真是不错，虽然获得的第一魂环不算太强，但总算没有受到伤害。"

听她这么一说，霍雨浩幼小的心灵中顿时涌起一股浓浓的暖意，他年纪小，但世态炎凉却见过许多。他能看得出唐雅在说话时眼中的那份真诚绝非假装。

"小雅姐姐，我……"霍雨浩冲动之下，就险些说出天梦冰蚕的事。但也就在这时，他脑海中响起了一声咳嗽，在一丝清凉的气息冲击下，顿时令他把后半句话给吞了回来。

唐雅扑哧一笑，道："看你那傻乎乎的样子，好啦，不说你了。小雨浩，你现在已经获得魂环了，那你接下来有什么打算呢？"

霍雨浩被她问得一愣，是啊！自己有什么打算呢？在来到星斗大森林之前，他一直以来的目标都是成为一名魂师，获得属于自己的第一个魂环。魂师和魂士那可是天壤之别啊！成为一名魂师也就意味着进入了另一扇大门，从此海阔天空。可是，他确实没有想过以后要如何，毕竟，他才十一岁，而且又是第一次离开家。

看着他眼中的茫然，唐雅心中暗喜，向一旁的贝贝使了个眼色。

贝贝向她点了点头，道："霍小弟，你家里还有些什么人？"

霍雨浩的眼神瞬间凝滞了一下，接着，他坚定地摇了摇头，"什么人也没有了，就只剩下我自己。"

唐雅大喜，脱口而出道："那真是太好了。"

霍雨浩顿时愕然，贝贝则是一脸的无语，抬手在唐雅头上敲了一下，"你怎么说话呢。"

唐雅也意识到了自己的失言，瞪了贝贝一眼，道："人家不是故意的嘛。小雨浩，既然你也没有什么想法，不如加入我们宗门吧。"

"宗门？"霍雨浩以前在公爵府的时候也听说过宗门，在斗罗大陆上，宗门的势力极大，尤其是一些有着悠久历史的魂师宗门，从某种意义上来说，公爵府本身就能算是一个大宗门了。

唐雅认真地点了点头，道："就是宗门，我们的宗门曾经可是大陆第一哦。加入的话，你绝不会吃亏的。而且，我们的宗门绝学很适合你修炼。你孑然一身，年纪又这么小，加入宗门的话，大家以后也好相互照顾，总好过你一个人冒冒失失的，毕竟运气不可能总是跟着你，万一自己的私下行动出事了怎么办？"

霍雨浩下意识地问道："小雅姐姐，那你们的宗门叫什么？"

唐雅正色道："唐门。曾经大陆的第一宗门。"

听到"唐门"二字，霍雨浩身体不禁为之一震，尽管现今唐门已经衰落式微，但在斗罗大陆的历史中，唐门的地位之重，可以说没有任何一个宗门能与之相比。

年纪还很小的时候，母亲就给他讲过有关唐门的传奇。唐门创立于万年前，可以说是历史最悠久的宗门之一，据说第一代唐门的宗主唐三，曾经改变过整个大陆的格局，奠定了大陆魂师发展的未来。那时候的唐门，确实是名副其实的天下第一宗门。而且在传说中，唐三甚至突破了魂师的最高境界封号斗罗，成为了另一个层次的存在，从此不死不灭。只是最终如何却无人可知。

时间过去万年之久，唐门传奇依旧，但本身却已经脱离了历史的舞台，很少有人知道唐门还有哪些后人了。甚至连唐门的一些传说都已经不再详细。但有人曾经说过，如果不是万年前唐三给斗罗大陆魂师们奠定了未来发展的基础，那么，四千多年前日月大陆撞击而来后，斗罗大陆未必能够战胜日月大陆的强者，从而统一两片大陆。

"霍小弟，你听说过唐门？"贝贝问道。

霍雨浩点了点头，道："听过一些有关唐门的传说，只是不知道唐门在哪里而已。"

唐雅的眼圈突然红了，"唐门已经没有府邸了。基业被夺。目前唐门剩余的，就只有我和贝贝两个人。我就是当今唐门的门主，贝贝是我的开山大弟子。"

"啊？"霍雨浩惊讶地看着他们，看年纪，唐雅比贝贝也大不了多少，从他们的交谈中也完全看不出他们竟然是一对师徒。

贝贝咳嗽两声，道："情况你也看到了，霍小弟。现在唐门就我和小雅两人，但我们一定会努力让唐门重现辉煌。如果你愿意的话，欢迎加入。有一点小雅没说错，唐门有一门功法应该十分适合你修炼，对你的未来发展将很有好处。"

霍雨浩犹豫了一下后，道："那我加入唐门后，需要做什么呢？"

唐雅道："需要你不断地提升修为，变得更加强大。当本门需要的时候，要为本门出力。我也不夸口骗你。咱们唐门现在确实是没落了，但功法却都还在。还有一点，咱们唐门曾经是大陆第一宗门，还是有一些特权。大陆第一的史莱克学院你应该听说过吧？史莱克学院对学员的录取十分严格，但却肯每年给咱们唐门一个免试名额。我和贝贝现在都已经加入史莱克学院了。今年正好空出一个名额，如果你愿意加入咱们唐门的话，这个名额就归你了。至于能不能留在史莱克学院，就要看你自己的努力了。我能给的就这么多，但是，小雨浩，我有一个要求，只要你加入了唐门，那么，今生就是唐门的人。如果有一天你要退出的话，就要将唐门绝学全都还回来。"

唐门、唐门。霍雨浩的眼睛渐渐亮了起来，他认真地看着唐雅，"小雅姐姐，我答应你，我愿意加入唐门。"

第4章
霹雳贝贝

贝贝有些惊讶地道："霍小弟，你可要想清楚了，加入宗门不是小事。虽然我唐门已然式微，但毕竟也曾经是天下第一宗门。如果将来你后悔了，想要背叛宗门的话，无论是我还是唐雅，都不会饶过你。"

霍雨浩点了点头，道："贝大哥，我已经想清楚了。我已经没有亲人，年纪又小，这次来到星斗大森林才知道外面的世界有多么危险。我想要出人头地，成为一名强大的魂师。加入唐门无疑是一条捷径。加入唐门不但能够让我进入史莱克学院，更能得到你们的指点。而且，我相信你们，你们肯把所有唐门的窘境都说出来，我能感受到你们对我的真诚。我愿意跟你们一起共创唐门的辉煌。"

"好，说得太好了。"唐雅兴奋得一把抱住霍雨浩。

贝贝也是看着他微微颔首，正像他感受到的那样，霍雨浩比同龄人要成熟得多，虽然超过十岁才拥有第一魂环，但天赋虽然重要，但通过后天的努力一样可以成才。更何况他还是少见的本体精神武魂拥有者。唐门也算是捡了个便宜。

唐雅身上淡淡的清香令霍雨浩一下就涨红了脸，动都不敢动，老老实实地站在那里。

还是贝贝替他解了围，"小雅老师。"

唐雅这才松开抱着霍雨浩的手，一脸笑意地看着他，看那样子，是再满意不过了。

当然，她绝不会承认，最初想要让霍雨浩加入唐门是因为他做的烤鱼太过美味……

"小雨浩，拜师吧。咱们唐门现在就三个人，也没那么多规矩了。你拜我一次，改口叫我老师，以后就是我唐门的人了。"唐雅正色说道。

霍雨浩点了点头，扑通一声，在唐雅面前拜了下去，"弟子霍雨浩，拜见老师。"

唐雅站在那里不动，任由他拜过三次后，才将他扶起来。

"很好，雨浩，以后你就是老师的二弟子了。见过你大师兄。"一边说着，她一边指了指身边的贝贝。

"见过大师兄。"霍雨浩再次向贝贝躬身行礼。

贝贝微微一笑，道："小师弟别客气。以后就是一家人了。"

唐雅松了口气似的，道："雨浩，你以后就和贝贝一样，叫我小雅老师好了。不过，可别学他总是没大没小的。知道吗？"

"是，老师。"拜了师，霍雨浩明显拘谨了几分。但茫然的内心却也稳定了许多。拜入唐门，令他无形中多了一丝安全感，这种感觉在他心中已经很久没有出现过了。

小雅手腕一翻，也不知道从什么地方拿出一本书递给了霍雨浩，"小雨浩，这是咱们唐门《玄天宝录》的抄录本。里面记载了我唐门的绝学。其中，玄天功乃是一切的根本，以之冥想必定能够加快你的修炼速度。你修为还浅，改修玄天功不会有任何影响。回头我和贝贝都会指导你进行修炼。除了玄天功之外，《玄天宝录》还记载了五种绝学，分别是：练手之法玄玉手，练眼之法紫极魔瞳，擒拿之法控鹤擒龙，轻身之法鬼影迷踪，以及暗器使用之法，暗器百解。咱们唐门最有名的就是暗器，不过必须要打好基础才能开始修炼。你现在要做的，就是将前面五种绝学都开始修炼，以后我再教你暗器。"

"我刚才说过，咱们唐门绝学有一种特别适合你，指的就是紫极魔瞳。紫极魔瞳是一种练眼之法，练到一定程度后，能够迸发出极强的攻击力。你的武魂就是眼睛，应该没有什么比这门功法更适合你的了。你要多加修炼。"

接过小雅递来的《玄天宝录》，霍雨浩小心翼翼地揣入怀中，"谢谢老师，我一定努力修炼。"

贝贝抬手在自己的腰带上一按，一根通体黑色、上面镶嵌着一块块圆形白玉的腰带

出现在他手中。

"小师弟，这条仿自唐门先祖唐三所持有之魂导器二十四桥明月夜送给你。算是大师兄送你的见面礼。有了它，你携带一些东西就方便多了。"

一边说着，贝贝将二十四桥明月夜腰带系在霍雨浩腰间并且将用法告诉他。原来，这腰带上的二十四块玉石各自有一个边长半米的空间，可以存放各种物品。只需要以魂力进行引导就能够完成了，是相当珍贵的魂导器。

霍雨浩的天赋不好主要体现在身体状态上，但他本身却极为聪明，在几次尝试之后就能够轻松操控二十四桥明月夜了。只不过在操控的过程中，他那不多的魂力也消耗了不少。

唐雅道："小雨浩，这次我跟你大师兄出来，也是为了猎杀魂兽增加魂环的。你先跟着我们一起，等我完成了猎杀之后，就带你回史莱克学院。"

"是，老师。"霍雨浩赶忙恭敬地答应一声。

唐雅扑哧一笑，道："虽然已经拜师了，但你也不用这么拘谨。唐门就咱们三个人，太古板了有什么意思？"

贝贝没好气地道："有你这样的老师，弟子能拘谨了才怪呢。天色不早了，咱们尽快赶路吧。希望运气好一些，能够在星斗大森林外围找到合适的魂兽猎杀。"

"嗯。"唐雅点了点头，道，"出发。"

唐雅走在前面，贝贝在后面拉着霍雨浩的手，三人同时加速，向星斗大森林方向而去。

拥有了第一魂环后，霍雨浩明显感觉到自己的修为提升了很多，尤其是身体状态的增强，令他在赶路过程中也轻松不少。但和唐雅、贝贝相比，速度上还是有着不小的差距。贝贝手上传来一股柔和的魂力，几乎是带着他奔行，霍雨浩自己根本不需要消耗多少力气。

一边走，贝贝一边对霍雨浩说道："小师弟，咱们唐门的玄天功是当今大陆上最好的修炼功法之一，只要你勤加修炼一定会有所收获的。我先给你讲讲玄天功的运行诀窍。你要牢记。"

"好。"霍雨浩点了点头，认真地聆听贝贝的讲解。

贝贝不但外表儒雅，本身性格也十分温和、细致。为霍雨浩讲解玄天功的修炼法门时，不厌其烦地将每个细节都详细讲述。遇到霍雨浩不明白的地方，也能深入浅出地进行讲解。令霍雨浩很快就沉浸在这门奇异的功法之中。

唐雅走在前面不禁吐了吐舌头，因为她完全可以肯定，如果换了是自己给霍雨浩讲，绝对无法像贝贝说得这么有条理。自己这个唐门门主还真是不合格呢。

贝贝和霍雨浩一个讲一个听，时间在不知不觉间已经过去了近一个时辰。

大路已经消失了，周围尽是茂密的森林，空气变得更加清新，但却隐隐有一股凝重的气息从森林深处传来似的。

"大体的修炼方法就是这样。具体的还要你自己尝试之后慢慢摸索。有什么不懂的地方就来问我。"贝贝向霍雨浩说道。

"谢谢大师兄。"霍雨浩对贝贝的敬佩在他的讲述中一直在持续攀升着，自然就更加恭敬了。

正在这时，走在前面的小雅突然冷哼一声，只见她脚下步伐突然变得虚幻起来，身体瞬间连闪，扑向左侧一株大树。霍雨浩只是隐约看到几丝寒光闪过，一只先前险些杀死他的风狒狒就从树冠处坠落下来。

小雅没好气地道："这些风狒狒最讨厌了，不但主动攻击而且还喜欢偷袭。"

霍雨浩刚才没有使用灵眸，根本没看清小雅是如何发动的，"小雅老师，刚才你用的是魂技么？"

小雅有些得意地道："不是魂技，是咱们唐门的鬼影迷踪步和暗器的配合。厉害吧。你好好修炼，以后也会的。"

"小雅，小心。"贝贝脸色突然一变，右手猛然抬起，向唐雅作出一个虚抓的动作。他们显然是经常配合的。唐雅脚尖在地面上轻点，身体飘起，就像是毫无重量一般被贝贝手上那股吸力拉扯得飞过去。

一道漆黑的暗影瞬间落地，发出噗的一声轻响。紧接着，一股浓郁的甜香气息就已扑面而至。

霍雨浩只觉得大脑一阵发晕，但一股冰冷的气流瞬间从体内涌出，封住了他的口鼻，一口冰雾从霍雨浩口鼻处微微喷吐出，先前吸入的一点甜香毒气也随之被冰雾排散

于空气之中。

冰属性，我的第二武魂？霍雨浩心中立刻就想到了那冰冷气流的来历。不过，刚才这冰冷气流的操控显然不是他自己做的。

就在他惊喜于自己第二武魂作用的同时，唐雅也已经被贝贝掌中吸力扯到近前，她右手在贝贝肩头一按，娇躯蜷缩，一个空翻就到了贝贝身后。

两个光环同时从唐雅脚下升起，明亮的黄色上下律动，她的两个魂环竟然都是百年级别的。

一道道蓝色长藤也在这一瞬飞速从唐雅身上释放而出，其中一根，正好缠绕在霍雨浩腰间，而更多的长藤则向远处迅速散开。

和唐雅相比，站在前方的贝贝更令霍雨浩震撼。

一直以来，在他心中这位大师兄都是温和、儒雅的，在唐雅身边的他总是带着一丝温和的微笑，很容易给人以亲近感。可此时的他却完全变成了另外的样子。

就在小雅从他头顶上方腾身而过的同时，一团夺目的蓝光从贝贝眉心处亮起，紧接着，蓝光瞬间扩散，从他眉心处降入全身，一条条蓝紫色的激电像小蛇一般爆发出来，围绕在他身体周围游走。表面上看，贝贝的变化并不算很大，除了额头处多了一个蓝色的闪电标志之外，整个身体只有一处因为武魂附体而出现了变化。

但是，仅仅是这一处的变化就让霍雨浩对魂师有了全新的认识。

出现变化的，是他的右臂。原本右边的衣袖因右臂的膨胀而全部爆裂化为灰烬，手臂的长度增加了半尺余，整条手臂极其粗大，覆满了蓝紫色的鳞片，手变成了爪子，覆盖着同样的鳞片，手上的每一个骨节都变得极为粗大，围绕在他身上盘旋的蓝紫色蛇电不断在手臂上凝聚或是流窜，两黄一紫三个魂环并不像正常魂师那样盘旋在身上，而是就盘旋在这条特殊异变的手臂之上。

三环，魂尊，只比自己大上四、五岁的大师兄竟然已经是三十级以上的魂尊强者了，而且他的魂环还是最高配比的两个百年和一个千年。

在魂环中，白色代表十年，黄色代表百年，紫色代表千年，而更高的黑色则代表万年。而曾经迫害过天梦冰蚕的强大十万年魂兽如果化为魂环，就是红色。

先前霍雨浩已经询问过了，贝贝和唐雅一样，都是十五岁，在月份上贝贝还要大一点。如此年纪达到魂尊修为，并且拥有三个这种层级的魂环，用天之骄子来形容贝贝再合适不过。从修为上看，他分明已是远超身为老师却只是二十级以上大魂师的唐雅。

"呱呱——"怪叫声中，那道落在地上的暗影瞬间弹起，直奔贝贝扑去。

贝贝冷哼一声，眼底亮起一层紫意，粗壮的右臂横挥，顿时，空中密布下了一层电网，挡住了暗影的去路。

"咔嚓——"雷霆轰鸣声中，暗影反弹而回，而贝贝也是跟跄着后退了三、四步，脸上神色微变，显然，对手的强大超出了他的预判。

"是曼陀罗蛇。哇，千年级别的，太好了。贝贝，我就要这个。"唐雅不惊反喜，娇声高呼着。

霍雨浩此时也看清楚了那袭击了他们的暗影，那是一条身长三米，通体桃红色的大蛇，额头上有一个小小的凸起，形如花朵。

贝贝显然没有唐雅的兴奋，脸色一片凝重，虽然他已经是魂尊级别的强者，但面对千年魂兽却依旧难以稳胜，这还是因为他自身武魂足够强大的缘故。换了普通魂尊级别的魂师，看到千年魂兽只有掉头就跑的可能。

"小雅，你保护好雨浩。"贝贝低喝一声的同时，他那右臂上的第一魂环已然闪亮，在浓烈的魂力波动下，一只直径一尺左右的蓝紫色雷电凝结而成的龙爪已经电射而出，拍向曼陀罗蛇。

雷霆龙爪，贝贝的第一魂技。

那曼陀罗蛇十分狡猾，先前还盘踞在地面，此时贝贝攻势刚一发动，它猛然弹起，跃入半空之中，长长的尾巴在空气中猛然一抽，顿时如同一道粉红色的光，瞬间扑向贝贝。

贝贝不退反进，身体瞬间下伏的同时，脚踏鬼影迷踪步，飞快地一闪，先前轰出的雷电龙爪竟然在空中拐了个弯，从后面追向曼陀罗蛇，与此同时，他右臂上的第二魂环也亮了起来，无数蛇电在同一时间放大，化为雷电之矢在空中暴闪，密布成一张雷霆之网笼罩向那曼陀罗蛇。

先前的雷霆龙爪只是为了让曼陀罗蛇动起来，而这第二魂技雷霆万钧所化的大网才是真正的陷阱，只要被电网覆盖，那么，雷霆龙爪从后面追上来，就算不能重创这曼陀

罗蛇，至少也能占据先机了。

但是，千年魂兽的强大绝不只是说说那么简单，眼看着电网合拢，一蓬粉红色的雾气从那曼陀罗蛇的口中喷出，比之前浓郁十倍的甜香气息四散。

唐雅带着霍雨浩飞速退后，唯恐被沾染上一点，俏脸上也第一次流露出了担忧之色。

雷霆万钧所化的雷矢被那粉红色毒雾一喷，就像是被水泼了一般，威能还在，但却瞬间变得细碎起来。

曼陀罗蛇展现出了它彪悍的一面，身躯在空中猛然一挺，硬生生地撞击在那电网之上。居然把雷霆万钧撞开一个缺口，在飞出的同时，蛇尾摆动，尾部尖端粉红色光芒大亮，抽击在追上来的雷霆龙爪之上，将贝贝这第一魂技也轰得粉碎。

不过，贝贝的攻击也并非完全无效，作为最强大的兽武魂之一，他的攻击力在同级别魂师中乃是最顶尖的存在，曼陀罗蛇虽然彪悍，但连破两大雷霆魂技之后，它身上也出现了一层细密的雷电光芒，身体落地后没能持续发动攻击。

贝贝也同样没有追击，那粉红色毒雾在空气中扩散，他也不敢沾染半分，迅速后退的同时，手中多了一个瓷瓶，自己倒出一粒丹药服用后将瓷瓶甩向唐雅。

唐雅一把接过瓷瓶，倾倒出两粒丹药，自己吃下一粒，另一粒塞入霍雨浩口中。

"贝贝，我帮你吧。"唐雅一边吃药，一边说道。

贝贝摇了摇头，道："这家伙很难缠，恐怕要做持久战的打算了。周围很可能还有其他魂兽，你注意掩护，我自己对付它。还有，护好雨浩。"

这已经是贝贝第二次提醒唐雅保护好霍雨浩了，霍雨浩只觉得心中一阵阵热流涌动，有生以来，除了妈妈之外还是第一次有人对他这么好，他的心情也不由得激动起来。

我要帮大师兄，我不是废物。

霍雨浩迅速催动魂力，注入到灵眸之中，刚刚获得的魂技第一时间在他脑海中闪现。

深蓝色的眼眸中，再次浮现出淡金色的光芒，莹白色的魂环从脚下升腾而起。

表面看去，没有任何其他迹象出现，但在下一刻，贝贝和唐雅却同时身体一震，眼

中都流露出了震惊之色。

在他们的眼眸注视中，时间流速似乎变得慢了下来，周围的一切都分外的清晰，目光所及之处，瞬间会出现大量信息在他们脑海之中。贝贝注视着曼陀罗蛇，脑海中就会出现他和曼陀罗蛇之间的距离，甚至还有曼陀罗蛇此时身上每一块肌肉的力量变化。所有细微之处都清晰地呈现在他脑海深处。

不仅如此，周围方圆三十米范围内，根本不需要眼睛去看，一切景物全都以立体状呈现在他们脑海之中，任何一处出现细微的变化，立刻都会反映在他们大脑之中。

这是……

无论是贝贝还是唐雅，第一时间都想到了霍雨浩，这就是霍雨浩的第一魂技么？怎么会如此神奇？有了这份探测辅助，应对任何敌人都要轻松太多了。尤其是对曼陀罗蛇这种极为擅长速度的魂兽，更能料敌先机，对于攻击力足够的贝贝来说，没有什么比这份辅助更加有效的了。

一个十年魂环提供的技能竟然强悍如斯，辅助能力如此超群，果然不愧是罕见的精神变异属性啊！

霍雨浩自然不知道贝贝和唐雅将他此时所展现的神奇归功于变异武魂上，而实际他所使用的不是一个技能，而是两个。

百万年魂环附带第一魂技，精神探测，附带第二魂技，精神共享。

两个技能都是辅助类的，霍雨浩又是第一次使用，虽然尚未能完全领悟这两个魂技的奥妙，但也同样发挥出了巨大的作用。

以他目前的身体强度，天梦冰蚕所化魂环提供的魂技威力相当于四百年魂兽左右。因此，精神探测和精神共享的范围都在直径三十米左右。不过，以他目前的实力，最多也就是同时给三个目标共享自己的精神探测能力。再多就力不能及了。

这两个魂技对于魂力的消耗都不大，只要消耗霍雨浩一定的精神力。可以说，他是用精神力和魂力共同支持这两个技能的。以他目前的修为，至少支持一刻钟毫无问题。具体能支持多久还要尝试后才知道。

一声低沉的轰鸣声从贝贝身上骤然炸响，只见他全身冒起浓烈的蓝紫色电光，右臂上的鳞片迅速向身上蔓延，将右胸也覆盖在内，整个人的气息瞬间暴涨。他那紫色的第

三魂环此时也散发出了夺目光彩。

千年魂环之技，雷霆之怒。

身为攻击能力最强的兽武魂拥有者，这第三魂技雷霆之怒能够瞬间令贝贝的魂力攻击效果提升百分之五十以上，雷电属性更是暴增数倍。这虽然不是一个直接的攻击技能，但却能够将贝贝的状态提升到一个极其强悍的境界。就算是一些四环魂宗强者，如果武魂较弱，也不是他的对手。

贝贝年纪虽然不大，但战斗经验却极为丰富，得到了霍雨浩的精神探测、精神共享支持，他知道自己的机会来了，因为不能确定霍雨浩能够坚持多长时间，因此，他在第一时间就全力以赴施展出自己的最强能力。

右手所化龙爪之中，蓝紫色电光缭绕，一只比先前足足增大一倍的雷霆龙爪再次凝结出现，但是，这一次贝贝却没有将它直接发出，而是身形一闪，朝着千年曼陀罗蛇扑了过去。

那曼陀罗蛇也是狡猾，千年修为令它拥有了一定的智慧，贝贝身上释放出的气息已经令它感受到了相当程度的危险，顾不得再伤敌，猛的朝着贝贝喷出一口毒雾后掉头就跑。

"哼！"贝贝冷哼一声，眸光骤然变得深邃了几分，一层细碎的电光骤然从他身上迸发而出，硬是驱散了毒雾，与此同时，右手雷霆龙爪向左前方空气中一招。

这时候，霍雨浩的精神探测效果就完全显现出来了，正是因为他共享了自己的精神探测给贝贝，贝贝才能料敌先机，那曼陀罗蛇身形弹起时，正好是向贝贝左前方逃窜，而一股巨大的吸力也就在这一刻出现在了它的必经之路上，就像是它自己把自己送到了贝贝手中似的。巨大的吸力一拽，曼陀罗蛇的冲势顿时被化解了，被吸扯着向贝贝飞去。

生死危机面前，曼陀罗蛇顿时爆发了，浓烈的粉红色光芒从头部亮起，一声"嘶嘶"尖叫响起，头顶那个花朵般的凸起突然爆开，一股粉红色血箭直奔贝贝飞去。

但是，贝贝再一次提前做出了应对，就在那花朵般凸起爆开前的一瞬间，他右手上的雷霆龙爪已经悍然轰出，正好在那凸起爆开的一瞬间炸在了曼陀罗蛇的身上。

粉红色血箭刚刚飞出数寸就被炸得激荡开来，但是，贝贝也出了一身冷汗，因为他发出的雷霆龙爪竟然在沾染上了那粉红色血液的瞬间也被同化为了粉红色。要不是他能料敌先机，这一下被那血箭沾染，恐怕就麻烦大了。

身形一闪，贝贝瞬间前冲，这一次，千年曼陀罗蛇再也没有反抗的手段了，被贝贝右爪准确地抓在了七寸处，它还想用身体去缠绕贝贝，却被贝贝一记雷霆万钧爆发出恐怖的雷电直接将它得昏迷过去。

千年曼陀罗蛇以肉身强横、速度如电著称。但是，落在拥有强大武魂的贝贝手中，它的防御力却是不堪一击。贝贝在雷霆之怒状态下，龙爪悍然发力，硬是将它的蛇头捏出咔咔声，骨骼似乎随时都会碎裂似的。

"小雅。"贝贝低喝一声。

唐雅自然不会放过这样的好机会，带着霍雨浩迅速来到曼陀罗蛇身边，一柄长约半尺的飞刀出现在她手中，直接从贝贝捏开的蛇口处插入，了结了这条千年曼陀罗蛇的生命。

雷电光芒收敛，贝贝终于松了口气，而一圈紫色的魂环也从那曼陀罗蛇头部处缓缓凝聚成型。

唐雅一脸兴奋地看向贝贝，贝贝向她点了点头，"赶快开始吧。没想到在星斗大森林如此边缘的地带都能遇到千年魂兽。这星斗大森林里的魂兽品质真是越来越高了。"

唐雅嘻嘻一笑，道："没想到会这么顺利，帮我护法。"一边说着，她一边迅速盘膝坐在曼陀罗蛇旁边，蓝莹莹的光彩在她右手处亮起，素手轻抬，在那曼陀罗蛇上方的紫色魂环上轻轻一点，顿时，紫色魂环就被她手上的蓝光所吸引，向她体内融合而去。

唐雅脸上的笑容收敛，聚精会神地开始吸收魂环。霍雨浩这才知道，原来唐雅也已经到了三十级的瓶颈，她和贝贝此次前来星斗大森林，应该就是为了给她寻找合适的第三魂环吧。只是，小雅老师的武魂是什么？蓝色的藤蔓？

"小雅的武魂是蓝银草。"似乎看出了霍雨浩心中的疑惑，贝贝温和地说道。

"蓝银草？和唐门传奇中的那位一样么？"霍雨浩惊讶的说道。

贝贝点了点头，道："万年前，唐门第一代门主就是凭借着蓝银草武魂铸就了唐门辉煌。后来，他成神而去，却并没有留下后代在唐门之中。为了纪念他，唐门的后人们在选择门主时，执著的以蓝银草为荣耀，也着力培养拥有蓝银草武魂的魂师。可惜的是，事实证明，蓝银草并不是什么人都能发挥出强大威能的。唐门自从当年那位传奇大能离去之后，就再没有蓝银草武魂的强者能够屹立在大陆巅峰了。可这个传统却一直持续了下来，没有人能够改变。小雅在蓝银草的天赋上已经算相当不错了，希望她能有所

突破吧。"

霍雨浩有些好奇地问道："大师兄，当年的唐门如果真的像传说中那么强大，又为什么会走向衰落呢？"

贝贝微微一笑，道："这个问题等你到了史莱克学院后就会逐渐明白的。内在和外在的原因都很多。现在唐门只剩下我们几个人，其实也未必就是坏事，至少一些束缚已经很难再作用于我们身上了。倒是你，小师弟，你可着实是给了我一个大大的惊喜啊！"

霍雨浩自然明白贝贝指的是他刚才所使用的魂技，不禁有些不好意思地挠挠头，"我也只是试试，能够起作用就最好了。"

贝贝正色道："何止是起作用。千年魂兽我也没把握对付的，如果不是你那奇异的精神能力辅助，恐怕我刚才就很难全身而退。"

之前，他在对付曼陀罗蛇到了最后关键的时候，凭借着霍雨浩的精神探测共享，帮他每一次都准确地预判出曼陀罗蛇的动向，不仅如此，最重要的时刻出现在最后曼陀罗蛇爆开蛇冠的那一瞬。

那时候，在精神探测的世界中，贝贝清楚地感受到曼陀罗蛇的蛇冠有一种亮起来的感觉，这在他的眼睛中是完全没有看到的，完全是来自于霍雨浩精神探测那个立体世界的感受。所以他才能下意识地第一时间作出反应。不然，那毒血只要沾上一点，他恐怕就不能全身而退了。

这也让贝贝意识到，霍雨浩刚才所施展的技能在战斗中有多么巨大的作用。他保守估计，如果自己与敌人抗衡的时候，有霍雨浩这个技能的辅助，至少能够让自己的实力提升百分之二十到三十之多。这可是了不得的提升啊！更何况这还只是霍雨浩的第一个技能而已。

霍雨浩心有余悸地道："刚才这条蛇可真厉害，大师兄，它是什么魂兽？"

贝贝道："它叫曼陀罗蛇，毒性极强，不但有着麻痹的效果，而且对身体神经有很强的破坏性，是毒属性魂兽中最恐怖的存在之一。它的身体极其坚韧，普通刀剑难伤，只有嘴和眼睛才是弱点。但曼陀罗蛇对自己这两个位置保护得一向很好，速度又奇快无比。最可怕的是它的攻击性。一旦认准对手，很少有放弃的时候。"

第5章
初窥门径

"因为先天的强大和毒性，曼陀罗蛇的天敌并不多。在千年修为之前，它们的身体呈现为墨绿色，每百年长一米，等到接近千年修为的时候，它们的身长能够达到接近十米的程度。而一旦突破千年，它们自身的力量就会浓缩，连续蜕皮。不但身体颜色从墨绿色变为粉红色，同时身长也会缩回到一米，然后再每百年增长一米。等到两千年修为之后，重新回缩的同时，粉红色随之加深。看刚才这条曼陀罗蛇的颜色和身长，应该已经有一千三百多年的修为了。如果不是你的帮助，想要杀死它我恐怕也要付出点代价。"

当然，贝贝并没有说的是，如果没有霍雨浩在，他和唐雅配合击杀这条曼陀罗蛇也不算太难，否则他们也不会冒险进入星斗大森林了。

听着贝贝的讲述，霍雨浩又长了知识，"原来这曼陀罗蛇还如此神奇。那它的修为要是到了万年是不是还要蜕变啊？"

贝贝点了点头，道："万年级别的曼陀罗蛇会变成黄色，那可就真是恐怖的存在了。就算是五十级的魂王强者碰到万年曼陀罗蛇都不敢轻易招惹，至少要六十级的魂帝才能稳胜。"

"小师弟，趁着小雅吸收魂环，给我说说你的魂技。你刚才的魂技叫什么名字，还有，你能够持续多长时间？这很重要。"

霍雨浩之前就得到过天梦冰蚕的提醒，知道不能将它的事透露出来，略微思考了一下后，道："大师兄，我刚才这个技能叫做精神探测共享。范围你也感觉到了，现在大约能够在直径三十米的范围内起作用。等我以后的魂力增强，这个范围应该还能增加。我也不知道自己能够持续多长时间，但感觉上，这个技能对魂力的消耗似乎并不大。"

"不会吧。"贝贝目瞪口呆地看着他，"作用如此之大的技能魂力消耗还不大？你这灵眸武魂似乎也太强大了一些，而且你的魂环还是得自于十年魂兽风狒狒，这真是让我有些难以理解。咱们斗罗大陆魂师研究武魂早已超过万年，可在我看过的书里面，还从未记载过有你这样的情况出现。真是难以想象。"

霍雨浩低下头，道："我也不知道怎么回事。"

贝贝思索片刻后，展颜一笑，道："小师弟，你也不用想得太多，魂技强大总归是好事。有了这个魂技打底，以后任何魂师恐怕都会愿意和你配合了。不过，小师弟，你是精神属性魂师，未来是准备走辅助型魂师的路线还是控制型战魂师路线呢？"

霍雨浩愣了一下，"我也不知道。"

贝贝道："选择自己修炼的路线很重要，这关系到你未来对于魂环技能的选择还有修炼的倾向性。你这精神属性虽然才刚刚拥有了第一个魂环，但也已经展现出了它强大的潜能。如果只是单纯的辅助，我觉得就有些浪费了。虽然我也不知道未来你还能获得怎样的精神属性技能，但我更倾向于让你成为一名控制系的战魂师，在精神控制上多下工夫。如果一切顺利的话，说不定未来你能成为一个团队的核心呢。"

"团队？魂师一定要有团队么？"霍雨浩好奇地问道。他从小到大，修炼一直都是依靠自己，所有都是自己去摸索，从来没有人教导过他什么。现在加入了唐门，眼前这位大师兄对他来说简直比老师还要重要，只是这不到半天儿的工夫，就教了他很多东西。

贝贝耐心地道："我们魂师这个职业发展了这么多年，团队这个模式却是在万年前我们唐门创始的传奇大能带动下完全成型的。当时，他和他的伙伴们被称之为史莱克七怪，七个人各自有着强大的能力，组合在一起，更是能够几何倍数地爆发出强大的战斗力。从那以后，魂师之间的配合就成为了魂师们发展中的必经之路。毕竟，个体的力量总是渺小的。譬如刚才你和我的配合，就让我在战斗中轻松得多。我和小雅也同样有着

一些配合的方式。相对来说，一个魂师团队一般不超过十个人。其中有负责防御的战魂师，负责攻击的强攻系战魂师，还有指挥和掌控场面的控制系战魂师。这三者在团队中的作用最大。还有就是辅助型的器魂师，辅助型的食物系魂师，敏攻系魂师等等。在团队中的作用各不相同。"

霍雨浩恍然道："那么说，大师兄你就是强攻系战魂师了？"

贝贝微笑点头，道："我的武魂是蓝电霸王龙，在兽武魂中算是比较强大的，擅长于强攻。而小雅的武魂蓝银草，让她和唐门那位先祖传奇大能一样，是控制系战魂师。但她的控制力主要体现在蓝银草上，如果你也能成为一名控制系战魂师的话，凭借你的精神控制能力与小雅的蓝银草相互结合。双控制下，甚至不需要辅助型器魂师就可以带起一支强大的魂师团队了。"

霍雨浩认真地点了点头，"大师兄，我听你的。那我就向控制系战魂师方向努力。只是，我的天赋不太好，修炼得很慢……"说到这里，他不禁低下了头。无论是和贝贝还是唐雅相比，已经十一岁才刚刚拥有一环的他，天赋都是相当差劲了。

贝贝摸摸霍雨浩的头，微笑道："天赋只是成功的一部分。以前应该也没有什么人指点你修炼，再加上没有合适的功法，你能凭借自身努力达到现在这一步已经很不容易了。再加上你的武魂本身相当不错，未来发展潜力也同样很大。所以，你不需要自怨自艾，有这时间，不如多加修炼。只要你能够在二十岁之前突破到三十级以上，那么，就有希望成为一名强大的魂师。无论是我还是小雅，都会尽量帮助你的。"

"谢谢你，大师兄。"霍雨浩的脸上只剩下感动。

贝贝温和地拍拍他的肩膀，"碰到你或许也是我和小雅的运气，如此之快就解决了她的进阶问题，等她吸收魂环结束后，我们就可以返回学院了。这里不适合修炼，你可以先回忆一下我给你讲述的有关玄天功的修炼方法，等到了安全的地方就可以开始修炼了。"

"是。"霍雨浩恭敬地答应一声，在他心中，其实将贝贝当成老师甚至要比唐雅还多一些。

"哦，对了，小师弟。你不是说不清楚自己技能能够持续的时间么？我们不如先试验一次。这关系到以后战斗中我们的配合，也能更好地让你了解自己的能力，熟悉新得

到的技能。"

在贝贝的提议下，霍雨浩再次释放出了精神探测共享。淡淡的金光在他眼底闪烁，直径三十米范围内的立体影像再次出现在了他和贝贝脑海之中。

精神探测是无孔不入的，哪怕是一些细微的变化也能够清楚地辨别。霍雨浩在体会自己这两个技能的奥妙，贝贝也同样感受着在他这份精神增幅下对自己的益处。

越是感受，贝贝就越是心惊，这精神探测共享不只是辅助探测，更像是让他多了一个大脑似的能够进行判断。直径三十米范围内可以说是纤毫毕现，绝无死角。有了这个技能，就像是多了无数只眼睛从各个角度进行最仔细地观察啊！

更让他惊讶的还在后面，施展着魂技的霍雨浩看起来轻松得很，丝毫没有力竭的意思，在精神探测共享之中，他们甚至能够感受到唐雅融合魂环时身体的一些变化。

唐雅的身材似乎变得更加修长了几分，气息也在以惊人的速度变得强盛起来，皮肤更有光泽了，气血也更加旺盛。

转眼间，一刻钟的时间已经过去了，霍雨浩也只是脸色略微有些发白而已。

贝贝心中暗暗赞叹，有这么长时间的精神探测，在一场战斗中已经足够用了。而且，小雨浩这精神探测的能力不只是能够用在战斗中，还有许多其他用途，譬如在冒险的路上，寻觅魂兽的过程中，都是不可多得的实用能力啊！要是能够按他所说的那样随着修为增加探测的范围，那可就真能算得上是一个神技了。

终于，在持续施展技能接近半个时辰的时候，霍雨浩坚持不住了，身体一晃，结束了精神探测共享。他只觉得大脑中一阵阵强烈的刺痛，强烈的眩晕感险些令他直接摔倒。他赶忙盘膝坐好，开始冥想，恢复自己消耗的魂力和精神力。

这还是霍雨浩第一次感受到精神透支的痛苦，那种大脑一片空白的感觉绝不舒服。

贝贝一直在默默地观察着他，当贝贝看到霍雨浩在力竭之后没有倒下，反而是艰难地盘膝坐好开始冥想的时候，脸上不禁流露出一丝微笑，默默地点了点头。与天赋相比，他更看重的是心性。无疑，这位小师弟在他心中已经过关了。

千年魂环吸收起来需要的时间相当长，贝贝将随身携带的一些驱赶魂兽的药物撒在外围，他们的运气也还算不错。在唐雅修炼的过程中只是出现过十年和百年的几只魂兽，都被贝贝赶走了。并没有再遇到千年级别的存在，总算是有惊无险。

"唔……"长出一口气，唐雅缓缓睁开双眸，明亮的双眸中精光四射，整个人的精气神都有着极大的提升。

在魂师的修炼过程中，三十级是一个重要的门槛，能够跨过这道坎进入魂尊境界，那就是真正的魂师强者了，未来也将不可限量。而很多天赋较差的魂师穷极一生之力也无法突破三十级的瓶颈。

"成功了。"唐雅兴奋地从地上一跃而起，伴随着魂力的催动，两黄一紫三个魂环迅速从脚下攀升而起，最为醒目的自然是那千年级别的紫色魂环，亮紫色散发着高贵的气息，从这一刻开始，唐雅的实力已经完全进入到了另一个层次。

贝贝微笑道："小雅，恭喜你了。"

唐雅欢呼一声，猛地扑到他身上给了他一个大大的拥抱，"贝贝，谢谢你。"

贝贝搂着她的娇躯，脸上的微笑中多了几分宠溺，"我答应过帮你实现梦想就一定会做到的。"

唐雅倚靠在贝贝怀中，无意间看到一双大大的眼睛睁正惊讶地看着自己，顿时想起还有一人在这里，飞快地从贝贝怀抱中挣脱出来，有些羞窘地对那灵眸闪烁的霍雨浩道："看什么，没见过师生恋么？"

霍雨浩很诚实地道："我是没见过啊！"看着贝贝和唐雅抱在一起的时候，他心中突然有种莫名的羡慕，但却没有半分嫉妒，大师兄和小雅老师，还真是般配得很呢。

贝贝咳嗽一声，道："好了，既然你魂环已经吸收完毕，我们也赶快离开这里吧。这些年来，魂师进入星斗大森林出事的情况越来越多，这么外围都有千年魂兽存在，还是早些离开的好。"

唐雅点了点头，道："走吧。"

此时天色已经暗了下来，但在星斗大森林里露宿显然不是一个好主意，三人也顾不上疲倦，迅速向星斗大森林外围而去。

恢复了精力的霍雨浩再一次开启了精神探测共享，令他们在离开星斗大森林的过程中多了一份保障，甚至还避开了一头不太会主动攻击的千年魂兽。

一个时辰后，在急速的赶路后，他们终于又回到了当初吃烤鱼的小溪边，这里距离星斗大森林已经有几十里，危险基本远离。

霍雨浩自然又一次被拉了壮丁，在唐雅的强烈要求下再次当起了烤鱼厨师，不过，这一次抓鱼却不再用他了。

贝贝只是将右手探入溪水之中，只见一片蓝紫色电光闪过，就有十几条被电晕的青鱼翻肚飘起，再被他用控鹤擒龙之法直接吸扯到溪边，他们立刻就有了食物。

唐雅也拿出一些以魂导器携带的食物，三人坐在一起，吃了一顿丰盛的晚餐。

唐雅兴致极高，结果就多吃了点，吃饱后直接在篝火旁靠着大树睡了。而实际上收获更大的霍雨浩却并未就此沉睡，强忍着身体与精神的双重疲倦，请贝贝指点他开始第一次玄天功的修炼。

对于霍雨浩的勤奋贝贝是十分欣赏的，将自己的外衣脱下来给唐雅盖上后，就再次为霍雨浩讲述了一些玄天功修炼的要领，并且辅助他开始冥想。

玄天功在修炼过程中运行的路线要比原本霍雨浩的基础冥想方式复杂得多，涉及的经脉至少是原本的十倍以上。许多经络甚至霍雨浩都从未有魂力运行过。

为了确保霍雨浩修炼的安全，贝贝盘膝坐在他身后，双手抵着他的背心，将自身魂力缓缓输入到霍雨浩体内，引导着他的魂力进行第一次修炼的运转。

引导才刚刚开始，贝贝的脸色就变得凝重起来。霍雨浩的悟性很高，也很聪明。但是，他在身体的天赋上确实有所欠缺。贝贝的魂力进入霍雨浩体内后就发现，他的经络十分狭窄，有些地方还很纤薄，绝不能用大力去疏通，甚至在一些多条经络聚合之处还有紊乱的迹象。

此时贝贝才意识到，霍雨浩能够修炼到现在这个级别，拥有第一魂环，对他来说是何等的艰难。在得到第一魂环之后，身体都会有一定改善的情况下他的经脉却依旧如此脆弱，可见他的身体天赋之差，甚至还不如一些先天没有魂力觉醒的普通人。这是要依靠多少毅力才能将魂力修炼到十级成为一名魂师啊！

贝贝性格沉稳，发现问题并没有让他对霍雨浩失望，反而更多了几分敬佩。以霍雨浩的年纪，能够有如此坚毅的心性，就算自身天赋差一些，但未来未必就不能成事。

通过对霍雨浩身体状态的探察，贝贝猜测，霍雨浩的灵眸武魂之所以能力那么强大，肯定是和武魂变异有关，而变异后的武魂虽然很强，但对霍雨浩幼年时的身体损伤也很大。在没有足够好的调理下，才导致了他的天赋变成现在这个样子。如果在他一出

生之后立刻以药物进行调理的话，或许，自己这位小师弟就是一代天才了。

贝贝的猜测其实只能算是猜中了一半，霍雨浩身体的脆弱确实是因为武魂变异导致的不足，后来又没有足够好的调养。但灵眸技能的强大，更重要的原因却是来自于天梦冰蚕这个百万年智慧魂环的附加。

当黑暗的天空渐渐变成暗蓝色，远处东方渐渐有一抹鱼肚白出现时，贝贝才缓缓收回双掌，长出一口气，略显苍白的面庞上疲倦难以掩饰。

他用了整整一夜的时间才帮助霍雨浩将体内经脉疏通了一遍，引导着他完成了第一次玄天功的循环。这个过程相当艰难，但对于霍雨浩来说，却有着巨大的好处。

"哇——"一口淤血从霍雨浩口中喷出，他也随之睁开了双眼。

此时此刻，霍雨浩只觉得全身三万六千个毛孔全都张开了一般，从未有过的舒爽传遍全身。那一口淤血，正是他体内经脉中气滞血瘀的杂质，经过贝贝一夜的疏通，终于让这些经脉全都畅通了，哪怕这些经脉依旧纤薄、脆弱，但最起码已经可以让魂力流转，在未来霍雨浩修炼的过程中可以由魂力进行滋润，可以说一定程度上改变了他的体质。

哪怕贝贝是同龄人中的佼佼者，更是一位魂尊级强者，在完成了对霍雨浩的引导疏通后，也是极为疲倦。

"小师弟，站起来，看着东方。跟着我的引导行功，功聚双目。"贝贝强忍疲倦，向霍雨浩低喝一声，同时双手按住了他的肩膀。

而这个时候，原本还在熟睡着的唐雅竟然也清醒了过来，弹身而起，来到贝贝身边。

三人眼眸大睁，望向东方，远处天边那抹渐渐明亮的鱼肚白色中，仿佛闪过一丝淡淡的紫气，如果不是有着惊人的目力和足够专注的话，是绝对无法发现它的存在的。

紫气的出现，令三人的精神完全集中起来，甚至不再呼气，只是轻微而徐缓的吸气，同时眼眸紧紧地盯视着那抹倏隐倏现的紫色。

紫气出现的时间并不长，当东方那一抹鱼肚白逐渐被升起的朝阳之色覆盖时，紫气已经完全消失了。

三人这才缓缓闭上双眼，同时长长地呼出一口体内的浊气。

贝贝和唐雅口中各自喷出一股匹练似的白色气流，数次吞吐之后，才缓缓散去。

霍雨浩的修为虽然远不如他的小雅老师和大师兄，但就在刚才那一刻，他的震撼却是最强烈的。

当他看到远处东方那一抹紫意的时候，仿佛有浓浓的暖意顺着自己的灵眸流淌入脑海之中，眼眸得到了前所未有的滋润，甚至不需要魂力的注入，看任何东西也都极为清楚。就连视角也在瞬间扩大了似的。

而当他闭上双眼，那股紫意在眼皮阻拦下缓缓浸入双眸之中，他的灵眸很自然地引动体内魂力与这股紫意进行融合。原本的暖意渐渐变成了淡淡的清凉感，说不出的舒服。

紫极魔瞳，这就是小雅老师所说，最适合自己修炼的紫极魔瞳啊！这还只是第一次修炼，竟然就有如此效果。霍雨浩只觉得自己以前修炼数月提升的魂力注入到灵眸之中都没有刚刚融入这一抹东方紫气的效果好。

足足一刻钟后，那一抹清凉才渐渐消失，当霍雨浩重新睁开双眸的时候，在他那清澈的深蓝色眼眸深处，已经有了一丝若隐若现的紫意。

"看来效果确实不错啊！"唐雅满意地看着霍雨浩。

霍雨浩赶忙起身，恭敬地道："谢谢老师，谢谢大师兄。"

贝贝眼中的紫意渐渐淡去，脸色却依旧显得十分疲倦，拍拍霍雨浩的肩膀，道："以后我们就是一家人了，不要说谢。我要休息一会儿，咱们恐怕要晚点才能走了。小雅老师，你准备一下食物吧。小师弟，你再修炼一遍玄天功，巩固昨夜的记忆。"

"是。"霍雨浩对这位大师兄的尊敬越来越深，闻言立刻原地坐下开始按照玄天功的功法运转魂力。

有了昨晚深刻的记忆和贝贝的疏通，他再催动起魂力来就要容易得多了。原本通过冥想得来的魂力经过玄天功运行路线的提炼，渐渐变成了淡淡的白色，魂力之中的一些杂质也明显在运转的过程中被炼化了。

一个时辰后，贝贝率先从修炼中清醒过来，他的修为本就极强，疲倦已是一扫而空。

唐雅递过干粮给贝贝，低声问道："怎么样？"

贝贝微微一笑，道："这次你倒是对了，小师弟是个可造之材。他的身体情况不佳，但悟性却不差，而且能吃苦，心也足够安定，是个好苗子。而且，玄天功本身有养生功效，长时间修炼有助于修补他体内的经脉，可以算是最适合他的功法了。至于未来的发展，还要看他自己的努力和机缘。我们能为他做的，就是打开一扇门，能走多远还要看他自己。"

唐雅轻声道："谢谢。"

贝贝失笑道："你这是怎么了？平时你可很少对我说谢，难道是因为小师弟么？我不会教出一个情敌来吧。"

唐雅没好气地捶了他一拳，道："你知道我在谢什么的，别装傻。"

贝贝轻舒猿臂，将唐雅搂入自己怀中，"小雅，我承认，当初答应你加入唐门是因为喜欢上了你，对你一见钟情。但随着修炼唐门功法，我越来越发现咱们唐门底蕴深厚。虽然唐门没落了，但是，如果我们能够凭借自己的力量重新将它发扬光大，岂不也是一件有趣的事情么？所以，我现在已经不完全是因为你而为唐门付出，也是为了唐门本身。"

唐雅眨了眨大眼睛，道："那是不是说，就算我不喜欢你了，你也会为了唐门的未来而努力呢？"

贝贝顿时变了脸色，有些气急败坏地道："你正常点。"

"嘻嘻。"唐雅笑道，"就喜欢看你露出本色的样子，平时总是一副道貌岸然的德性，你累不累啊！"

贝贝在她头上弹了一记，"那叫修养好不好。你以为谁都像你啊！有什么事儿都摆在脸上。"

唐雅抓住他的手，一脸委屈地道："不许你再弹我的头，你这是冒犯师尊。对了，你说小雨浩能够在学院坚持下来么？"

贝贝摇了摇头，道："不好说。还是看他自己吧。我只能说，他如果真地坚持下来，能够在学院待满十二年的话，未来成就甚至还有可能在我之上。"

唐雅一惊，"没想到你对他的评价竟然这么高。"

贝贝微微一笑，道："小师弟的变异武魂很不一般，我举个例子你就明白了。他第

一次用精神探测共享和第二次用的时候已经有所差别。也就是说，他对这个技能的掌握还不算熟练，但却已经带给我们极大的增幅了。而且，正如他所说的那样，这个技能似乎还是能够进化的。如果他未来的每一个魂技都能是这种层次的，必能成为一名顶尖的精神控制系战魂师。"

唐雅道："就是自保能力差了点。起码在达到一定修为之前是这样。"

贝贝道："不，你错了，他根本不需要自保。因为，就算仅仅是他目前拥有的这个魂技，就注定了他身边不会缺少伙伴。"

霍雨浩修炼的时间比唐雅和贝贝想象中还要长，他这一次修炼竟然一直持续到正午才结束。其间，贝贝几次查探他玄天功运行的路线，分毫不差。可以说，霍雨浩经过这次的修炼是真的入门了。

等他从修炼中清醒，吃了点食物后，三人上路，向西而去。

星斗大森林的大部分位于星罗帝国境内，只有一小部分在天魂帝国。而史莱克学院则在星斗大森林的西北方，距离星斗大森林并不算太远。

唐雅和贝贝之所以从南边进入星斗大森林，是因为这个方向强大的魂兽相对少一些，也较为安全。而遥对史莱克学院那个方向的魂兽则是最强的。

因为史莱克学院经常会有学员进入星斗大森林猎杀魂兽，因此星斗大森林中的魂兽强者们十分仇视这些学员，甚至还出现过大量魂兽冲出森林，向史莱克学院发动兽潮的重大事件。

因此，在学院中，凡是魂王以下的强者是不允许从正面进入星斗大森林的。就算是魂王级别的强者，也需要有师长带领才可以进入。

霍雨浩三人一路赶往史莱克学院，行进的速度并不算很快，因为要绕过星斗大森林，所以他们这一行也要接近千里了。

路上，唐雅和贝贝将唐门绝学一一传授给他。其中霍雨浩领悟最多的就是玄天功和紫极魔瞳，控鹤擒龙、鬼影迷踪步和玄玉手都只是初窥门径而已。

霍雨浩的勤奋也令唐雅和贝贝深深地震撼了一把。只有十一岁的他，在赶路的过程中都不忘修炼，在听贝贝讲述不断使用魂技也能略微提高魂力之后，只要他还能坚持，就不停地使用精神探测共享。而一旦休息，就立刻开始修炼玄天功。赶路的时候，在释

放技能的同时还要分神去琢磨鬼影迷踪步、控鹤擒龙和玄玉手。

也正是因为霍雨浩在修炼玄天功的时候经常入定时间较长，才拖慢了他们前往史莱克学院的速度。但贝贝和唐雅也不催他，甚至还在他的带动下增加了修炼的时间。

"小雅，要是你能有小师弟一半努力，以你的天赋，估计已经超过我了。"贝贝看着盘膝坐在一株大树下聚精会神修炼的霍雨浩说道。

唐雅撇了撇嘴，道："你很努力么？就跟你比得上小雨浩似的。不过，他心里似乎藏着事儿，是情绪推动着他如此努力，也不知道是好是坏。"

贝贝微笑道："有目标总不是坏事，而且他年纪还小，在我们潜移默化的影响下，心结总会解开的。现在对他来说最重要的是二十岁之前能够突破三十级。"

这时，霍雨浩也从冥想中清醒过来，口鼻处有淡淡的白色气流流转，睁开眼眸的瞬间，清澈的眼眸中金光闪烁，灵眸似乎变得更加通透了。

霍雨浩努力修炼固然是为了出人头地，但更重要的却是改修玄天功以后完全不同的体验。

在贝贝和唐雅的帮助下，他的体质得到了一定的改善，而玄天功确实是一门相当优秀的功法，他们已经在路上走了四天，霍雨浩修炼玄天功也同样是四天。四天以来，他自身的魂力已经完全转化为了玄天功修炼的魂力。在转化过程中，他自身驳杂不纯的魂力渐渐变得精纯起来。每次修炼完，全身都暖洋洋的有说不出的舒服，比睡觉对身体恢复的效果还要好。

尽管魂力总量增加并不多，但全部替换为精纯的玄天功魂力后，霍雨浩能够明显感觉到自己身体机能的变化以及魂力持久性的增强。

如此明显的进步在他修炼的历史上还是第一次出现，他又怎能不刻苦努力呢？

"小雨浩，你也不能总是绷得那么紧，该休息还是要休息一下。不然的话，长期下去，你岂不是就变成一个木头人了？"唐雅严肃地说道。

霍雨浩点了点头，道："是，小雅老师。"

唐雅扑哧一笑，道："你别这么老实、乖巧好不好。真没意思。走啦，就快到学院了。这几天你一直都沉浸在修炼中，我还没来得及给你说说学院的注意事项。正好你现在也休息会儿，放松一下脑子，听我说说。"

第6章
斗罗大陆第一学院

"哦。"霍雨浩本来正想继续琢磨昨天贝贝教他的几招擒拿手法，被唐雅这么一说，顿时有些愣神。

三人起身赶路，一边走，唐雅一边向霍雨浩介绍起史莱克学院的情况。

史莱克学院创立于万年之前，史莱克在古语里是怪物的意思，也就是说，最初创建史莱克学院的人，是为了创建一所怪物学院。

史莱克学院最早的校训，就是只培养怪物，不培养普通人。而这怪物所指，其实就是天才。

就连当年创立了大陆第一宗门唐门的门主，也是从史莱克学院毕业的。也正是他那一代学员创造了史莱克学院的第一次辉煌。当时的史莱克学院只有他们七名学员，在史莱克学院的历史上，被称之为"史莱克七怪"。

史莱克七怪的故事在大陆上流传已久，最为著名的依旧是唐门门主夫妻二人。后来，唐门虽然衰落了，但史莱克学院却屹立不倒，而且伴随着时代的发展，渐渐成为了大陆第一学院。

史莱克学院现今在大陆上有着举足轻重的地位，而造成这一现象的根本原因，就在于四千多年前日月大陆与斗罗大陆碰撞后发生的那场大陆之战。

刚开始的时候，斗罗大陆这边三大帝国因为彼此并不心齐，在战争初期导致斗罗大

陆这边落在下风，甚至被日月大陆的军队攻入了斗罗大陆内部。

就在这关键时刻，史莱克学院那一代的院长登高一呼，竟然是一呼百应，召集了全大陆近六十位封号斗罗级别的超级强者，临时成为三军统帅，率领大军硬是击溃了日月帝国的军队，并且最终获得了战争胜利，将大陆统一命名为斗罗大陆，日月帝国割地、赔款之后，才得以存在下来。但军力却被极大程度的削弱，再也不能和斗罗大陆三大帝国联军相抗衡了，其战力最多只相当于一个帝国而已。

那一战，也令史莱克学院名声大噪，不只是因为史莱克学院聚集了六十位封号斗罗，同时也是因为史莱克学院那一代院长成为了三军统帅。在他的一呼百应之下，三大帝国的皇室震惊地发现，几乎所有统军大将都是出自史莱克学院。在史莱克学院院长的统一调配之下，三大帝国联军再也没有出现过彼此不和。正是因为完全联合了三大帝国之力，这才能一举建功。

从那以后，史莱克学院就再也不属于任何一个国家，而是独立的存在。

史莱克学院接连出了几任极为英明的院长，虽然学院在大陆地位崇高，但却绝不居功，对待任何一个国家的态度完全一样，而且绝不拥有私军，就连老师的数量也保持在一定程度上。因此，史莱克学院始终是学院，并没有带给任何一个国家危机感。所以，它不但存在了下来，而且在大陆上的崇高地位是任何一个国家都不能轻易撼动的。

史莱克学院位于天魂帝国东南部，它的东南方向正是星斗大森林，东方是斗灵帝国，南方是星罗帝国，可以说是处于三大帝国交界核心之处。

唐雅告诉霍雨浩，目前史莱克学院分为外院和内院两部分。每年招收的新学员大约在一千名左右。而学院的学员总数却从未超过五千名。从进入史莱克学院到完成所有学科毕业，需要十二年之久。也就是说，史莱克学院每年的淘汰率极高。如果不能通过学院的考核，会被毫不留情地清除出学院。

但那些真正能够从史莱克学院毕业的，却无一不是一代天骄。

可以说，史莱克学院是真正的强者摇篮。天魂帝国、斗灵帝国和星罗帝国每年甚至会因为史莱克学院的录取人数而上升到政治高度，由此可见这天下第一学院的威名了。

日月帝国那边，或许是因为对史莱克学院的仇视，因此，他们从未要求过派人进入史莱克学院学习。在日月帝国，也有着一些高等学院，经过几千年的发展也已经有了相当规模。只是日月帝国军力一直受到当初的协议所限制，并不能扩张太多，表面上日月帝国依旧十分低调。

"雨浩，你进入学院后，就要在外院进行修炼了。外院分为很多系，你就暂时先进入控制系修炼吧，同时兼修魂导系。你看如何？"唐雅在简单介绍了史莱克学院的情况后向霍雨浩说道。

"小雅老师，魂导系是什么？"霍雨浩问道。

唐雅道："所谓魂导系，就是以制造魂导武器为目的的学习。"说到"魂导武器"这几个字的时候，她竟是有些咬牙切齿的意思。

"魂导武器？"霍雨浩依然有些不解。这也不怪他，史莱克学院乃是当今大陆第一学院，而他从小在闭塞的环境中长大，见识自然不会太多。

贝贝看唐雅脸色有些不好，代替她向霍雨浩解释道："说起魂导器，和我们唐门有着很大的关系。魂导器从某种意义上来说，就是用魂力进行催动的武器。而魂导器的品质越高，威力也就越大。也就是说，哪怕你只是一名器魂师，有一件强大的魂导器在手，也能拥有相当程度的攻击力。而魂导器的发展，也是导致我们唐门衰落的根本原因。"

"我们唐门在四千多年前还盛极一时。日月大陆的碰撞是导致我们唐门衰落的根本原因。"唐雅恨恨地说道，"我们唐门以暗器出名，也以贩卖暗器作为主要的经济来源。一直以来，几乎每个国家都会向我们购买一定数量的暗器，就连一些宗门都是如此。"

"四千多年前，日月大陆与我们斗罗大陆碰撞后，战争很快就发生了。携带有我们唐门制作暗器的三大帝国军队与日月帝国军队发生了碰撞。结果，日月帝国在魂师方面虽然不强，可他们在魂导器方面却有着独特的研究。那些以魂力催发的魂导器，在整体威力以及攻击距离上都要超过我们唐门的暗器。结果导致战争初期我们斗罗大陆的三大帝国损失惨重。"

"战争最后虽然胜利了，但我们唐门暗器的作用也受到了极大的质疑。从那以后，各国开始大幅度削减对我们制作暗器的采购。而我们唐门赚钱虽然不少，但按照第一代门主的意思，大部分收入都捐赠了出去，用来改善穷苦地区的平民生活以及建造学校等公共设施。所以，我们并没有太多的结余。"

"当时，唐门自身就有数千人之多。盛极而衰的速度实在是太快了，不过两百年，我们唐门就迅速衰落。曾经的大陆第一宗门再也不见了当初的辉煌。等传到我这一代，就只剩下我和爸爸、妈妈三个人。在一次猎杀魂兽的冲突中，爸爸、妈妈也离我而去了。唐门竟只剩下我这一根独苗。"

说到这里，泪水顺着唐雅光滑细腻的面庞流淌而下，她的双拳也不禁攥得紧紧的。

霍雨浩喃喃地道："小雅老师，我们唐门的暗器真的就比不上那些魂导器么？"

唐雅叹息一声，道："从某些方面来看，确实是可以这么说的。日月大陆带来的不只是魂导器，同时还有大量而丰富的矿产资源，这些珍稀矿产都是极好的魂力导体，特别适合制作魂导器。这就导致在之后数千年时间里，魂导器高速发展。我们唐门暗器更加没有市场了。不过，论精细程度和设计巧妙，我们唐门暗器绝对是在魂导器之上的。尤其是一些顶尖的暗器，更是如此。只不过，那些暗器的制作十分繁复。"

贝贝摸摸唐雅的头，道："魂导器的发展，确实对我们唐门的暗器冲击很大。我刚认识小雅的时候，她还固执地认为暗器一定比魂导器强。可事实证明，魂导器能够代替我们唐门暗器成为被各方接受的武器，确实有它的道理。首先就是因为它太容易被大众所接受了。尤其是那些不会攻击的器魂师，有了魂导器之后，几乎是瞬间就将他们变成了战魂师。而他们需要付出的只是魂力而已。所以，我和小雅商议之后决定，我们唐门想要发展，就绝不能像以前那样固步自封，只是沉浸在自己的世界中。想让我们唐门重现辉煌，那么，我们不但要了解魂导器，更要将我们唐门暗器的制作与魂导器融合起来，制作出更加强大的魂导器。只有如此，我们唐门才能找到发展的契机。因此，凡是我唐门弟子，除了本身武魂的修炼之外，还必须要兼修魂导器。"

霍雨浩道："小雅老师，大师兄，魂导器这么强，为什么当初日月帝国还输给了我们三国联军呢？"

贝贝淡然一笑，道："那是因为，当时的魂导器虽然不弱，但最强大的魂导器也不能和封号斗罗的战力相比。不过，这几千年发展下来，已经开始出现一些特别强大的魂导器，甚至能够威胁到封号斗罗了。但魂导器也有一个问题，那就是，越强大的魂导器，就需要越强大的魂师来施展。没有足够的魂力支持，魂导器的威力就十分有限。因此，我们两块大陆合一之后，就出现了一个有趣的现象，咱们这边，尽可能地去学习魂导器制作方法，而日月帝国那边，却在着力培养强大的魂师。几千年下来，似乎倒是有些均衡了。"

有了贝贝和唐雅的介绍，霍雨浩对史莱克学院总算有了一个初步的印象。

唐雅拉着贝贝的衣袖擦掉自己脸上的泪水后，向霍雨浩说道："小雨浩，对你来说，现在最重要的就是能够一直留在史莱克学院之中。我和贝贝都已经是三年级的学员了。这次我获得了千年魂环之后，和他一起升入四年级应该是没什么问题。进入四年级之后，淘汰率就没那么高了。再过几年，我们都有机会进入内院学习。但你却不一样，你刚刚进入学院成为一年级学员后，竞争是最为激烈的。学院每三个月就会进行一次新生考核，只有通过考核才能留下来。咱们唐门虽然有面试入学的名额，但能不能一直留在学院学习，还要看你自己的本事。这是谁也帮不了你的，你明白么？"

霍雨浩认真地点了点头，道："小雅老师，我一定竭尽全力。不过，以您和大师兄的能力，竟然还不是内院的学员么？"

唐雅道："想要进入史莱克学院内院谈何容易。史莱克学院的校训从来没有改变过。外院只是后来建立的，应三大帝国的要求，更多地培养一些人才出来。但是，只有进入内院的学员，从某种意义来说才是真正的史莱克学院学员。那无一不是天才、怪才，甚至是怪物。外院学员在坚持到六年级后会有一次考试，考试通过就可以毕业了。只有在考试中最为优秀的极少数人，才有可能再接受一次内院考核，再次通过后，才能准许进入内院。内院学习也要六年之久。据说，能够从内院毕业的，至少也是魂帝级强者啊！更是会受到包括日月帝国在内，所有国家最好待遇的邀请。"

"这么厉害啊！"霍雨浩听到这里，不禁有种心驰神往的感觉，暗暗想到，如果有一天，自己能够成为史莱克学院内院的毕业学员，再回公爵府请出母亲的遗骸，母亲也能安心了吧。想到这里，他的双拳不禁攥得紧紧的。

贝贝认真地道："何止是厉害。我曾经见过一位内院的师兄，那位师兄孤身一人进入星斗大森林，赤手空拳击败三头万年魂兽却不伤它们性命，还要将它们带回学院。据说，这是他抽到的学院十年级的考核任务。"

唐雅道："我还听说，曾经有一位十二年级的学长，在毕业时修为已经达到了七十级以上的魂圣层次，更是拥有一个红色的十万年魂环呢。那位学长后来被留在了学院中，作为下一任的院长进行培养。"

听着他们的讲述，霍雨浩已经有些迫不及待的感觉了，这几天跟唐雅和贝贝相处下来，令他深刻地明白拥有一位好老师对于他修炼的帮助有多么巨大。毫无疑问，史莱克学院就是最好的选择啊！他暗暗发誓，无论付出多大的努力，自己都一定要先在外院留下来，争取以后进入史莱克学院内院。

带着这样的心情，霍雨浩忍不住又开始一边走一边琢磨起那几门唐门绝学了。唐雅和贝贝对史莱克学院的介绍，已经完全点燃了他心中的火焰。

看着霍雨浩的样子，唐雅和贝贝不禁相视一笑。当初他们在最初进入史莱克学院的时候，不也和霍雨浩现在的样子相同么？

几个时辰后，霍雨浩终于看到了史莱克学院所在。

与其说那是一座学院，倒不如说是一座城市来得恰当。顺着大道走出一片丛林，远处平原高高的城墙向左右伸展开来。

史莱克学院建立在立马平原之上，占地面积极为广阔，本身就是一座城市，被称之为史莱克城。在斗罗大陆上，史莱克城是数一数二的大城市，生活着超过两百万民众。而史莱克学院对这座城市有着单独的治理权，不需要向任何国家缴纳税赋。单是这一点，就是包括日月帝国在内的所有国家其他学院所无法比拟的。

史莱克学院并不是位于史莱克城中心的，而是在史莱克城的东部，因为这边遥对着星斗大森林方向。

史莱克城向东南西北皆有大陆，交通可以说是四通八达，这里不但是史莱克学院所在地，同时也是原属斗罗大陆的三大帝国交界最重要的商业城市。因为史莱克学院的存在，史莱克城的治安极好，在这里交易不但公平，而且更容易让人放心。因此，三大帝国的商人在进行跨国贸易的时候，大多会选择在史莱克城进行交易。

史莱克城南、西、北三座城门都是可以任意进出的，唯有东边专属于史莱克学院。

霍雨浩在贝贝和唐雅的带领下来到了东城门外。

别看这座城门只供史莱克学院使用，但此时却是极为热闹，东城门外至少聚集着超过五千人，城门外热闹非凡。大量的商贩早已闻风而动，估计现在这城外比城里还要热

闹得多。

"小师弟，你这次刚好赶上学院招收新学员，你也能顺利加入这一届的新生了。比我和小雅低三届。这些普通新生，不但要经过考核，还必须要有三大帝国至少主城级别的推荐信才行。每年的这个时候，都是咱们史莱克城最热闹的一段时间。"

霍雨浩低声问道："大师兄，考核很难么？"

贝贝迟疑了一下，目光下意识地看向唐雅。

唐雅爽快地道："他早晚会知道的。这也是他以后努力的动力，告诉他好了。小雨浩，考入史莱克学院外院有两个要求，第一个是不超过十二岁，第二个要求则是魂力不低于十五级。如果单纯从考核的角度来看，你是不合格的。"

她没有说出让霍雨浩更加努力的话，因为他已经足够努力了。

霍雨浩认真地道："那三个月后的第一次考核，也要考核魂力么？"以他的体质，想要在三个月内将魂力从十一级提升到十五级那是完全不可能完成的任务。

贝贝摇了摇头，道："不，咱们史莱克学院的考核，永远都是实战。有一位老师曾经说过，任何数据在实战面前都是苍白的。"

霍雨浩用力地点了点头，"小雅老师，大师兄，或许，我现在比不上绝大多数报名的新生，但我以后一定会超过他们绝大多数人。"他的语气有着超出年龄的平静，灵眸之中更有超越年龄的坚定。

贝贝比霍雨浩高出了一个头，伸手搂住他的肩膀，道："走吧。接下来的三个月如果你能走过去，师兄就看好你能够走到最后。"

贝贝和唐雅带着霍雨浩从侧面绕过人群，来到东城门外。

东城门处，有十几名年纪和他们差不多的青年男女守护，每个人都穿着一身黄色劲装，胸口处有一个绿色的图案。这是史莱克学院外院二、三年级学员的校服。

看到贝贝，这些青年学员们立刻肃然起敬，"贝师兄，您回来了。"

贝贝微笑着向每一位学兄、学弟们打招呼，然后跟为首一人说了几句什么，那名学员看了一眼霍雨浩，立刻点了点头，"贝师兄的话还有什么可怀疑的，你们带这位小兄弟进去登记吧。"

贝贝微笑着向他竖起右手大拇指，"谢了，回头请兄弟们吃好的。"

那人也不客气，哈哈一笑，"那可说好了。这吃大户的机会我们可是不会放过的。"

贝贝抬手与他击掌，"一定不会让大家失望。"说完，他和唐雅就带着霍雨浩一起走进了这座象征着史莱克学院门户的东城门。

不远处一名刚刚完成报名考核的新生向负责他考核的老学员问道："学长，刚才那位学长是谁啊？"

"那是贝师兄，他叫贝贝，大家都叫他霹雳贝贝。拥有兽武魂中最顶尖的蓝电霸王龙武魂，而且天赋异禀。十三岁的时候就突破了三十级，据说，他现在已经有着接近四十级的修为了，这一、两年内就能突破成为魂宗，是咱们外院数得上的强者。如果不是为了陪伴他身边的唐雅学妹，以贝师兄的实力，早就可以进行外院五年级的考核了。要是他突破了四十级，就算是六年级的考核估计也难不住他。贝师兄不但实力高，更是一向与人为善，要说咱们外院中人缘最好的，就是他了。贝师兄更是咱们外院中许多女学员心中的白马王子。不过他用情专一，为了唐雅学妹都不知道拒绝了多少向他示爱的学姐学妹了。据说连内院的学姐都有喜欢他的呢。大家都说，最多两年，贝师兄一定能进内院。"

贝贝和唐雅带着霍雨浩走进史莱克学院，和霍雨浩想象中的恢宏肃穆不同，史莱克学院内环境优美，各种植被丰富、茂盛。走在宽阔的大道上，无论视线投向哪个方向，都至少能看到十种以上的植物，这些植物分明都是经过精心修剪的。

他们向前行进两百米，被前方几座巨大的雕像遮住了视线。雕像一共有十尊之多，都有十米高，是用最坚硬的花岗岩雕琢而成的。

前排一共有三尊雕像，最中央的一尊是一名老者，戴着一副眼镜，脸上笑眯眯的样子，身材中等微胖，看上去一副好好先生的样子。

贝贝向霍雨浩道："中间这位就是咱们史莱克学院的创始人，也是第一任院长，弗兰德。在他左边那位，是我家先祖之一，创造了目前史莱克学院武魂各系执教基础，武魂界十大核心竞争力，有大师之称的玉小刚。我母亲就是他的直系后代。右边的女子也是先祖，柳二龙。也是大师的妻子。他们与弗兰德院长并称为黄金铁三角。如果说弗兰德院长创造了史莱克学院，那么，大师就是学院的真正灵魂，也是他一手培养出了他们

身后的史莱克七怪。"

大师的雕像看上去是一名有些消瘦的中年人，而柳二龙则是一名风姿绰约的中年女子。

在他们之后，有七尊雕像。当霍雨浩的目光看到最前面的一尊雕像时身体不由微微一震。

那是一名身材高大、相貌英俊的男子，最奇特的是他目生双瞳。额头上有王字纹路，虽然只是雕像，却有一种逼人的强大气势。

"在黄金铁三角身后的这七尊雕像就是曾经铸就辉煌的史莱克七怪了。排在首位的是白虎斗罗戴沐白，第二位的是香肠斗罗奥斯卡，第三位就是咱们唐门的先祖，千手斗罗唐三了。"

在七人之中，唐三是最英俊的一个，一头蓝色长发披散在身后，简单的劲装，雕像身上有一圈圈蓝色的藤蔓盘绕，显然是他的蓝银草武魂。嘴角处还有一丝淡淡的微笑，目光却惟妙惟肖地投向七人中排在第五位的一名梳着蝎子辫的女子。

"第四位是邪凤斗罗马红俊，第五位就是咱们唐门先祖的妻子，柔骨斗罗小舞，据说先祖本是一只十万年魂兽修炼成人。再后面是有着最强辅助魂师称号的九宝斗罗宁荣荣，她是香肠斗罗的妻子，最后一位幽冥斗罗朱竹清乃是白虎斗罗戴沐白的妻子。"

第一代史莱克七怪的七尊雕塑形态各异，单是从他们全部身为封号斗罗就能看得出，他们当初有多么强大。

唐雅的目光始终落在千手斗罗唐三的雕像上，黄金铁三角与第一代史莱克七怪奠定了史莱克学院的基础，之后万年，史莱克学院不知道出过多少优秀的天才与强者，但这里的雕像却只有十个，从未增加。

贝贝向霍雨浩介绍："从这里就要分路了，往左是武魂分院，往右则是魂导分院。这也是咱们史莱克学院的两大分部，都是外院。相对来说，武魂分院较大，魂导分院较小。武魂分院还有许多系的划分。我们先去武魂分院报名，至少新生要通过第一次考核后，才有报名魂导分院的资格。"

霍雨浩的目光还被那十尊雕像吸引着，脑海中回想着母亲曾经讲述过的传说故事，心中不时流淌过一道道震撼的感觉。

从雕像处向左行进，路依旧很宽，足以容纳四五辆马车并行，路边有指示牌写着"湖畔小径"四个字。

隔着右手边成阴的绿树隐隐能够看到有一片宽阔的水面。也就是说，先前黄金铁三角与史莱克七怪这十尊雕像背后，靠着一个巨大的湖泊。

唐雅注意到了霍雨浩的目光，不禁有些骄傲地道："那是为了纪念咱们唐门先祖，千手斗罗唐三而建的人工湖，叫做海神湖。因为，传说中，咱们先祖唐三就是继承了海神的神祇。海神湖面积极广，引地下水注入。咱们史莱克学院的内院就在海神湖的湖心岛上。所有外院弟子都以能够登上湖心岛为荣呢。"

贝贝深深地看了一眼海神湖的方向，眼中闪烁着一些坚定而执著的光彩。

这海神湖确实很大，沿着湖畔小径向南，足足近一刻钟才改向西行，又走了一刻多钟，小径才开始内收，一个宽阔的长方形广场出现在视野中。旁边也出现了一个史莱克广场的标牌。

史莱克广场后，是一座座高大的教学楼，这些教学楼颜色各不相同，主要有白色、黄色、紫色、黑色四种。目光向史莱克广场北边的远处眺望，那边似乎还有一片灰色的教学楼。

贝贝指着广场另一侧的教学楼道："教学楼的颜色代表着不同的年级，是按照魂环颜色来区分的。白色是新生教学楼就像魂环中最低阶的十年魂环，黄色是外院二年级和三年级教学楼，紫色是四、五年级教学楼，黑色则是六年级教学楼，能够从黑色教学楼走出，就已经可以拿到学院外院的毕业证了。"

"远处那些灰色教学楼就属于魂导系了。从面积来看，魂导系大概占主教学区的三分之一，武魂系占三分之二。除了最前面这些教学楼之外，后面还有许多特定的教学场所。譬如斗魂场、考核区、宿舍区、教师办公区等等。"

白色的新生教学楼在最南侧，也距离湖畔小径最近，霍雨浩三人从史莱克广场南侧走过，就来到了这座教学楼之中。

因为正处于招收新生的时期，新生教学楼格外热闹，一些已经通过了考核的新生正在这里注册报到。

有贝贝和唐雅的带领，霍雨浩的报道、注册十分顺利。学费是贝贝交的，一个学年

的学费竟然需要十个金魂币之多。而且还不包括伙食费。如果不能通过考核中途退学的话，学费是不退的。

领取了宿舍钥匙、两身校服和一枚白色的新生徽章后，霍雨浩跟着唐雅和贝贝走出新生教学楼。

唐雅道："小雨浩，宿舍就在教学楼后面，那栋全学院最大的楼就是。待会儿你自己去就行了。三天后新学年才正式开学，这几天你可以先熟悉一下环境。第一年的学费我们给你交了，以后就要看你自己的了。学院有各种比赛，都是有奖金的。还有，你已经是一名魂师了，在学院登记注册后，每个月可以领取一个由三大帝国下发的薪水。省着点用吃饭应该够了。"

霍雨浩将唐雅的话一一牢记，正准备向小雅老师和大师兄告别时。贝贝看着不远处公告栏里的一份告示略微皱起了眉头。

霍雨浩不需要上前，魂力略微运转，灵眸强大的视觉能力就发挥了作用，清楚地看到了那张告示上的字。

母亲从小就教他识字，虽然从未正式上过学，但霍雨浩的文化水平却并不差。

只见那告示上写着：新生一班班主任，周漪，新生二班班主任……

周漪？我好像就是新生一班的啊！霍雨浩因为报名较早，直接被分配在了新生一班。

唐雅也发现了贝贝关注的东西，低声惊呼道："啊，怎么是周漪那个变态老姑婆？她不是教三年级的么？怎么给分配到新生教学这边了？"

贝贝苦笑道："听说周老师在教导三年级学员的时候过于严厉，导致她所带的班级升入四年级的只有十分之一。并且被学员们多次向学院上告，这才被贬到了新生班级吧。小师弟，你可要小心一些，咱们史莱克学院外院的怪物学生不多，但怪物老师却是不少，更以这位周老师为最。"

074

第7章
新生入学

听了贝贝对即将教导自己的这位周漪老师的介绍，霍雨浩也是大吃一惊，"大师兄，这位老师如此做法，学院不管的么？"

贝贝低声道："周漪老师虽然严厉，但她却真的是一位好老师。凡是能够在她所带班级中升班的学员，其实没有一位说她不好的。周老师的严厉主要体现在对学员们要求太高以及教学方法的严酷上。但是，几乎所有经过周老师教导过并且升级的学员中，有接近四分之一的比例进入了内院。这一数据在全学院是数一数二的。这次也是因为动静太大，周老师才被贬到了新生年级。但只要你足够努力和优秀，在周老师的指导下只有好处。"

霍雨浩松了口气，道："原来如此。小雅老师、大师兄，你们忙吧，我就先回宿舍了。"

贝贝微微一笑，道："好，我和小雅老师也要去进行升级测试了。能够通过测试的话，我们都会升入四年级。我住在三一六宿舍，有事的话你直接去那里找我。"

贝贝和唐雅确实有很多事要忙，唐雅之所以急于获得第三魂环就是为了能够顺利通过四年级的升学考核。升学之后还有更多的事情等着他们。霍雨浩曾独自前往星斗大森林并且获得了魂环，自己照顾自己的能力很强，他们也不用担心什么。

从白色的新生教学楼和黑色二、三年级教学楼中间穿过，霍雨浩就看到了宿舍楼。

宿舍楼占地面积极广，虽然是一栋，但上面也有白、黄、紫、黑四种颜色。显然是代表着四座教学楼不同年级学员居住的区域了，一共有六层之高。

霍雨浩来到白色楼门门口，这里坐着一名看上去年纪很大的老人。老人穿着一身灰色布衣，脸上的皱纹足以同时夹死两位数以上的苍蝇，眼眸昏黄，眼皮低垂，一副风烛残年的样子。楼宇间的阳光正好能够洒落在他身上，半躺着的座椅倒是很舒服的样子。

霍雨浩走上前，恭敬地道："老爷爷您好，我是新生，来入住宿舍的。您需要检查一下我的新生徽章么？"

老人头也不抬地伸出颤巍巍的右手，有些嘶哑低沉的声音响起，"徽章和宿舍钥匙拿来看看。"

霍雨浩赶忙递上去。

老者在自己眼前晃了晃又还给了他，"去吧。一零八号宿舍在一楼左手第三间。四层开始是女生宿舍，不能上去。一经发现就要被开除的。"

"谢谢您。"霍雨浩再次向老者鞠躬行礼后，这才走进宿舍楼。

老人保持着原本的姿势不动，喃喃地念叨了一句，"少见的有礼貌的孩子。"

就在他说话的工夫，又有几名新生从这里走过，但他们显然没有注意到楼门旁边的这位老人，径直而入。老人也并没有阻止他们，只是昏昏欲睡地坐在那里。

霍雨浩按照老人指点，很快就找到了自己的宿舍。学员宿舍是筒子楼，长长的走廊两边有着一个个宿舍门，门上有牌号。看得出，宿舍楼内部已经有些陈旧了，不知道用了多少年。在楼道两边尽头各有一个集体卫生间。

用钥匙打开门锁，一股有些浑浊的空气涌出，霍雨浩赶忙侧开身，等了一会儿后才憋了口气冲进去把窗子打开。这房间起码有超过一月没人住了，到处都是一层灰尘。

趁着开窗通风的工夫，霍雨浩也看清了宿舍内的布置。宿舍很小，不过十平米左右，两张床就占了大部面积，除此之外就只有一张桌子和两个铁皮衣柜，房顶还有一盏灯，墙壁上有几个金属凸起，贝贝告诉过他，灯是一个简单的魂导器，需要魂力注入才能亮起，那些金属凸起就是魂力注入的地方。

通风片刻后，宿舍内浑浊的空气总算是干净了，霍雨浩看着这不大的空间，心中却有一种难以形容的激动。从今天开始，这里就是他未来一年的宿舍了。看样子，自己还

会有一名舍友。先打扫一下吧。

正所谓穷人的孩子早当家，虽然出身于公爵府，但霍雨浩自幼所过的生活甚至还不如一位平民，在宿舍外的学员用品店里用他不多的钱买了一个水盆，要了一块店里用过的抹布，他立刻就开始了宿舍清理工作。

只用了半个时辰，在霍雨浩灵眸的仔细搜索下，所有的卫生死角全部打扫干净，纤尘不染。虽然宿舍内的一切还是那么简洁，但却多了一份清新的气息。霍雨浩并没有打算给自己买被褥。木板床对于致力于努力修炼的他就已经足够了。

肚子有些饿了，他出门打听了一下食堂的位置，又从学员用品店里买了个最便宜的饭盆，就去食堂了。

每个年级都有专属于自己的食堂，就在宿舍区后面。霍雨浩进入新生食堂后就吃了一惊。这会儿食堂里人不多，显得十分空旷，连一张桌椅都没有，完全是一片空场，只有一侧有洗手和洗餐具用的水池。内侧则是购买饭菜的窗口，每个窗口外标示着价格。一共八个窗口，菜式各不相同，价格由右向左越来越贵。

在食堂吃饭竟然连个坐的地方都没有么？食堂门口还写着，饭菜一律不许带出食堂。

短暂的惊讶之后，霍雨浩到最右侧也是最便宜的窗口买了一份饭菜。炒青菜和白米饭。最便宜的饭菜他却吃得十分香甜，有得吃就已经很好了，而且价格也便宜，才两个铜币而已。按照一个月可以领一个金币的收入，节省一点，吃饭是够用的。

一边吃饭霍雨浩一边观察食堂，他发现，最贵那个窗口的饭菜价格竟然是要用金魂币来计算的，那可是他想都不敢想的。

迅速吃完饭后，霍雨浩直接返回宿舍，正所谓笨鸟先飞早入林，他清楚自己和其他学员之间的差距，自然不能浪费一点时间。

盘膝坐在硬实的木板床上，霍雨浩很快就进入了冥想状态开始修炼玄天功。

虽然他的修炼速度和贝贝、唐雅相比还是差得太远，但和他自己比却已经有着不小的进步，改修玄天功之后，他至少能够每天都感受到自己有所进步，这就比以前强多了。而且经过路上这几天的修炼，他原本驳杂不纯的魂力已经全部转化为了玄天功。而玄天功所化的魂力有一点对他很有效，玄天功在运转的过程中会自行滋润他的经脉。虽

然现在还看不出太多的好处，但贝贝告诉过他，长时间坚持下去，一定会对他的体质改善有作用。

霍雨浩已经给自己安排好时间了，每天清晨修炼紫极魔瞳，然后用一个时辰来练习控鹤擒龙、鬼影迷踪步和玄玉手，以及贝贝教导他的一些擒拿手法。其余的时间除了吃饭以外，全部用来修炼玄天功。

魂力是一名魂师的基础，他现在必须要将更多的时间用在修炼玄天功上才行。

"嗯，这功法真不错，挺适合你现在这状况的。你们人类还真有本事啊！"霍雨浩才刚刚进入入定修炼状态，突然，眼前化为一片白色，天梦冰蚕的声音也随之响起，他又被带到了自己的精神之海中。

"天梦哥？"霍雨浩有些惊喜地叫道。

天梦冰蚕懒洋洋的声音响起，"这几天你的身体状态改变不少，总算有个好的开始，身体承受能力也渐渐在增强，不错、不错。你修炼的那几种能力都挺适合你，尤其是这冥想的功法和那个练习眼睛的方法。我带给你的四个技能都感受到了吧。经常练练，尤其是最后一个技能，与你的练眼之法结合起来，效果应该会不错，也算是让你有一个基础的攻击魂技了。比我预想中的情况还好一些。"

"天梦哥，我一定努力修炼。"再次听到天梦冰蚕的声音，也是又一次让霍雨浩肯定了自己融合百万年魂兽并非做梦。

天梦冰蚕道："我困了，要睡一段时间，你就按照现在的路子修炼吧。等你突破到需要第二魂环的时候我自然会醒来。那时我赋予你的冰属性武魂应该可以具有主武魂了。会使你出现质的飞跃。"

霍雨浩道："我想要找你还能找到么？"

天梦冰蚕道："如果你遇到不可抗的危险，我自然会帮你的，放心吧。只有你活着我才能活着啊！睡了……"

白光收敛，霍雨浩也从冥想中清醒过来，他惊讶地发现，外面的天色已经完全黑了下来。他竟然已经修炼了至少三个时辰以上，体内的玄天功似乎又有了一丝的进步。

已经是晚上，肚子有点饿了，但看外面的天色，食堂应该已经过了吃饭的时间。幸好，他包袱里还剩余几块干粮，就着点清水吃了充饥后，霍雨浩就继续他的修炼了。

清晨，吸收着紫气东来带来的神奇力量后，霍雨浩回到房间开始修炼几门唐门绝学。这几门绝学他只能说是初涉皮毛而已，而且又不是将精力主要放在这些方面，只是略作修炼。

等这些做完，外面天色已然大亮，洗漱之后，霍雨浩来到食堂买饭。一到食堂，他就有些愁眉苦脸了。自从修炼了玄天功之后，他的饭量一直在上涨，体质增强是需要足够营养的，可他又没钱。学费已经是大师兄给他交了的，他怎么好再向贝贝开口？

还好，早饭花样不多，而且也很便宜。霍雨浩买了几个鸡蛋和一碗粥，这次忍痛花了三个铜币，总算是给自己补充了一点营养。昨天还觉得便宜的饭菜，今天他突然发觉，实际上史莱克学院内的物价明显要比外面贵一些。

"小师弟，吃饭不能省。营养不够是不行的。学校有一些学员力所能及的工作你可以去接，作为生活来源。"不知道什么时候，贝贝来到了霍雨浩身边。

"大师兄。"霍雨浩惊喜地叫了一声。至少到目前为止，在史莱克学院中，他就只认识唐雅和贝贝。

贝贝有些歉然地道："不直接给你钱，是希望你能学会自力更生。战斗力只是实力的一部分。而一个人的实力还包括许多综合能力，其中最重要的就是在任何情况下生存的能力。你明白了么？"

"大师兄，您已经帮我很多了。我明白的。我手里还有几个银币，等开学后我就去接取一些工作来做。"

贝贝摸摸他的头，"我先走，你记住，钱可以再赚，但吃上不能省，你需要营养。"

霍雨浩跟着贝贝一起出了食堂，他决定听从大师兄的话，今天中午就吃得好一点犒劳自己。

走回宿舍楼，刚到自己宿舍门前，霍雨浩就发现门是开着的，先是一惊后才意识到，恐怕是与自己同屋的舍友到了。

正在这时，一名少年从房中走出，看到霍雨浩也是愣了一下。

少年相貌清秀、皮肤白皙，一双大眼睛很特别，竟然是淡淡的粉蓝色，利落的短发亦是同色，英俊的相貌似乎比贝贝还要更胜几分，确实是霍雨浩见过的最好看的同龄人

了，身高和年纪都和他差不多的样子。

"你是？"霍雨浩下意识地问道。

少年有些傲气地瞪了他一眼，"让开。"

"哦。"霍雨浩赶忙侧身让开，少年从他身边走过，刚走出几步又停了下来，扭头看向他道："你也是这个宿舍的吧。看你把宿舍打扫得很干净的分上，我就允许你先暂时跟我住了。我有几条规矩你要记住，第一，不许随便带人回宿舍；第二，不许在宿舍中光着身子惹人厌；第三，晚上睡觉不许打呼噜；第四，不要打扰我；第五，以后宿舍的卫生归你打扫，但不要动我的床铺。听清楚了么？"

看着少年一副高高在上的样子，霍雨浩不禁气往上撞，"我为什么要听你的？"

少年冷哼一声，"不听我的，我就把你打出去。不信你就试试。"

霍雨浩自幼在公爵府被人欺压，最看不惯的就是这种高高在上的样子，冷冷地道："试试就试试，我们出去。"

看着他毫不示弱的样子，那少年反而笑了，他的笑容很好看，但那种不屑与轻蔑的味道却更加点燃了霍雨浩心中的怒火。

"还不知道你叫什么名字。"少年轻蔑地问道。

霍雨浩沉声道："在问别人的名字之前，是不是应该先报上自己的？"

少年无所谓地道："我叫王冬。"

"我叫霍雨浩。"

王冬微微一笑，突然接近到霍雨浩面前，"很好，我想，你这个名字很快就要在史莱克学院中消失了。走吧，笨蛋。"说着，他率先转身向外走去。

霍雨浩双拳攥得紧紧的，大步跟了出去。尽管他知道自己没有太强的战斗力，但他却绝不会任人欺负，而且这个人还将是他未来至少一年的室友。

第8章
怪物老师

史莱克学院占地面积极广，一座座建筑之间都有很大的空地隔开，霍雨浩和王冬走出宿舍之后，王冬直接就在宿舍外的空地上站定，转身向霍雨浩勾了勾手指。

怒火在心中熊熊燃烧，但霍雨浩却并未就这么冲上去，在星斗大森林经历过生死考验之后，至少让他学会了一点，那就是冷静。

宿舍门口，那靠在躺椅中的老人微微抬起了头，昏黄的双眸中闪过一道好奇的光芒，意兴盎然地看着霍雨浩和王冬二人。

淡淡的金光在霍雨浩眼底闪现，白色魂环也随之从脚下升起，灵眸武魂开启。

看着他的"十年魂环"，王冬轻笑一声，"我很好奇你是如何入学的，就这点本事也敢和我斗？对付你，我连武魂都不需要用。"

一边说着，王冬左脚脚尖在地面上一点，身体如同箭矢一般冲向霍雨浩，不但速度快，而且看上去异常灵动，眨眼间就来到了霍雨浩面前，右脚抬起，直接向他当胸踏去。

他这一抬腿，霍雨浩才看出，这王冬有着一双超过常人比例的长腿，眼看着那一脚就到了他面前。

就在这一瞬间，霍雨浩动了，他迅速向右踏出一步，同时左手向王冬脚踝上拍去。

"嗯？"王冬显然没想到霍雨浩能够闪开自己如此迅疾的一脚，踏出的右脚瞬间收

回，闪开霍雨浩的左手，同时再闪电般弹出，这一次是踢向霍雨浩的脖子。

霍雨浩就像是预知了他的行动一般，在他这一腿弹出的同时，就已经矮身蹲下，在蹲下的下一瞬就已弹身而起，右肩正好撞击在王冬大腿下部。

两人的动作都很快，如果是在外人看来，王冬就像是故意将腿送上去让霍雨浩用肩膀顶上去似的。

不得不说，王冬的身体素质极强，大腿被顶起，对于一般人来说必定会失去重心，但王冬的右腿却是高高抬起过头，来了个立身一字马，左脚依旧稳稳地站在地上。

霍雨浩只觉得顶在王冬大腿的肩头感受到一阵柔软和弹性，得势不让，身体迅速前冲，直接撞向王冬，希望能够利用他单腿站立的机会将他撞倒。

面对接踵而至的攻击，王冬却做出了一个惊人的动作，他那抬起的右腿竟是和上身一起继续向后仰起，同时左脚弹起，踢向霍雨浩。此时，他双腿张开的幅度已经完全超出了正常人所能想象的范畴。

霍雨浩虽然凭借灵眸释放的精神探测能力准确地把握了王冬先前的几次进攻，但这一次他虽然感受到了王冬的行动，但自身已经冲出，想要收回也来不及了。

料敌先机必定是有一定优势的，眼看王冬弹起的左脚踢向自己的下巴，霍雨浩双手同时做出一个下按的动作，与他的左脚碰撞在一起。

"啪——"王冬的力量大得出奇，这一脚附带着难以形容的强大震荡力，霍雨浩只觉得双掌一阵发麻，下意识就催动了玄玉手的力量。尽管如此，却依旧被震得趔趄退后。

王冬倒翻身体右脚只是在地面上轻轻一点，提起的左脚再向下落去，整个人就重新翻了回来，右腿宛如鞭子一般带着呜呜声直奔霍雨浩肩头抽下。他显然是因为霍雨浩先前顶住他的大腿被激怒了。

正在后退过程中的霍雨浩，在王冬右脚点地身体反弹的那一瞬就做出了反应，脚步突然变得灵动起来，身形一晃，迅速向左侧闪开。

"砰——"王冬下抽的右脚狠狠地踏在地面上，居然在坚硬的石板地上留下了一个浅浅的脚印。可见这一脚的力量有多大了。紧接着，他整个人就像是风车一般，冲向霍雨浩，双腿宛如两道钢鞭，向霍雨浩发起了宛如狂风暴雨一般的攻击。

　　经过先前的交锋，霍雨浩此时反而平静了下来，精神探测能力全面开启，冷静地预判着王冬的每一次进攻，脚踏略知一二的鬼影迷踪步，在王冬猛烈的攻势下如同一叶小舟左右颠簸却就是不会倾覆。

　　王冬也是越打越心惊，他分明感到这个霍雨浩的实力比自己差得远，无论是速度、力量，全都远逊于自己，可自己的攻击就是无法落在实处，霍雨浩的速度不快，但却往往能够清楚地预判到自己的行动从而做出有效规避。他已经尝试着使用假动作了，但却依旧无法欺骗到对手。

　　王冬不但性格骄傲，更是十分倔强，既然说过不用武魂，他就一定不会用，只是不断地加紧攻势，他就不信霍雨浩能够一直坚持下去。

　　确实，霍雨浩已经有些坚持不住了。王冬的双腿攻势势大力沉而且速度奇快，他在全神贯注的情况下凭借精神探测才能勉强抗衡。但随着时间的推移，他在身体素质方面和王冬的差距就逐渐显现了出来。

　　霍雨浩自幼生活艰苦，营养不良，玄天功对身体的滋润也才刚刚开始，和底蕴深厚的王冬相比，他在身体上还差得很远。虽然他现在动用了武魂，而王冬却并未动用。但魂力对于身体的滋润是内在的。战斗时间一长，霍雨浩难免会出现细微的失误，只是被王冬的双脚边缘扫中几次，身上已经是火辣辣的疼。尚不娴熟的鬼影迷踪步也开始变得散乱起来，越来越被动了。

　　不行，这样下去一定会败。霍雨浩后退得越来越快，眼看就要避不开王冬的进攻了。

　　突然，他猛地抬起了头，因为动作很大，王冬下意识地也看向了他的面部。他清楚地看到，霍雨浩散发着淡金色光芒的双眸之中闪过一道紫意，紧接着，王冬就觉得大脑仿佛被针刺了一般，剧痛之下，脑海中瞬间出现了一片空白。

　　这样的机会霍雨浩怎会放过，他猛地一个箭步就扑了上去，身体跳起，双臂紧紧地抱住王冬的双臂，双腿弹起，缠在他腰间，硬生生地将他撞倒在地。

　　王冬进攻一直用的都是双腿，霍雨浩这一下也是情急而为，自己的腿缠在他腰上，他的腿还怎么发力？只要将他制服就行了。

　　大脑中的刺痛令王冬紧紧皱起了眉头，只是持续了两秒，他就清醒了过来，但身体

却已经被霍雨浩撞倒在地了。腰间被霍雨浩的双腿紧紧锁住，手臂也被他抱着，两人的脸相隔不过一寸，呼吸可闻。

霍雨浩一边剧烈地喘息着一边低吼着问道："服不服？"

"服你个大头鬼，放开我。"王冬大怒，用力地挣扎着。霍雨浩连吃奶的力气都用了出来，更是引动自身魂力，他在不动用武魂的情况下想要挣脱也并不容易。

"输了不认么？刚才我要是用刀，你已经死了。"霍雨浩毫不示弱地低吼着。他此时和王冬的身体密切地接触在一起，有些惊讶地发现，王冬的身体不但十分柔韧，充满弹性，而且还有一种温软的感觉。一个男孩子身上竟然还散发着一种很淡的清新香气，闻起来十分舒服。

听了他的话，王冬一呆，反抗力也减弱了下来。是啊！刚才他大脑刺痛、晕眩的时间不长，但两人距离如此之近，如果霍雨浩想要伤害他有足够的时间。

"我输了，你赶快起来。"王冬怒声说道，眼中却尽是不服气与愤恨之意。

霍雨浩却并未就此放开他，冷冷地道："你先前所说的五条我并不是不能做到，但却不是因为你的威胁，而是出于对室友的尊重。我知道，你的实力在我之上，如果使用武魂的话，我肯定不是你的对手。但是，你记住。如果你再敢侮辱我，那么，就算是被你打死，我也至少会从你身上咬下一块肉。"

看着霍雨浩越来越凶狠，甚至有些像是魂兽一般的嗜血眼神，王冬眼中的恨意消散了，取而代之的是一丝惊恐。对手的实力分明比他弱得多，可在气势上，他却已经完全落于了下风。

霍雨浩缓缓放开王冬站起身，先面对着他后退几步，然后才转身向宿舍走去。

王冬在地上呆坐了一会儿，才重新站起身，缓步向宿舍走去。当他走到宿舍门口的时候，一个苍老的声音在耳边响起，"你确实是输了，不只是打斗输了，连心都输了。"

"为什么？"王冬猛地扭头看向老人，一脸不甘地道，"我分明比他强大，如果我想要对付他，他根本连我的边都沾不到，他凭什么赢我？"

老人指指自己心脏的位置，"就凭这里。他有一颗无畏之心，而你没有。视死如归并不是每个人都能做到的。"

王冬呆了呆，片刻后，他向老者深深一躬，"老爷爷，谢谢您的点醒。"说完，他这才大步向宿舍走去。

回到寝室，王冬看到霍雨浩已经坐在他那张木板床上冥想起来。想对他说些什么，但终究还是忍住了，哼了一声后，将自己的床铺铺好。

和霍雨浩的窘迫相比，王冬的床铺铺着厚厚的裘皮褥子，不知是什么魂兽的皮毛制成，看上去又厚又软。还有柔软的棉被。他的行李更是早已塞满了自己那边的柜子，桌子上还摆了不少。王冬却像是懒得再收拾，赌气似的拉过被子蒙头就睡。

接下来的两天时间，霍雨浩和王冬谁也没理谁，各干各的事，令王冬有些惊讶的是，除了吃饭以外，霍雨浩几乎每时每刻都处于修炼状态之中。他能隐约感受到霍雨浩的魂力强度，可越是有感觉，他越是觉得不可思议。就凭他的实力，居然赢过我？

新年度的招生工作终于完结了，新生宿舍楼里也热闹了起来。虽然每一间宿舍都不大，但好在是两人一间。外面热闹，但宿舍隔音却很好。

霍雨浩这几天一直在不停地修炼，那日与王冬一战对他启发很大，他之所以能够克敌制胜，凭借的正是经过天梦冰蚕点醒后的那一招。

冰蚕确实不是什么强大的魂兽，百万年的天梦冰蚕赋予霍雨浩的四个技能本身并不是很强。分别是精神探测、精神共享、精神干扰和灵魂冲击。

前面两个技能霍雨浩用得较为熟练，也已经和贝贝验证了它们不俗的作用。而精神干扰是一个范围型的技能，能够干扰到以霍雨浩身体为中心，直径三十米范围内一切有精神波动的生命体。但干扰程度却不强，以他目前的修为，最多只是让人产生出瞬间的精神恍惚而已。而且，这个技能他现在也只能支持不到三秒的时间。对魂力消耗比前面两个技能大得多。

而灵魂冲击是这四个技能中唯一有一点攻击性的能力，因为是单体技能，因此攻击力度总比群体性的精神干扰要强一些，但也强不了太多。霍雨浩之所以能够在和王冬的战斗中以它来克敌制胜，还是因为他在灵魂冲击中融合了紫极魔瞳的能力。效果比想象中还要好。当然，这也是在王冬猝不及防之下，如果他有所准备的话，这灵魂冲击的能力就要大打折扣了。

但无论怎么说，霍雨浩凭借这四个精神属性的技能，总算是有了一点控制系魂师的

雏型，不过，大师兄曾经告诉过他，新生在这一年中是不分系的，一切都要熬过新生第一年才行。

"喂，今天就开课了，你还在这里傻坐着吗？"王冬的声音将霍雨浩从思绪中惊醒。他才吃过早点回来，正准备再修炼一会儿。

"现在就开课了么？"霍雨浩下意识地问道。这也是两人那天打斗之后的第一次交流。

王冬看也不看他一眼，淡淡地道："还有半个时辰吧。"

"哦。"霍雨浩应了一声后就闭上了眼睛开始冥想。经过这些天的努力，至少玄天功他已经越练越熟了，有半个时辰，足以让他将玄天功运转一个周天，让魂力进步那么一小丝。

王冬没有听到下文，回头看向霍雨浩，见他竟然又开始冥想了，忍不住低声喃喃道："真是个疯子。"说完，他头也不回地率先走出了宿舍。两天了，他还从未见过霍雨浩躺下睡觉。

白色教学楼大门敞开，新生们穿着白色校服鱼贯而入，每个人左胸处都有象征着史莱克学院的绿色小怪物标记。

不同年级的学员，校服颜色是不一样的，就像他们教学楼的颜色一样。

等霍雨浩急匆匆地赶到新生教学楼的时候，正好听到了铃响，他飞快地冲了进去，在一层左侧第一间教室看到了一班的牌子，顿时毫不犹豫地冲了进去。

此时，宽大的教室里已经坐满了人，霍雨浩因为是最后来的，因此空位已经很少，他好不容易才找到一个空着的位子坐了下来，身边的同桌是一名相当漂亮的小姑娘。只不过，这小姑娘的样子和他初见时的王冬有点像，一副高傲的样子，仰着头，看都不看他一眼。

坐下后，霍雨浩才来得及观察一下周围的情况。教室很大，和他同一班级的学员足有百人，按照新生一千人的规模，那么，新生班级应该是十个左右。

他很快就看到了王冬，实在是因为王冬的相貌太出众了。他身边，前后左右坐的居然都是女孩子，而且每一个都不比霍雨浩身边的女学员差。

正在这时，教室门口走进一人，那是一名老妇人，鸡皮鹤发，花白的头发盘卷在头

顶，一身白色长袍，中等身材。十分奇特的是，她有着一双十分明亮的眼睛，黑色的眼眸中精光四射。

霍雨浩自身的武魂是灵眸，因此对别人的眼睛特别敏感，他从这老妇人的眼眸中感受到了强烈的精神威压。

别看这老妇年纪很大，但腰杆却挺得笔直，几步就走到了讲台后面。无疑，她肯定是这新生一班的老师了。

看到有老师进来，先前还有些纷乱的班级顿时安静下来，目光也都集中到了讲台处。

老妇人的目光平静地从左扫到右，顿时，每个人都有种被她注视的感觉，一种无形的压力顿时出现在心中。

"我叫周漪，是你们的班主任。我不确定你们能有多少人能跟我走过未来一年，但我要告诉你们的是，在我的班级，一切垃圾都不可能通过考核。我要培养的是怪物，而不是蠢货。"

这位周老师的声音是一种很难听的沙哑，就像是敲破了的锣。

听了她的话，不少学员脸上都流露出愤愤之色，他们都是大陆各国精挑细选出来的，能够通过考核成为史莱克学院的学员，在同龄人之中，绝对当得上"精英"二字，可在这位周老师口中却变成了"垃圾"、"蠢货"。

霍雨浩却很平静，在刚看到这位周老师的时候他就想起了大师兄和小雅老师的话，这位周老师会很严厉、脾气很不好，但却是有真本事的。

"报名这几天以来，打过架的人起立。"周漪的下一句话再次震惊全班。

这些学员都是刚刚被录取的，没事儿谁会在学院里打架？就算打了，谁会承认？

就在全班都保持沉默的时候，有一个人却站了起来，正是霍雨浩。他站起来不是因为他诚实，而是他隐隐猜到这位周老师不会按常理出牌。

看到霍雨浩起身，王冬哼了一声，也不甘示弱地站了起来。

全班一百名学员，站起的却只有他们两个，顿时他们如同鹤立鸡群一般成为了全班瞩目的焦点。

"就两个？"周漪眉毛挑了挑，"真是一群废物。难道你们不知道什么叫不敢惹事

是庸才吗？除了他们俩以外，其他人全都给我出去，绕着史莱克广场跑一百圈。谁跑不完，直接开除。"

此言一出，全班一片哗然，这才第一天开学，课还没上，竟然就因为未曾打架要被处罚，谁能服气？

顿时，有一名学员就站了起来，"老师，我不服。凭什么我们不打架就要被罚？"

周漪淡淡地道："因为是我说的。不服气你可以滚蛋，身为班主任，我有开除任何学员的权力。给你们一分钟，一分钟之内我还看不到你们围绕着史莱克广场开始跑步的话，全体开除。"

一边说着，突然，一股恐怖的气息从她身上奔涌而出，那份强势的魂力波动压迫得在场每一位学员都有种无法喘息的感觉，一圈圈魂环随之从周漪脚下升起。

两黄、两紫、两黑，六圈魂环迸发着难以形容的强势气息。这位周老师竟然是一位魂帝级强者，并且配有两个万年魂环。不夸张地说，如果她想要收拾眼前这一百名小学员，易如反掌。

这些学员毕竟只是新生，重压之下哪还有人敢再反抗，全都灰溜溜地站起身向外走去，周漪的魂环也是一放即收，面无表情地目送着学员们走出教室。

"提醒你们一下，你们只有一个时辰的时间。一个时辰后，没跑够一百圈的视为不合格。这是你们入学的第一场考核，不合格者退学。"

听她这么一说，学员们的动作顿时快了起来，出了教室很快就跑到了操场上。

王冬有些惊讶地看了一眼霍雨浩，此时班里就只剩下他们两人了。周漪的脸色似乎温和了许多，向他们俩招了招手。

王冬和霍雨浩一起走了过去。

看着他们二人，周漪满意地点了点头，道："不错，总算还有两个有点血性的孩子。说说吧，你们是跟谁打架，又是为什么打架？"

王冬刚要开口，霍雨浩却抢着道："报告老师，我们是室友，因为一点小事起了矛盾有所冲突。"

周漪似乎很感兴趣地道："哦？还是室友？打得好，室友打架最好了，这样就有了竞争，也能促进共同进步。"

站在周漪面前，无论是霍雨浩还是王冬，都觉得背心有些发凉，冷汗直冒。刚才这位周老师实在是太霸气了。而且，她果然是不按常理出牌啊！思考方式也与正常人截然不同。不愧是大师兄口中的怪物老师。

周漪脸上流露出一丝比哭还难看的微笑，苍老的面庞似乎还抽搐了一下，"打架是好事，但我不太喜欢自己的学生互掐。记得，下次打架要打别的班的。咱们史莱克学院的校规一向松散，为的就是发扬学员们的个性。对于打架这种事儿一向是视而不见的。但也有一定的限制，我给你们讲讲。高年级学员不允许主动挑衅或者攻击低年级学员，一经发现直接开除。但低年级学员却可以向高年级学员主动挑战，这需要有老师在旁边见证并非高年级学员欺负人。至于同年级的，打架随便，只要不出人命，学院一概不干涉。战斗，是提升自身素质的绝佳方式之一。"

"要是你们以后能升入二年级，就可以去斗魂区那里比拼了。获胜多的话，学院还发奖励呢。不过，现在嘛，你们也可以下去跑步了。"

王冬一愣，"老师，您不是说我们俩有血性么？"

周漪依旧面带笑容，"可我没说过你们不用跑步啊！刚一开学就跟室友打架，你们真有出息。既然这么有出息，考核难度也应该比别人高一点，更何况你们也要和同学们同甘共苦嘛。你们跑一百圈的结束时间和其他人一样。咦，一不小心这都过去有一会儿了啊！"

王冬还想说什么，却被霍雨浩拉了一把，霍雨浩毫不犹豫地转身就向外跑。

王冬虽然心中郁闷，但还是跟着他跑了出来，"你拉我干什么？这周老师简直是个疯子。"

霍雨浩没好气地道："你能说得过她么？你能打得赢她么？如果不能而你又想留在史莱克学院的话，那么，就只有按照她的话去做。快跑吧，我相信她刚才说跑不够一百圈就会被开除这句话绝对不假。"

出了新生教学楼就是史莱克广场。史莱克广场并不算太大，一圈下来大概三百米左右。对于普通人来说，绕着广场跑一百圈绝不是件轻松的事儿。但对于这些有着魂师基础的年轻学员来说其实并不是很难，只要认真跑，一个时辰怎么也是跑得完的。

霍雨浩和王冬也开始加入了跑步大军之后，顿时出现了不少幸灾乐祸的声音，不过

两人也顾不上这些，他们已经落后了有一刻钟的时间，必须要抓紧才行。

一边跑步，王冬突然向霍雨浩问道："那天你是用什么技能赢我的？到现在我还没琢磨出来。难道你的武魂是精神属性？"

霍雨浩点了点头。

王冬一愣，"真的是精神属性啊！难怪那天你使用了魂环之后我并未看出你的武魂是什么，总算我输得也不算太冤。"

霍雨浩有些无奈地道："你是太自大了。如果你也使用武魂的话，我肯定一点机会都没有。我能感觉得到，你的魂力应该比我强大许多。"

王冬有些得意地道："那是当然。今年新生之中，实力能够和我相比的只有凤毛麟角的几个人而已。你不过只有一个十年魂环，自然不是我的对手。"

霍雨浩就是看不惯他那高高在上的样子，"别忘了，你刚输给十年魂环不久。"

"呃……"王冬没好气地道，"好了，不说这些。看在你刚才在那变态老师面前护着我的分上，之前的事儿就算过去了。以后我罩着你。谁要敢欺负你，我会保护你的。"

霍雨浩一阵无语，"我不用你保护。"一边说着，他一边加快步伐向前跑去。

王冬也随之加速，他的身体素质要比霍雨浩好得多，跟着他的速度十分轻松。

"你这人还真是不近人情啊！"王冬有些不满地说道。

霍雨浩瞪了他一眼，道："要是你将我当成平等的同学对待，就不会有这种感觉了。"

王冬撇了撇嘴，"从小到大，同龄人中还真没什么能够让我平等看待的呢。"

霍雨浩哼了一声，不再看他，"话不投机半句多。"

王冬也不再说话，甚至猛然加速，超越了霍雨浩，以惊人的速度围绕着史莱克广场跑了起来。

不得不说，王冬虽然骄傲，但他的修为确实非同一般，而且身体素质极强，他这一加速，整个新生一班竟然没有人能跟得上他。

周漪此时已经来到了史莱克广场旁边，站在那里静静地看着跑步的学员们。她的目光很快就被王冬吸引了，眼神略微变换之后恢复了正常。

090

时间过得很快，伴随着圈数增加，跑步的学员们呼吸也渐渐变得粗重起来。这个时候，身体素质和修为就显现了出来。周漪并没有说不许使用魂力辅助，因此，大家全都是以魂力来恢复体力进行长跑的。

跑在最前面的有十几个人，速度都不慢，其中就以王冬为首，他虽然是后出来的，但只用了半个时辰的工夫，就在圈数上追及前面的领跑者，甚至还超了过去。看他的样子，也并没有太大的消耗，速度始终未曾减慢。

在领跑集团之后，就是大部队了。至少有超过七十名学员在这一区域，他们速度均匀，跑起来也不算太吃力。按照他们的速度，在一个时辰内完成这一百圈问题不大。

落在最后面的，还有十几名学员，这其中就包括了霍雨浩。为了能够追上前面的同学，霍雨浩一上来速度很快，但跑了二十几圈之后，他的体力就开始消耗得越来越大了。他不但是在最后，更是因为比其他人晚跑了一刻钟而落后了不少圈数。

时间已过大半，周漪的声音突然在每一名学员耳中响起，"加速，以我的位置为终点。"

就在她说话的工夫，王冬已经嗖的一声从她身边掠过，第一个完成了一百圈。

以极快的速度跑完这一百圈之后，王冬英俊的面庞上多了一层红润，有些喘息地减慢步伐，又绕场走了一圈后，才停下脚步。

在王冬之后，渐渐开始有学员完成了一百圈。而此时距离一个时辰还有一刻钟的时间。

王冬停下脚步后，目光很快就找到了跑在最后面的霍雨浩，不禁眉头皱起，喃喃地道："我怎么会输给了他？"

霍雨浩的速度已经不像开始时候那么快了，身上的校服已经被汗水浸透，他的武魂乃是精神属性，相对来说魂力对身体的帮助较小，如果不是因为修炼了玄天功，他比现在还要不堪。

这一百圈如果是用一个时辰来完成的话，霍雨浩勉强还能够坚持下来，但之前被周漪耽误了时间之后，他就显得捉襟见肘了。刻意提升的速度大幅度消耗了他的体力。此时他比身边的几名学员还要落后三圈。而距离一百圈还差二十圈之多。一刻钟，跑二十圈，这已经是近乎不可能完成的任务了。

第9章
光明女神蝶

"不，我一定要坚持下去。我绝不能被淘汰。"霍雨浩咬紧牙关，再次加快了自己的脚步。为了能够让自己疲倦的精神清醒几分，他甚至催动魂力，释放出一个针对自己的灵魂冲击。大脑的剧烈疼痛也刺激了身体机能，速度果然又加快几分。超越了身边最后集团的几个人。

周漪静静地站在那里，对于已经完成跑圈的学员她并不关注，反而是将目光落在那些尚未完成的学员们身上。

这些学员之中，神色最疲倦的就是霍雨浩了，他那一身已经被汗水浸透的校服假不了啊！但他却咬紧牙关苦苦地支撑。

时间飞速流逝，霍雨浩强撑着又跑了八圈，而此时，距离一个时辰的结束只剩下了最后五分钟。和霍雨浩一样没有跑完的还有七个人。不过他们剩余的圈数都在三到五圈的样子，而且都已经开始拼尽全力提速了，总算还有完成的可能，而霍雨浩却还差足足十二圈之多啊！

就在这个时候，突然间，一道身影从史莱克广场中跑了出去，落在霍雨浩身后，他三步两步就追上了霍雨浩，紧接着，惊艳全场的一幕出现了。

从追上霍雨浩的那人背后，一双蓝色的蝴蝶翅膀瞬间张开，前翅两端的颜色由深蓝、湛蓝、浅蓝不断地变化，整个翅面犹如蓝色的天空镶嵌一串亮丽的光环，呈"V"

字形，给人间带来光明。它的形状、颜色都是无与伦比、无可挑剔的美丽。

"啊——"如此绚丽的翅膀突然出现，给人的震撼感实在是太强了，无论男女，几乎所有学员都发出了惊呼声。

那双翅膀实在是太漂亮了，整个翅面犹如蔚蓝的大海上涌起朵朵白色的浪花，其颜色及花纹非常壮观，呈紫蓝色，整个翅面犹如蓝色的天空镶嵌一串亮丽的光环，时而深蓝，时而湛蓝，时而浅蓝，双翅上的白色光纹就像镶嵌上去的珠宝，光彩熠熠，十分迷人。

尽管那翅膀只是虚幻的光影，但在阳光的照耀下，却令所有人都产生了目眩神迷的感觉，哪怕是身为老师的周漪也是一样。

蝴蝶翅膀释放出来后，那道身影就从后面贴上了霍雨浩，双手从他腋下穿过，背后双翼猛然一拍，居然就那么将他从地面上带了起来。

霍雨浩也是吓了一跳，下意识地回头看去，正好看到了王冬英俊的面庞。

"你……"

"你什么你，还不赶快运转魂力让自己的身体变得轻点。"王冬一边说着，一边拍动背后那双炫丽的翅膀猛然加速，带着霍雨浩围绕着史莱克广场高速旋转起来。

霍雨浩也被王冬背后的翅膀震住了，太美了，这真是太美了啊！这就是他的武魂么？霍雨浩甚至能够感觉到王冬背后翅膀上那V字的光纹在吸收着太阳的温度。不说这些，单是能够飞翔的武魂，已经是相当强大的存在。而且，在自然界一向有着越美丽越强大的传说啊！

周漪眼底流露出一丝惊讶中的满意，自言自语地道："光明女神蝶？大陆上最美丽的蝴蝶武魂。好，很好。总算是没有全让我失望。"

王冬的飞行速度很快，五分钟十二圈，已经不再是不可能完成的任务。当他带着霍雨浩飞完最后一圈，两人同时落地的时候，脚下都不由得一阵踉跄。霍雨浩赶忙转过身，一把扶住王冬的肩膀，而他自己则向后倒去，王冬直接压在了他身上。

王冬的修为在同龄人中虽然算是不弱的，但毕竟还只是个孩子啊！带着霍雨浩飞行了三千多米，他的魂力也有些透支了。才一落地，背后那双炫丽的翅膀就收了回来，脸色一片苍白。

霍雨浩被他压在身下，脸上却流露出一丝笑容，"谢谢。上次我压了你，这次你压回来了。"

王冬一脸嫌恶地爬起来，"你臭烘烘的，以为我愿意压你吗？"

霍雨浩也不恼，跟着他爬起来，一边大口大口地喘气，一边向他比出一个大拇指。

王冬愣了一下，才向他点了下头，也比了一下自己的大拇指。随后，两人脸上不禁都流露出一丝笑容。以前的芥蒂在这一刻也全都消失了。

所有学员全部在规定时间内跑完了一百圈，松散地站在史莱克广场上。

周漪面无表情地转向学员们，淡淡地道："我念到名字的人出列，程诚、邱健荛、唐刀、上官辰天、林泽宇、诸葛云、泰龙、唐凌、云小飘。"

一共九个人被她念到了名字。学员们显然没想到，并没有做过自我介绍的他们，周漪竟然随口就能叫出其中九人的名字。

被叫到的学员施施然地走了出来。

周漪淡淡地道："你们九个可以回去收拾行李离开学院了。从这一刻开始，你们不再是史莱克学院的学员。"

"啊？"九名刚刚跑完步，全身还处于疲倦中的学员顿时大吃一惊，其他学员更是一片哗然。

"老师，为什么？"名叫泰龙，身材高大的少年一脸怒容地站出来。在刚才完成跑圈的学员中，他还在第一阵营，是最早完成的人之一。

周漪冷冷的道："史莱克学院不需要投机取巧的学员，有实力却没有一个良好而正确的心态，培养成才后，带给任何国家的都只会是灾难而不是帮助。泰龙，你自己说，刚才跑够一百圈了么？"

泰龙抗声道："当然跑够了。"

周漪笑了，"跑够了？如果我没记错的话，在刚开始跑步的时候，因为我尚未来到史莱克广场，你慢悠悠地走了两圈，在领先者跑到第五圈的时候你才开始跟上。因此，你跑了不是一百圈，而是九十七圈。我相信，不止一个人看到了你开始的懒散。"

"我……"泰龙的脸顿时涨得通红，他怎么也没想到，一开始并没有来到操场上的周漪竟然如同亲眼所见一般说出了他的偷奸耍滑，"可是，就算我少跑了几圈，您也不能就此开除我啊！"

周漪不屑地哼了一声，"理由我刚才说过了，你不配成为史莱克学院的学员。收拾东西滚蛋。"

"你……"泰龙完全傻眼了，其实以他的实力，跑上一百圈毫无问题，甚至在所有一年级一班学员中，他的修为都能名列前茅。却怎么也没想到竟然会被这样淘汰掉。

周漪看向其他学员，淡淡地道："我这个人虽然脾气不好，但却言出必践。我点出的这九个人，全都是在跑步期间偷奸耍滑，没有完成百圈的。你们不服气的话，尽可以去教务处告我，但现在，你们可以走了。"

"周老师，我不服。刚才他也没跑够一百圈，是在别人帮助下才完成的，为什么他没有被淘汰？"另一名被淘汰，名叫林泽宇的学员激愤地说道，他手指的方向正是霍雨浩。

周漪笑了，"不服气？他叫霍雨浩，如果他也没跑完一百圈的话，那么，他也同样会出现在你们的行列中，我说过的话绝不会改变。但是，他完成了一百圈。我在之前并没有说过不许相互帮助。王冬帮了他，那是王冬自愿的。如果在跑步的过程中有人愿意帮你也可以。但有人帮你么？我不看过程，只看结果，结果就是，霍雨浩完成了一百圈，而你没有。快滚，再惹我生气就废了你们的武魂。"

在周漪的强大威势下，九名被点出的学员灰溜溜地走了，他们当然不是去收拾行李，而是直奔教务处去告状了。这才开学的第一天啊！他们怎能服气？

霍雨浩身上的汗水更多了，亲眼看着周漪铁面无私地清退了九名学员，他心中不紧张才怪呢。如果不是王冬的帮忙，恐怕他也在那些人之中啊！想到这里，他不禁感激地看了王冬一眼。

其他留下的学员此时脸上神色也都已经完全变了，看着周漪大气都不敢喘。不过一个时辰的工夫，周漪在这一年级一班中已经确立了绝对的权威。

"都回宿舍换衣服去，然后再到教室上课。我给你们一刻钟的时间。"说完，周漪转身直接回了教学楼。

这一次，再没有人敢拖延半分，轰然而散，几乎全都是用百米冲刺的速度向自己的宿舍跑去。

"这老太婆也太狠了。"王冬一边和霍雨浩急匆匆地跑回宿舍，一边说着。

霍雨浩道："谢了，如果不是你，我恐怕也……"

王冬哼了一声，道："别谢，如果不是和我打架，你自己也能完成。你先进去换吧。我没出多少汗。"

霍雨浩愣了一下，"你不抓紧时间一起么？"

王冬道："你忘了那天我跟你说的五条吗？我可不喜欢看别人的身体，怕长针眼，你赶快。"

霍雨浩顾不得再多说，匆忙地回到房间，脱下身上被汗水浸透的衣服，用干净布擦了擦身体就换上了另一身校服，脏了的这身只能等今天上完课再清洗了。

出了房间，换王冬回去换衣服，霍雨浩此时依旧有些气喘。脑海中下意识地又出现了王冬先前背后的那对翅膀。

太美了，真的是太美了啊！这究竟是什么武魂？别人或许因为那对翅膀没有注意到，但霍雨浩却清楚地看到，在释放武魂的时候，王冬的魂环也出现了，竟然是两个。更令他震惊的是，王冬的两个魂环居然是一黄一紫，也就是说，他的第二魂环就是千年级别的，这已经超出了正常魂师的常识范畴。

难怪他会那么高傲了，他确实是有高傲的本钱啊！比拼实力，自己确实是比王冬要差得远了。

正在他思索的工夫，王冬也换衣服出来了。两人不敢怠慢，迅速返回教室而去。

周漪给的换衣时间是一刻钟，可实际上，没用十分钟，所有的学员就已经整齐地坐在教室之中了。看着那空出来的九个座位，他们眼中的恐惧感还未消失。

谁都听说过史莱克学院进来容易出去难这句话，但真的到了自己身上他们才感受到强烈的危机，再也没有人敢存有投机取巧的心思了。

一刻钟时间到，周漪准时来到了教室之中。看着下面的九十一名学员到齐，点了点头，道："我们现在开始上课。刚才的测试你们基本让我满意，绝大多数人都完成了跑步这项简单考核。霍雨浩，起立。"

"周老师。"霍雨浩迅速起身，腰杆挺得笔直。

周漪冷冷地道："报出你的魂力等级。"

“是。我的魂力是十一级。”霍雨浩恭敬地说道。从周漪之前叫出他们的名字他就知道，这位周老师看上去不近人情，可实际上对他们都十分了解，恐怕自己的修为也瞒不了人的。

听到十一级这几个字，在场学员们眼中不约而同地流露出了怀疑之色，王冬更是直接抬手捂住了眼睛。

丢人，太丢人了，以自己的修为竟然输给了一个十一级。等等，他怎么才十一级魂力？史莱克学院的录取基础不是十五级么？想到这里，王冬不禁抬头诧异地看向霍雨浩。

“不错，霍雨浩的魂力只有十一级，我知道，你们大家都很好奇为什么他能够通过学院的考核成为一名新生。这个问题我只说一次，以后在他没有被淘汰之前，任何人不得再以此为由向他询问。他是学院的特邀生，在进入学院时，不需要通过考核。但是，这也是特邀生唯一的破例。如果不能完成学院布置的学习任务，一样会被淘汰。好了，霍雨浩你坐下。”

“谢谢老师。”霍雨浩重新坐下，心中却是不禁讶异，这位周老师的话分明是在护着他啊！把他魂力等级不够却被录取的情况说明，以后就不会有人以此来说事儿了。

周漪对于学员们的反应似乎毫不在乎，转身在黑板上写了两个大字：攻、防。

写完后，她重新面对学员们，“我知道，你们之中的大多数人对于我刚才罚你们跑圈并且开除掉九个人都很不满，只是迫于我的压力不敢表现出来而已。我没有对你们解释的必要，有悟性的人以后自然会明白，想不通的笨蛋就让他想不通好了。我们现在开始上课。”

“我在黑板上写的两个字你们都应该认识，攻、防。今天这第一课，我就给你们讲讲魂师的攻、防之道。自古以来，我们魂师一直按照自身武魂的能力不同分为很多系，有强攻系、敏攻系、辅助系、食物系、控制系、防御系等等。有些魂师朝着一个方向极限发展，有些则是均衡发展，各种修炼方式可谓不一而足。王冬，你来回答，在各系魂师中，谁更擅长进攻，谁更应该倾向于防御和辅助？”

这个问题可以说是再简单不过，王冬站起身毫不犹豫地回答：“自然是强攻、敏攻和控制三系更倾向于进攻，辅助、食物和防御三系更倾向于防御。”

周漪毫不客气地道：“这就是个笨蛋的回答。”

王冬一呆，"周老师，我的回答……"

"坐下。"周漪打断了他的话，向他一挥手，一股浓烈的魂力涌来，将他后面的话憋了回去，让他直接坐回座位上。

"如果放在四千多年前日月大陆尚未与我们斗罗大陆碰撞之前，王冬的回答很正确。但在今时今日，他这个回答却是错得离谱。霍雨浩，你来告诉我，为什么？"

霍雨浩心中暗想，这位周老师今天是跟自己和王冬干上了，幸好不是被开除。心念电转之下，他已经有了答案，起身道："因为魂导器。"

周漪脸上的严肃终于柔和了几分，"你还不算太笨，难怪能够成为特邀生。不错，正是因为魂导器的出现，才导致了攻防模糊化，这也是我今天要讲的课题。坐下。"

"相信大家都很清楚，近几千年以来，魂导器高速发展，当初日月大陆带来的，是更多珍稀材料和魂导器的基本制作方法。经过这几千年的发展，魂导器的制作已经变得越来越精良，威力也越来越大了。这就造成了，哪怕是一名食物系器魂师手持一件威力足够强大的魂导器，也可以爆发出不逊色于强攻系战魂师的攻击力，甚至犹有过之。而敏攻系战魂师如果手持一件防御力强大的魂导器，那么，他也能够暂时充当防御系器魂师的作用。"

"可以说，魂导器的出现，极大地改变了魂师修炼的方向与现状。实际上，被削弱的是魂环的作用，只要有足够的魂力就可以凭借魂导器来弥补魂环威能的不足。这就让很多人忽略了魂环作用，从而形成了现在四大帝国魂师全部以追求魂力为修炼方式的现状。"

"无疑，这种修炼方式在短时间内确实有效，尤其是针对于五十级以下的魂师，效果还非常明显。但是，我要告诉你们的是，我们史莱克学院不培养这样的魂师。因为过了五十级，他们就全都是废物。"

"不明白，对吧。我举个例子。如果你是一名器魂师，你修炼到了五十级，而我是一名敏攻系战魂师，也修炼到了五十级。你手中有足以威胁到我生命的魂导器，而我没有魂导器，这一战，谁赢？"

"答案很简单，我必胜。为什么？因为以我的速度，你根本没有用魂导器命中我的机会。就算你一身顶级魂导器，我也能够凭借自身的速度优势磨到你魂力耗尽。越是强大的魂导器，对魂力的消耗也就越大。因此，防御、辅助和食物三系的器魂师虽然可以凭借魂导器让自己拥有强攻系战魂师的攻击力，但却绝不是拥有强攻系战魂师的战斗力。这一点你们一定要记清楚。因此，魂导器虽然对于防御、辅助、食物三系的器魂师有极大的增强作用，但如果你们的身体不够强，那么，在战场上你们永远都是最先被杀死的。你的敌人不会因为你不是战魂师就放过你，相反，柿子拣软的捏，你攻击力凭借魂导器很强，而其他方面很弱。敌人如何选择？"

"同理，如果我的身体素质极强，本身就有很强的战斗力，那么，我手中再有强大的魂导器就意味着如虎添翼，这才是真正的强者。"

"攻防模糊化，一个魂师团队任何人都可以充当攻击手，但是，提高自身素质才能最大程度增强你们在战场上的生存能力。除非有一天魂导器能够发展到完全取代你们身体的程度，否则的话，身体素质的修炼，魂环的选择，都是你们未来修炼的重中之重。"

周漪并不知道，在万年之后，魂导器竟然真的发展成了她所说的取代身体的程度。

"未来三个月，我对你们进行的主要训练就在身体素质方面。无论你是谁，你有什么来历，你的天赋有多好，如果在三个月后不能通过我的考核，那么，就和之前那九个人一样，滚蛋。"

"今天上午的课程就到这里，中午我建议你们好好吃饭，下午开始，进行身体素质训练。下课。霍雨浩，你跟我到办公室来一趟。"

说完这句话，周漪毫不拖泥带水，转身就走，而此时，上午的下课铃声还远未响起。

直到周漪走出教室大门，教室内依旧是一片平静，绝大多数人都沉浸在了周漪先前的讲述之中。尽管这位周老师不按常理出牌，但他们却都不得不承认，这位周老师说的很有道理。

霍雨浩起身跟着周漪走了出去，除了位于紫、黑两座教学楼后面的教师办公区大楼之外，在每一座教学楼内都有简易的办公室。

霍雨浩跟着周漪来到教室旁不远的办公室中，周漪示意他关好门，自己走到办公桌后坐了下来。别看她年纪大了，但动作却一点也不显老态。

"霍雨浩，我这人不喜欢说废话。王冬的武魂令我很惊讶，但你的武魂却令我很好奇。以我的经验也无法感受到你的武魂是什么。现在我要知道答案。"周漪的强势在话语中彰显无疑。

自己的武魂对老师自然没什么好隐瞒的，霍雨浩道："我的武魂是灵眸，精神属性。"

听了霍雨浩的话，周漪明显一惊，她那双与苍老面庞极为不符的明亮眼眸中闪过一丝惊喜，"本体武魂，精神属性？眼睛？"

霍雨浩点了点头。

周漪双目微合，似乎在思考着什么，片刻后，向霍雨浩问道："能否告诉我你的第一魂技是什么？"

老师询问学员的武魂很正常，但魂技却是每一名魂师最重要的能力与秘密，就算是以周漪的强势，也用了征询的语气。

换了别人或许会犹豫一下，但霍雨浩完全没这个问题，他的第一魂环足有四个技能，露两个出来也很正常。

没有直接回答周漪的话，霍雨浩脚下，洁白的第一魂环徐徐升起，眼眸也随之蒙上了一层淡金色。紧接着，周漪就感受到一股精神波动出现在了自己眼前。

周漪和贝贝、唐雅自然不同，她乃是六十级以上的魂帝级强者，她虽然不是精神属性魂师，但以她的修为，精神力自然不弱。想要拒绝霍雨浩这不过是十一级魂师的精神技能再简单不过，但此时她显然不会去排斥，立刻选择了接受。

这一接受，周漪的瞳孔不禁瞬间放大。

精神探测共享准确地出现在周漪的视觉之中，周围的一切全都变得不一样了，那种清晰的质感给人一种走出迷雾般的感受。所有的一切变得清晰、有序，更完全可以用数据来进行描述。那种宛如出现第二大脑的精准判断伴随着她视线方位的变化也随之不断变换着。

持续大约一分钟后，霍雨浩收回了自己的技能，老老实实地站在周漪面前。

周漪呆滞片刻之后，喃喃地道："神奇的技能。难怪，难怪唐门会选上你作为特邀生。就凭这一个技能，唐雅那小丫头就选对了人。我说这个天赋不怎么样但却很聪明的丫头怎会选择一个修为只有十一级，身体素质也很一般的人，原来竟然还有这份奥秘在。"

"霍雨浩，你跟我来。"一边说着，周漪迅速站起身，带着霍雨浩出了办公室快步向外走去。

霍雨浩此时是一头雾水，他能感觉到周漪得知了他的武魂和魂技之后情绪有很大波动，但却并不清楚这是好是坏，就更不知道周漪这是要带他去干什么了。

出了新生教学楼，周漪带着霍雨浩一直向学院后面走去，也就是一直向西。没走多远，周漪眉头微皱，道："这样太慢了。我带你一段。"一边说着，她一闪身就到了霍雨浩身边，右手抓住他肩膀，下一刻，霍雨浩就出现了一种腾云驾雾般的感觉。

身边的景物飞速流逝，而他自己身体周围却像是有一层无形的屏障保护着，只是周围变得一片模糊而已。

毫无疑问，周漪是霍雨浩见过的最强大的魂师，这是什么速度啊！他赶忙释放出精神探测，这才能隐约辨别出周漪行进的方向。

向西半晌后，周漪又改为向北，霍雨浩感觉到他们似乎是出了外院武魂系，进入了外院魂导系那边。

以这样的高速，也足足过了数分钟之后，周漪才停下脚步，带着霍雨浩出现在一座巨大的建筑前。

前面的教学楼规模已经很大了，但和眼前这座长方形的灰色建筑相比，却是相形见绌。这座建筑的总面积恐怕可以和武魂区的宿舍楼媲美了。

灰色建筑看上去十分厚重，不只是用砖石修建，表面还有许多地方有着金属光泽。建筑内不断有低沉的轰鸣声出现，甚至引得霍雨浩脚下都会出现轻微的震动。

旁边的一块指示牌告诉了他这是什么地方：魂导器试验区。

霍雨浩心中充满了疑惑，怎么周老师会带自己来魂导器试验区呢？她这是要干什么？

周漪自然不会向他解释，松开抓住他肩膀的手，向魂导器试验区走去。

一进门，霍雨浩就发现，这座魂导器试验区里面全都是金属结构的。而且构成这里的金属他从未见过，呈现为一种暗褐色。

进门后是一条长长的横向走廊，看上去和宿舍区有点像，只在一边每隔三十米有一

扇门，上面写着试验区一号、试验区二号之类的字样。

周漪似乎是经常来到这里，对这里的一切早已是轻车熟路，带着霍雨浩沿着走廊一直向北，走到尽头处，在一扇名为试验区十二号的门前停了下来。

周漪手腕一翻，手中多了一块六角形的银色令牌，她将令牌按在试验区十二号的大门上。

神奇的一幕出现了，门上裂开一个缺口，正好容纳了她那令牌。霍雨浩似乎感受到了短暂的魂力波动后。那枚令牌从缺口处弹起。紧接着，伴随喳喳声响起，试验区十二号的大门横向开启。

大门一开，霍雨浩才震惊地发现，这扇完全是金属制作的大门厚度竟然足有两尺。地面和顶端都有滑轨，才能让它缓慢地启动。

门全部打开，周漪向霍雨浩一挥手，带着他走了进去。

"轰——"霍雨浩才进门，就被一声巨响吓了一跳，强烈的震荡力混合着气流波动扑面而来，吹得他的校服猎猎作响。

周漪对此却似乎已是司空见惯，依旧向内走去。

进入这试验区十二号才能发现，这里是别有洞天，一道道厚重的金属板将这里分成各个区域，就像是一个个金属盒子一般。在周漪的带领下，他们很快来到了一个最大的区域之中。这里是一片空场，大约有两千平米之广，高度也有十米开外，场地边缘，正有一些人手持奇奇怪怪的东西在摆弄着什么。

"帆羽。"周漪大喝一声，顿时引得场地边的一群人向她这边看来。

其中一名身材高大的中年人眉头微皱，大步向着他们这边走了过来。

中年人身高约有一米八，肩膀十分宽阔，身上穿着简单的布衣，粗壮结实的双臂还裸露在外，露出宛如花岗岩一般的肌肉。脸上线条分明，目光沉凝厚重。往那里一站，就给人一种山岳般的伫立感。

"周漪，你怎么来了？"显然，这名中年人就是周漪所叫的帆羽了。

"还记得你上次跟我说的话吗？"周漪似乎有些兴奋地说道。

帆羽脸上流露出一丝无奈的笑容，道："我跟你说的话多了。我怎么知道你说的是哪句？要是没事儿你就先回去吧。我这边还有几个试验要做。"

第10章
初涉魂导器

在学员们面前霸气无双的周漪老师，在这名叫帆羽的中年男子面前却像是完全失去了她那份霸道，和气地说道："我指的是你上次提起过的，关于精神属性魂师施展魂导器的事。"

听她这么一说，帆羽的眼睛不由得亮了起来，目光下意识地就落在了一旁的霍雨浩身上，"他拥有精神武魂？"

周漪点了点头，道："不错，他叫霍雨浩，是今年的新生。本体武魂灵眸，精神属性。"

认真地看了霍雨浩几眼后，帆羽摇了摇头，道："不行，他的身体和魂力都太弱了。威力最小的定装魂导器他恐怕都拿不起来。而且我看他天赋也一般，和我的要求相差甚远。"

周漪哼了一声，道："你是在小看我的眼光么？不错，霍雨浩的实力现在还弱，但他的魂技却很不一般，是我见过的最实用的精神属性技能了。霍雨浩，给他感受一下。"

"哦。"作为一名学员，霍雨浩此时只能是个看客。立刻施展出了自己的精神探测共享向那中年人身上落去。

紧接着，霍雨浩就大吃一惊，心神险些失守。当他的精神探测共享落在那中年人身

上的时候，那中年人眉头微微一皱，就是那一瞬间，霍雨浩感觉到自己面前仿佛有一只恐怖巨兽猛然张开了大嘴，似乎要将自己一口吞噬般的感觉。

而这种感觉甚至令他体内正在沉睡中的天梦冰蚕都醒转了过来。一股清凉之意出现在他精神之海中，霍雨浩心中的震骇这才消失。

帆羽身上的恐怖气息也只是出现了一瞬间就消失了，任由霍雨浩的精神探测共享与自己完成了联系。

"咦！"只是片刻工夫，帆羽就发现了霍雨浩精神探测共享的奥妙，原本十分平静的眼神顿时起了波澜。

"竟然还有这样的精神属性技能？怎么会是十年魂兽出现的魂技？"帆羽看着霍雨浩身上的白色魂环一脸的不解，除了不解之外，更多的是惊喜。

霍雨浩当然不会将天梦冰蚕的事说出来，风狒狒又一次成为了说辞。

"十年风狒狒？"帆羽和周漪都是一副无语的样子。

周漪看向帆羽，道："会不会是魂技变异了？"

帆羽点了点头，道："有可能，这小家伙的武魂是本体武魂又是精神武魂，本身就是变异的存在。而他选择的魂兽魂环又是和自己的武魂完全不搭的存在，这才触发了很小几率的变异。精神武魂吸收风属性魂环能够不受到反噬已经是奇迹了，没想到还会出现这样的变异，这恐怕是完全无法重现的奇迹了。"

"菜头，过来。"帆羽向不远处的那群人招了下手。顿时，其中一名少年快步跑了过来。

一看这少年，霍雨浩不禁吃了一惊，从脸部来看，他应该和贝贝年纪差不多，但身材却极为高大，身高足有两米开外，肩膀比帆羽还要宽阔，赤裸着上身露出黝黑的肌肉，头上寸草不生，和普通人相比，他要黑得多，一脸憨厚的样子。

"老师。"少年恭敬地向帆羽行礼。

帆羽指了指霍雨浩，道："你试射一发定装魂导炮，让这小子辅助你，打移动靶。"

"是。"黑壮少年什么也没问，向霍雨浩憨憨一笑，道，"小兄弟，你跟我来吧。"

104

周漪道："霍雨浩，你用你那技能辅助他就是了。"

"好。"霍雨浩现在已经多少明白一些周漪带自己来这里的目的了。赶忙跟上黑壮少年。

"小兄弟，你好，我叫和菜头，大家都叫我菜头。你也这么叫就是了。"黑壮少年憨憨一笑。

霍雨浩道："你好，和大哥，我叫霍雨浩。"

他这"和大哥"三个字一叫，和菜头先是愣了一下，紧接着向他比出了大拇指，道："小兄弟，你不错哦。"

就连后世史学家也并不知道，修罗之瞳霍雨浩与毁灭之源和菜头之间的友谊竟然是从这么简单的一个称呼开始的。

两人来到试验场地边缘，和菜头在腰间黝黑的腰带上一拍，光芒一闪，一个对霍雨浩来说十分怪异的东西顿时出现在了他手上。

那是一根长约一米五的黑色金属管子，横截面直径在十五厘米左右，尾部更要粗大一些，上面铭刻着许多奇异的花纹。

和菜头十分熟练地将它拿在手里，右手在金属管后面按了两下，顿时弹出一个盖子，露出了长约二十厘米，宽十厘米的一个缺口。

他左手又在腰间飞快地拍了一下，一块梭形金属就到了他手中。他将这个梭形金属小心翼翼地放入金属管打开盖子露出的缺口内，然后再将盖子合上。右手一抬，金属管就到了他宽阔的肩膀上。

先前还给人十分憨厚感觉的和菜头，在这金属管扛上肩膀的一瞬间，气质顿时大变，霍雨浩的武魂是精神属性，敏锐的感知让他从和菜头身上感受到了强烈的危险。

"霍雨浩，咱们开始吧。"和菜头的声音响起。

霍雨浩眼中金光闪烁，精神探测共享准确地落在和菜头身上。和菜头眼底流露出一丝惊讶之色，兴奋地向远处大喊一声，"移动靶，发射。"

另一边似乎是有人操控，嗖地一下，一个圆盘似的东西从远处角落中弹射而出，直奔霍雨浩和和菜头这边飞了过来。

浓烈的魂力波动也就在这一刻从和菜头身上瞬间爆发了，两黄一紫三个魂环同时闪

现，他肩头上那金属管似乎在轻微地震颤着，一层浓烈的黑色光晕在金属管表面流转，和菜头的身体轻轻地移动着，金属管所指，正是那高速飞行的圆盘。

"轰——"一声剧烈的轰鸣响起，金属管内瞬间迸发出了一团夺目的黑芒，那骤然出现的庞大气流带得霍雨浩一个趔趄险些摔倒。

但是，那团黑芒却并没有命中飞来的圆盘，而是从那圆盘旁边擦过飞向远处，横跨百米距离后，狠狠地撞击在远端的金属板上，爆发出剧烈的轰鸣。庞大的气流反弹回来，和菜头飞快地将霍雨浩护在身后。

气流足足持续了数秒才渐渐平稳下来，而先前飞出的圆盘却落在他们身边不远处，并没有飞出试验区。

和菜头一脸郁闷地道："还是不行。"

帆羽和周漪已经走了过来，周漪的脸色有些难看，帆羽却像是想到了什么，向霍雨浩问道："霍雨浩，你那精神探测的范围有多大？"

霍雨浩道："大约直径三十米。"

帆羽恍然道："原来如此，这就难怪了。也是，这毕竟只是一个十年魂环技能，能够在一定距离内探测得如此精微已经相当不容易了。我们也不能要求太多。只是，有些可惜了。"

霍雨浩突然道："帆羽老师，我的精神探测共享会随着魂力的提升而提高探测范围。"

帆羽一愣，"这不可能，魂技怎能进化？"

霍雨浩却认真地道："真的可以。从我拥有这个技能到现在，探测范围已经提升了直径一米。而且，我现在还不能完全控制这个技能。或许，以后我能够将它探测的范围变小但距离变长。"

周漪带他来到这里，在接下来的交谈中，霍雨浩已经敏锐地意识到，或许这对自己来说是一个机会，尽管他并不清楚这个机会是什么，但却秉承着是机会就不能放过的目的说出了刚才这番话。

帆羽看向周漪，周漪向他微微点了点头。

帆羽道："好，如果有一天你的精神探测共享能够在一个方向达到百米以上距离，

就来找我。我教你制作魂导器。"

"是，谢谢老师。"霍雨浩赶忙恭敬行礼。

帆羽挥了挥手，道："菜头，你带他到一边，给他讲讲什么是定装魂导器。"

"好嘞。"和菜头对霍雨浩印象极好，向他招了招手就向一旁走去。

看着他们渐渐远去的身影，帆羽向周漪问道："关于这个孩子你怎么看？他的这个技能确实很强。在团队中的作用毋庸置疑。我是不是对他要求太高了？是，想要让他这个技能配合定装魂导器使用，那就需要至少一百米以上的距离。我敢说，如果有一天，他这精神探测共享的范围能够达到直线一千米，那么，他就将是大陆上最恐怖的辅助型魂师。"

周漪道："这孩子我也才刚接触，现在还说不好。不过，你也应该看出来了，他虽然修为不强，体质也较弱，但这孩子的心性比同龄人要成熟。换了其他学员未必会说出刚才那番话。我就先帮你看着他吧。不过，如果他通不过新生这一年的考核，我还是会将他开除。规矩不可废。"

帆羽想了想，道："你帮我多观察他。就算他通不过武魂系那边的考核，只要他这精神探测共享的魂技能够持续进步，我也可以将他特招到魂导系这边来。我致力于定装魂导器研究已经有十几年，结合前人的经验，终于研制出了这种最恐怖的魂导器，现在缺乏的就是使用者啊！"

周漪轻叹一声，道："你也不要太执著了。你应该明白，定装魂导器除了缺乏使用者之外，它本身超高的造价也是致命缺陷，注定不能大范围使用的。"

帆羽傲然道："魂导器本来就只是少数特别优秀魂师才能使用的强大武器。我研究定装魂导器从未想过在魂师之中推广，只需要有极少数的魂师能够使用，那么，定装魂导器就将成为咱们学院真正意义的杀手锏。"

"和大哥，什么是定装魂导器啊？"霍雨浩一脸好奇地向和菜头问道。

和菜头呵呵一笑，道："魂导器的分类有很多，一时也说不清楚，主要有近体魂导器和远程魂导器之分，其中近体魂导器就和我们平时所用武器类似，经过魂力的催动后，迸发出更强力量的武器。相对来说，在一定范围内，近体魂导器的威力要更强一些，而远程魂导器则是通过魂力注入发动远程攻击的一种魂导器。越强大的魂导器，就需要越多的魂力注入。也就是说，魂师的修为越高，能够使用的魂导器品级也就越高。"

"而定装魂导器则是老师通过总结前人智慧研究出的一种特殊魂导器，它是发动远程攻击的，但却并不要求注入太多的魂力。刚才我使用的过程你也看见了，简单来说，就是将魂导器和攻击武器分成两部分。魂导器只是起到一个发射和引爆的作用，刚才我用的定装魂导炮就是将炮弹发射出去。定装魂导器最大的优势就在于消耗魂力很小，也不需要太强大的修为就可以施展。但它的缺陷却在于很难定位，尤其是针对移动目标，特别不容易打准。但对固定目标，它的威力就很强大了。但炮弹制作起来很麻烦，也要耗费许多珍贵的材料。平时老师都不让我随便发射呢。老师说，定装魂导器在理论上能够让一名魂师的攻击力增大十倍呢。不过，定装魂导器的威力也是有极限的，毕竟要受到材料的影响。所以注定只能装备极少数适合使用它的魂师。"

和菜头的讲述不能说有多么精彩，甚至还不算太清楚，但是，也终于第一次在霍雨浩面前打开了魂导器的那扇大门，让他对魂导器有了初步的认识。他隐隐明白，那位帆羽老师在魂导器方面，一定是有极大成就的。小雅老师说过，自己以后也要学习魂导器制作，要是能成为帆羽老师的弟子，显然是最好的选择了。

"霍雨浩，我们走。"正在这时，周漪的声音传来。

霍雨浩向和菜头道："和大哥，那我先走了。认识你很高兴。"

和菜头呵呵一笑，道："你是今年的新生吧。努力哦。要是你以后能成为我的师弟就好了。平时老师都不让我离开这里呢，太闷了。"

出了魂导器试验区，周漪一直将霍雨浩带回到宿舍外，"霍雨浩，刚才帆羽老师的话你都听到了。我只能告诉你，他是咱们学院首屈一指的魂导器制作大师，如果你能成为他的弟子，未来不可限量。不过，你要先能留在学院才行。去吃饭吧。"

目送周漪离去，霍雨浩径直向食堂走去，此时，其他班级的学员也都已经放学了，食堂门口进进出出的都是人。

突然，一道身影挡在了他面前。霍雨浩吓了一跳，抬头看时，居然是唐雅。

"小雅老师？"

唐雅脸上带着有些神秘的笑容，将霍雨浩拉到一边，低声道："小雨浩，你没什么

钱，对吧？"

霍雨浩点了点头，"是啊！大师兄告诉我，学院有一些工作可以接。我打算放学后去试试呢。"

一年的学费就是十个金币，还有平时的开销，霍雨浩虽然更愿意将精力都用在修炼上，但他总要生活。

唐雅嘻嘻一笑，道："你是我们唐门的弟子，当老师的总要照顾你一下，我帮你想了个办法。这边食堂负责购进食物的大婶我认识，以后我让她每天帮你多进二十条鱼，然后我在外面帮你订做了一个烤架，还有一些炭，调料我也准备了一些，等到放学后，你就在学院门口卖烤鱼好了。以你的手艺，肯定能卖得掉。咱们这鱼，成本大概是一个铜币，你做好后，卖五个铜币是毫无问题啊！这样，你不就有钱了么？"

霍雨浩眼睛一亮，"小雅老师，这真是个好主意。我有灵眸，对于火候的掌握很准确。那今晚我就试试么？"

唐雅连连点头，也终于露出了狐狸尾巴，"那个，我帮你置办了这些东西，等你烤鱼的时候，要优先给我吃。放心，我也是买你的。至于以后的材料，就要你自己去买了。"

自从那天吃过霍雨浩做的烤鱼之后，她是念念不忘，完成考核后，昨天终于想出了这个两利的好办法。当然，是背着贝贝的。

看着唐雅那一副馋样，霍雨浩明白了，会心地一笑，道："好的，小雅老师，那晚上我们还在这里见？"

"嗯、嗯。我先回去了，对了，告诉你个好消息，我和贝贝都升入四年级了哦。"唐雅向他挥了挥手，兴冲冲地跑了。

简单吃过午饭后，霍雨浩就回了宿舍，王冬不在，不知道去干什么了。周漪说了，下午还要操练他们，趁着午休的工夫，他又进入了冥想状态，修炼的同时也努力恢复体力。

这次修炼带给了霍雨浩不小的惊喜，上午超负荷的跑步之后，他发现，中午这一个周天的玄天功修炼下来，魂力增幅比平时要多一点。虽然只是多了一丝而已，但对他来说已经是相当满足了。心中暗想，看来极限地锻炼身体对魂力成长是有促进作用的。而

自己的身体素质本来就很一般，就应该锻炼，这是相辅相成的好事儿啊！

当霍雨浩从冥想中醒转过来时，刚一睁开眼就吓了一跳，因为他发现王冬正坐在对面的床上目光灼灼地看着他。

"你回来了，该上课了吧？"一边说着，霍雨浩从床上跳下来穿鞋。经过上午的事情后，他和王冬之间的关系明显已经缓和了。

王冬低声道："霍雨浩，我一直很奇怪你的武魂是什么。我的武魂今天你也看到了，能不能告诉我你的武魂。"

霍雨浩穿好鞋站直身体，道："我的武魂就是我自己的眼睛，我称它为灵眸。精神属性。我知道你在奇怪什么，我的魂技是精神探测，那天你之所以无法攻击到我，就是因为我以精神探测预判了你的行动。"

王冬恍然大悟，"原来如此，没想到你竟然是本体武魂。走吧，可别晚了。我刚才出去打听了一下，咱们那位周老师绰号叫变态老姑婆，据说被她开除的学员至少相当于其他十名老师加起来的总和。有这么一位班主任，咱们的运气可真是不怎么样。"

霍雨浩摇头笑笑，"也不能这么说，周老师就是严格一些，我们只要同样地严格要求自己，达到她的要求就是了。对了，你的武魂我是看过了，不过还不知道它的名字。我看你的魂环一黄、一紫，怎么第二魂环就可以用千年的呢？"

王冬嘿嘿一笑，道："第二魂环可以用千年是我的秘密，不能告诉你。我的武魂是光明女神蝶，是大陆上最美丽的一种蝴蝶，已经濒临灭绝了。以它作为武魂比你的本体武魂还要稀有哦。以后你就会看到它的威力了。对了，周老师今天把你叫走去干什么了？"

两人说着话一边已经出了宿舍，向教学楼走去。不只是他们，恐怕新生一班没有一名学员敢迟到的。

霍雨浩并没有隐瞒周老师带自己去见帆羽老师的事儿，这又没什么好保密的，一五一十地都告诉了王冬。

"什么，你的精神探测还能共享？快给我试试。"大家毕竟都还是十一二岁的少年，好奇心作祟之下，王冬兴奋地要求着。

无奈之下，霍雨浩只得释放出自己的精神探测共享，让他也感受了一下。

　　周围三十米范围内的一切突然变得清晰起来，还有那种数据化的反馈，顿时令王冬有些呆滞了。就像是一个盲人突然能够看清世界了一样，这份震撼感是每一名第一次接触霍雨浩精神探测共享的魂师们都会产生的同样感觉。

　　而且，在不断的使用中，霍雨浩的精神探测共享变得越来越熟练了，一边让王冬感受着，他不禁想起帆羽的话，他下意识地控制着自己的精神探测朝着一个方向释放，然后尽可能向远一些的地方覆盖。

　　在集中精力的情况下，霍雨浩并不知道，自己眼眸中的淡金色明显变得浓郁了一些，释放出的精神波动也变得强烈了许多，原本是全方位的精神探测缓缓向前方收拢。

　　王冬也感受到了精神探测的变化，他发现，左右和身后的立体画面消失了，只有正前方的立体画面还在，而这个范围正在缓缓地延长。

　　几秒钟的时间对霍雨浩来说却比以往释放一刻钟的精神探测还要漫长。他只觉得自身魂力以惊人的速度转化为精神力再流逝出去。就这么一会儿的工夫，阵阵虚弱感已经侵袭而至。

　　身体一晃，还是一把抓住王冬的手臂，霍雨浩才站稳身形，精神探测共享也随之结束了。

　　"霍雨浩，你怎么了？"王冬赶忙扶住他。

　　霍雨浩的脸色一片苍白，额头上更是已经有涔涔冷汗密布，竟然是一副十分虚弱的样子。

　　霍雨浩向他摆了摆手，示意自己没事，"精神力消耗得有点大。王冬，刚才你向正前方看，我的精神探测能够达到多远？"

　　王冬略微回忆了一下后，道："我没太注意，好像有五六十米吧。其他方向的精神探测却没有了。只是朝着前方，距离增加了差不多两倍以上。"

　　听他这么一说，霍雨浩顿时精神大振，甚至连疲倦也减少了许多，"太好了。这样果然可以。只是精神力消耗得也太大了一些。"

　　将范围的精神探测改为一个方向并且延伸距离，他的精神力消耗几乎是正常时候的十倍，所以才只是这么短暂的时间就出现了精神力消耗过度的情况。不过霍雨浩相信，因为这是自己第一次尝试才会消耗如此之大，以后多加练习，应该会有更多的提升。

帆羽老师说过，什么时候自己的精神探测能够达到一百米，就可以成为他的学生了。

在见识过魂导器的恐怖威能以及听了和菜头的介绍之后，他对这种神奇的存在充满了兴趣。

新生一班教室。在下午上课铃响前十分钟，教室里已经座无虚席，而且教室内出奇安静，竟然没有一名学员敢大声喧哗。所以说，有的时候老师严厉一点也不是坏事，对促进学生们认真学习是很有好处的。

因为没有明确地排列座位，这一次王冬和霍雨浩坐在了一起。两个年仅十一岁的孩子竟然都是一副沉思的模样。霍雨浩自然在思考之前将精神探测的方向改变时自己的得失。王冬在想什么就不得而知了。

当周漪缓步走入教室的时候，新生一班的气氛为之一肃，霍雨浩和王冬也都从沉思中清醒过来。虽然过去时间不长，但霍雨浩因为本身魂力基数少，精神力和魂力都已经恢复了大半，至少没有虚弱感了。

"全体起立，广场上集合。"出人意料的是，周漪走进教室后只说了这么一句话就转身出去了。

没有人敢怠慢，一众学员迅速出了教室，整齐而安静地跟在周漪身后一直来到史莱克广场上。

他们并没有看到，周漪眼中竟是流露着一丝笑意，这位严厉到有些变态的老师此时正在想着，教新生也是有好处的，至少这些新学员的桀骜性子少一些，更容易控制。不像三年级以上的那些学员，因为自身已经有了一定的成就，骄傲与叛逆都更强。

史莱克广场上不知道什么时候已经堆放了一堆铁链。在周漪的命令下，学员们整齐站好。

"王冬。"周漪叫道。

"在。"王冬上前一步。

周漪向所有学员道："我翻阅了你们入学考试的成绩，再加上上午的测试，目前为止，王冬的修为在你们所有人中是最高的一个。因此，我宣布从现在开始，他就是新生一班的班长。班长这个位置设为浮动，谁有能力击败他，谁就可以取代他的班长位置。

都听明白了么？"

"听明白了。"学员中有几名自恃实力不弱的男学员看着王冬的眼神顿时就变得有些锐利了，而女学员们看着王冬的眼神却似乎更温柔了几分。

周漪指了指身前的铁链，"这些是铁衣，专门用来提高身体素质的。你们每人一件，穿好后开始绕着广场跑圈，从现在开始，一直跑到下课铃响起时结束。你们可以使用魂力，但却不能使用魂技。按照跑动圈数进行排名，最后一名将被开除出新生一班。"

"有一点我要再次强调。在我的班级里，并不是只有到了考核的时候才会有人淘汰，而是随时都会有。今天，九十一人要变成九十人，现在开始。"

一边说着，周漪脚尖一挑，一件完全由粗大铁链构成的铁衣就到了王冬面前，王冬赶忙接过，套在自己身上。

当他穿上铁衣的时候，脸色也不禁微微一变。这铁衣的重量起码有三十斤啊！

一听到末位淘汰，学员们怎敢怠慢，纷纷跑上去穿上铁衣。男学员们还稍微好一点，女学员们在套上沉重的铁衣后，大部分都是花容失色。

周漪冷冷地道："我知道，你们之中，很多人想对我说，这不公平，因为男生和女生的身体天生有差距，器魂师和兽魂师、战魂师的身体素质也有不同。但我要告诉你们的是，在我的班级里，一视同仁。你们想想，如果是在战场上，敌人会因为你是女性或者是因为你是器魂师就不杀死你了么？现在开始，跑圈。"

无论这群学员在心中怎样怒骂着周漪，却都不敢出言反抗，在王冬的带领下集体冲上了广场边缘的跑道，背负着沉重的铁衣跑了起来。

谁都不想被淘汰，才一开始，学员们跑步的精气神就和上午截然不同。

王冬一马当先跑在最前面，无论武魂还是魂力，他都是这群学员中的佼佼者，虽然身穿铁衣，但速度却并未如何减弱。

那几名想要和他较劲的男学员们也是飞快地冲了出去，紧随其后。

霍雨浩没有加速，他对自己的身体情况很清楚，周漪说了，要一直跑到下课铃响起，而下午的上课时间足足有接近两个时辰之久。这才刚刚开始啊！他给自己制定的最合理的目标就是一直坚持着跑到下课铃响起的那一刻，而不是在速度上和别人比拼。

　　这样一来，他在开始跑的时候，速度明显就比其他学员慢了许多，眼看着大家纷纷从自己身边超过，霍雨浩却是不急不躁，迈着稳定、匀速却有些缓慢的步伐向前跑去。

　　只是两圈的时间，霍雨浩就落在了最后一名，就连那些女学员都超过了他。但他却丝毫不以为意。

　　到了第四圈的时候，跑在第一位的王冬就已经超越了他一圈之多。在经过他身边的时候，王冬还向他投出一个诧异的眼神。

　　霍雨浩却是不以为意地向他回以一个微笑。

　　周漪面无表情地站在广场上看着学员们奔跑，谁也不知道她在想些什么。

第11章
最弱的班长

当霍雨浩汗流浃背地跑到第十圈的时候，跑在第一位的王冬已经超越了他三圈之多。其他学员最起码也超过了他一圈。很多人甚至都向他投去了轻蔑的目光，毕竟他们都知道霍雨浩是所有人之中魂力修为最弱的一个。

但是，到了这个时候，跑在前面的学员们，速度也已经开始慢了下来。时间越长，铁衣的作用也就越发地显现了出来。就连王冬也是一脸的汗水。

那几名开始时还跟随在王冬身后的男学员现在都落后了，甚至开始被后面的学员超越。

一滴滴汗水开始沾湿了跑道的地面。当时间过了半个多时辰的时候，一名身材较弱的女学员扑通一声摔倒在地，挣扎着想要爬起来，却怎么都做不到。

正好王冬跑到了她身边，一把将她扶起，向她递出一个询问的眼神，那女学员摇了摇头，一屁股坐在广场上，说什么也不肯再起来了。她甚至已经连话都说不出来。

有了第一个就开始有第二个，或许是因为最后面有霍雨浩垫底的原因，学员们虽然努力地坚持了，但最终意志力却并不算太强。

背负着沉重的铁衣跑步，负荷确实巨大，尤其是一开始大家的全速奔跑，很快就耗尽了他们的魂力。而只能凭借身体来承受铁衣的重量对于他们这个年纪来说实在是有些勉为其难了。

时间到了一个时辰的时候，已经有至少一半学员倒在了地上。周漪站在那里，始终是面无表情，也没有催促他们继续。

霍雨浩也要坚持不住了，虽然他一直在匀速跑，体力消耗相对最小，但他的魂力确实是所有人之中最弱的，体力也不怎么样，能够坚持到这个时候已经是相当不易。从圈数来说，他因为坚持的时间长，已经不是最后一名了。

眼前一片片发黑，胸口处仿佛有一团火焰在燃烧一般，口干舌燥，全身都被汗水浸得黏黏的。沉重的铁衣通过校服与皮肤摩擦，不断传来一阵阵火辣辣的疼痛。

不行了，我坚持不住了。霍雨浩心中不断有一个声音响起。勉强催动体内的魂力注入到灵眸之中。

灵眸传来一股清凉，让他略微清醒了几分。

不行，绝不能就这样倒下，我要坚持下去。看着前面还有很多学员在奔跑，回想着自己上午体力消耗极大后修炼的加速提升，霍雨浩猛地一咬舌尖，打起精神继续奔跑。

也就在这时，他突然觉得小腹处传来一阵暖洋洋的感觉，虽然魂力已经消耗得差不多了，但这股暖意却在缓慢地向他四肢百骸中流转，略微缓解了肌肉的酸痛。

这是……

玄天功的力量？

霍雨浩很快就认出了那暖流的来源。玄天功在修炼后，最终汇聚于小腹，他虽然修炼玄天功时日尚短，但毕竟以前有魂力基础，将原本的魂力都转化为玄天功之后，也算是练成了玄天功第一重功法。

大师兄和天梦冰蚕都说过，玄天功很适合自己，能够滋养经脉。此时就是它在发挥作用么？

一边想着，霍雨浩的意识很自然地就循着玄天功的运行轨迹感受了一下，他这一感受不要紧，小腹内那股暖意竟然也随着意识在经脉中游走起来。

霍雨浩看到，那是一丝微弱的玄天功魂力，只是魂力在运行的过程中缓缓地发散在自己的经脉里，这也是他感受到暖意的原因。

更令他吃惊的是，自己的经脉居然十分畅快地在吸收着这些魂力。这也就是自己感受到那缓解疲劳的舒适来源了。

霍雨浩天生体质不好，但他却很聪明。玄天功在他身体达到极限的情况下能够被他所吸收，这意味着他能够在行动时也运转玄天功，而不一定非要冥想。在这种情况下运转与平时修炼有所区别，魂力提升速度不大，但却与身体结合得更加密切。

有了这一发现，霍雨浩赶忙集中精神，一边进一步放慢步伐，一边开始悄然催动着玄天功运行起来。

唐门的玄天功乃是第一代门主唐三带到这个世界来的。从某种意义上来说，本不属于斗罗大陆，但却绝对是顶级功法，对于养生方面有着极大的好处。

霍雨浩误打误撞之下，竟然被他逐渐创造出了一种在非冥想状态下的玄天功运行方法，而在这样运行的过程中，玄天功的功效主要就转化成了滋养身体，以魂力滋养经脉。

由于玄天功在运转过程中会逐步恢复，因此，玄天宫就在他体内形成了一个奇妙的循环状态，可以说是一种行动中的修炼。

霍雨浩并不清楚，哪怕是唐门第一代门主唐三都没有做到这一点，因为，只有他才有着得天独厚的优势。他的修为还弱，所以才会处于身体的极限状态，而他的精神力又很强，拥有精神武魂是他能够感受到这份奇异，并且操纵这份奇异的根本原因。

唐门出过不少强者，但他们却都不具备霍雨浩此时这些条件。在他们强大之后，既不会轻易出现极限，又不会去仔细感受丹田中出现的微弱暖意。可以说，玄天功在霍雨浩身上，出现了进化。

有了这份暖意的调节，霍雨浩原本已经达到极限的身体状态得到了一定的缓解，这不但更加坚定了他的意志力，也让他将更多的精力投入到对这股暖意的引导之中。

暖意按照玄天功的运行路线流转，当它最终走完一个循环时，那一丝细微的暖意也接近消耗殆尽。也就在这个时候，循环完成，暖意似乎又壮大了一些，继续行进起来。

身体越来越疲倦，但霍雨浩的精神却是越来越兴奋。玄天功在这种状态下对他经脉的滋润正是他现在最需要的啊！一些往日需要十分小心的纤细经脉在这股暖意的滋润下变得更有弹性了，甚至略微地拓宽了一点。暖意所过之处，前所未有的通畅感都在告诉着霍雨浩他这么做是完全正确的。

史莱克广场周围，倒下的学员越来越多，就连跑在最前面的学员们也开始渐渐支撑

不住了，铁衣砸地的声音不时响起。

王冬又一次从霍雨浩身边经过，此时的他也已是举步维艰，他吃惊地发现，霍雨浩的双眸略微闭合着，只露出一道缝隙，里面隐隐有淡淡的金光流转，他的步伐很慢，但却依旧在缓缓向前。那些修为比他高上许多的学员们都倒下了，但他却依旧在苦苦坚持着。每一步迈出，甚至都会在地上留下一个汗水形成的水印。

"不行就别强撑了。"王冬低低地说了一句，然后才继续向前。现在他所跑过的总圈数已经是遥遥领先，但他的身体状态也已经接近了极限。

一个半时辰过去了，距离下课铃声响起也是越来越近。史莱克广场外圈还在奔跑的学员已经只剩下九名了。而从一开始就垫底的霍雨浩竟然也是其中之一。

周漪一直在注意着霍雨浩，当时间过了一个时辰的时候，她就已经开始吃惊了。以她对霍雨浩体力和魂力的计算，他怎么也达到极限了。可是，他却那么坚持了下来。尽管他以匀速奔跑占些便宜，可他的修为和身体状态摆在那里啊！

一个人的意志力真的能够强大到如此程度么？而且他的年纪还如此之轻。

"扑通、扑通……"又是两名学员倒下了。而他们的倒下，也像是推倒了多米诺骨牌似的，接连几名学员纷纷倒下。其中一人，正好碰了一下从身边经过的王冬。

王冬脚下一个趔趄，早已酸软的双腿再也坚持不住，也随之坐倒在了地上。心中坚持的念头在这一瞬也是土崩瓦解。他跑的圈数最多，已经不可能有人超过他了。

还剩三人，包括霍雨浩。

五分钟后，另外两名学员也先后倒地，最后剩余在操场上的，竟然是新生一班实力最弱的霍雨浩。尽管他步履蹒跚，速度也比走着快不了什么，但他却在所有人都已经倒下的情况中依然坚持着，这让许多学员看着他的目光都变得惊诧起来。

是的，霍雨浩早已达到了极限，玄天功带来的那股暖意固然能够滋润他的身体，一定程度地减缓疲劳，但却不能让他真的变强啊！

一次又一次达到极限，他却是一次又一次地咬牙撑了下来。霍雨浩很清楚，在这新生一班之中，他是最弱的一个，想要最终留下来，他必须要付出别人百分之二百甚至是三百的努力才有可能。而此时这种极限的身体磨炼竟然能够促使他的经脉拓宽、魂力增长，无论如何他都要尽可能地多坚持一会儿。

坚持、坚持住。霍雨浩不断在心中对自己呐喊着。他现在甚至已经没有魂力来注入灵眸刺激自己的精神更加清醒了。

渐渐地，他喉中有了支撑自己的口号。

"妈妈、妈妈……"为了妈妈的遗愿，为了有一天自己能够堂堂正正地将妈妈的遗体从那个地方接出来，为了有一天能够为妈妈洗刷耻辱、复仇，无论如何，他都要坚持。

"砰、砰……"霍雨浩落地的脚步极为沉重，他的双腿和身体更是不受控制地在筛糠着。可是，他就是没有倒下，在如此艰难的状态下，依旧机械地重复着抬起脚、落下，再抬起脚、再落下。

渐渐地，那些已经倒下的学员们，眼中戏谑的光芒消失了，榜样的力量是伟大的。他们开始一个个从地上爬了起来，怔怔地看着霍雨浩的那份坚持。

王冬呆滞了片刻后，第一个跑了上去，跟在霍雨浩身后，但这一次，他却并没有超越他。

有了王冬的带头，渐渐开始有了第二个、第三个人跟上，渐渐地，整个新生一班的学员们都咬紧牙关，抬着自己早已僵硬若死的双腿，勉强挪移着重新上了跑道。

周漪动容了，自从成为老师之后，她很少会因为学员们的表现而动容，但这一次，她却真的动容了。因为霍雨浩，也因为那一个个爬起来跟随在他身后的九十名学员。这已经不是一次单纯的对他们身体的锻炼，更是对他们精神上的磨炼啊！在这些年仅十一二岁的孩子们脸上，周漪看到了疲倦中的那份坚决。

这一课，比她想象中的效果还要好太多、太多。

"丁零零——"

下课铃声，终于响了。

哗啦、哗啦，这一次，真的是推倒多米诺骨牌了，刺耳的下课铃声瞬间击倒了一大片人。

铁衣与地面碰撞发出一连串的声音，倒成一片的新生一班学员们激起一片尘土。

最前面的霍雨浩终于也倒了，下课铃声终于令他圆满地释放着自己心中那份执著与坚持。不过，他没有直接砸在地面上。在他倒下的时候，背后的王冬一把抓住他的铁衣，然后两个人才一起滚倒在地，一同大口大口地呼吸着。

仰头望天，霍雨浩眼前一阵阵发黑，而偏偏全身经脉又是暖融融的，说不出的舒服。他体内的魂力是枯竭的，体力更是早已透支，可经脉却偏偏带给他舒适的感觉，他有预感，经过刚才这一次，他在各方面应该都有不小的进步才对。

王冬倒在霍雨浩身边，他的身体状态和修为都要比霍雨浩强得多，虽然也疲倦欲死但却不像霍雨浩那样完全动弹不了。

"真不知道是什么力量支持着你撑到现在。你一个只有十年魂环的魂师，竟然比我这个大魂师还能坚持，真是个怪胎。"

霍雨浩呵呵地傻笑两声，连说话的力气都没有了。

周漪缓缓深吸口气，向远处招了招手，一名身穿白衣的男子飘然而至，似乎只是几次点地就来到了她身边，向她点了点头后，转向一众学员。

一圈圈炫目的魂环从他脚下升起，两黄、两紫、三黑，竟然足有七个之多。

魂圣，这竟然是一位七十级以上的魂圣级强者。在魂师之中，他已经接近顶峰啊！而他的样子，看上去不过三十多岁而已，只是眼神的沧桑和外表的年轻并不相符。

双手抬起，柔和的绿色开始从他掌心之中生长出来，他身上的第七个魂环黑光缭绕，只见他摇身一晃，竟然就那么消失了，绿色的树叶疯长，转瞬间，那七环的强大存在竟然化为了一株参天大树。

似乎有清风吹过，一片片碧绿的树叶从那有着巨大伞盖的大树上飞出，不多不少，正好九十一片，轻巧地落在九十一名新生一班的学员们身上。

每个人都感受到一份无比舒适的清凉，清凉瞬间传遍全身，无论是酸痛之极的肌肉还是被铁衣磨破的伤口，都在以惊人的速度恢复着。甚至连他们的体力也在一点一滴地逐渐复苏，唯有魂力还是空荡荡的，没有受到那碧绿的树叶影响。

王冬的修为最高，也是第一个恢复过来的，他一翻身就坐了起来，目光灼灼地看着那株参天大树，倒吸一口凉气，"这、这是植物系武魂中最巅峰的存在之一，生命之树武魂啊！七十级，武魂真身。周老师竟然找来了一位七十级以上的植物系魂圣为我们恢复、治疗。"

碧光缭绕，释放完那九十一片树叶之后，参天大树迅速回缩，转眼间又变成了先前的白衣男子，他向周漪点了点头。周漪则恭敬地向他弯腰鞠躬。那男子就像来时一样，宛如一阵风般离去了。从始至终，他甚至没有和周漪有过一句交谈。

学员们先后从地上爬了起来，虽然疲倦感依旧存在，但身体突破极限之后，更有着难言的快感。

霍雨浩也从半昏迷状态中恢复过来，受到刚才那神器魂技的滋润，清凉的感觉令他的肌肉疲倦消失无踪，而体内经脉更是依旧沉浸在玄天功带来的暖融融感受之中。可谓冰火两重天，自从他六岁武魂觉醒后开始修炼至今，还从未有过如此舒适的感觉。

支撑着爬起来，全身早已一片肮脏，但他那双灵眸却越发明亮起来，下意识地催动体内魂力按照玄天功的路线进行运转，果然还是可以的，潜移默化地滋润着他的经脉。而且因为不再消耗，玄天功内力甚至在游走滋润经脉后，还能剩余一丝回归丹田，完成循环后再重新运转起来。

周漪看着一个个站起的学员，淡淡地道："我必须要说，你们给了我一个惊讶的答案。今天，没有人会被淘汰。"

此言一出，学员们顿时忍不住欢呼起来，尤其是跑的圈数最后的几名学员更是如释重负。

周漪道："你们应该感谢霍雨浩。本来，我已经准备好了给你们的惩罚。我布置的任务是要求你们一直跑到下课铃声响起时再计算圈数，但是，除了霍雨浩之外，你们没有一个人从头跑到尾的。但是看在你们最后能够在他的带动下燃烧起几分血性的分上，就不再进行惩罚了。王冬出列。"

"老师。"王冬上前一步。

周漪淡淡地道："身为班长，你只顾自己，没有起到良好的带头作用。从现在开始，我剥夺你的班长职位，由霍雨浩承继。在下次体能课之前，霍雨浩都是一班的班长，如果有人要向他挑战，王冬你负责接战。"

听了周漪的话，王冬略微愣了一下。

周漪冷声道："怎么，你有意见？"

王冬这才醒悟过来，用力地摇了摇头，道："没有。周老师，我心服口服。"

周漪点了点头，道："解散。每个人把自己的铁衣带回去。明天是其他老师给你们

上理论课，我建议你们好好冥想，将今天体能课的提升与意义消化干净。后天下午又是我的课。到时候，我希望不要再看到任何一个废物。"

"是。"众学员哄然应诺，不过他们却并没有一哄而散，而是集体冲向了霍雨浩，猛地将他抛入了空中。

对于他们这些年轻人来说，兴奋与喜悦是十分直接的。因为霍雨浩的原因，没有人被淘汰，更是避免了大家受到惩罚，在这一刻，霍雨浩就是他们的英雄。

而且，在艰难、痛苦的体能课之后，周老师找来那位神奇的植物系器魂圣为他们集体恢复、治疗，也让他们清楚地感受到了高阶魂师的强大。身体上的痛苦消失了，他们对这位周老师的恶感无形中也减弱了许多。

众人足足折腾了十几分钟，直到其他班级的学员们也都放学了，这才停下来各自返回宿舍清理自身去了。他们现在的样子实在是太过狼狈了一些。

这九十一名学员们并不知道的是，正是因为刚才这一课，这九十多名学员之间，已经渐渐出现了集体荣誉感。班级成立才一天时间而已，大家彼此还叫不上名字就能有集体荣誉感出现，无疑，这是周漪教导有方，再加上霍雨浩最后表现所带来的一定运气，新生一班已经走在了前面，霍雨浩也成为了最弱的班长。

霍雨浩和王冬直接穿着铁衣返回了房间，他们清洗身体必须要在楼道两侧的卫生间。王冬让霍雨浩先去，他自己则是打了一盆水在宿舍内清洗。

霍雨浩此时心神依旧沉浸在自己对玄天功的特殊理解之中，也没多想就去清洗身体了，而玄天功在他体内始终都没有停止运转过。但他也发现，那先前不断产生的暖流已经开始变得越来越弱了。

为什么？因为我的体力恢复了么？霍雨浩心中大为不解，等他清洗完身体后，才隐隐猜到一些。那股暖意似乎只有在他体内魂力消耗殆尽且身体极度疲倦时才会出现。而现在他的身体在治疗下已经恢复许多，魂力也在一点点地恢复中，那暖流也就不会再产生了。

早知道不进行治疗就好了，霍雨浩有些无奈地想。那样的话，或许自己的经脉还能得到更多的好处。

不过，老师将铁衣留给了我们，回头我可以自己再试试。想到这里，他又不禁兴高采烈起来。

"霍雨浩。"正在这时，一个呼唤声响起，将他从兴奋中叫醒。

霍雨浩心中暗叫一声坏了，怎么把她给忘了。赶忙在楼道里喊道："小雅老师，我马上出来。"然后飞快地冲回宿舍，打算换上一身新校服就出去。

因为心中焦急，返回宿舍的时候他也没顾上先敲门，一推门就进去了，一进去就傻眼了……

他看到了白花花的一片……背影。

不宽却圆润的肩膀一直向下，在腰侧勾勒出柔和的弧线，到了臀部的位置方才隆起，比正常人比例要纤长一些的大腿笔直、纤细。所有的一切因为年纪的原因都不夸张。但那还有水珠流淌的白皙肌肤显得晶莹剔透，视觉冲击力实在是太强了。

"啊——"一声有些尖锐的惊叫声响起。紧接着，霍雨浩眼前的白色就变成了一片耀眼夺目的蓝。

一双巨大的翅膀猛然张开，紧接着，他就看到翅膀上由一个个金色光环组成的V字猛然亮了起来，宝蓝色的翅膀也随之变成了蓝紫色，浓烈的魂力波动瞬间喷吐，就要将他吞噬似的。

幸好，那浪涛般的魂力最终还是停滞了。

"你干什么？怎么不敲门？"王冬充满愤怒的声音响起。蓝光收敛，霍雨浩再看时，他已经套上了校服，猛地冲过来，但终究没向霍雨浩下手。因为刚刚清洗完身体的霍雨浩此时也只穿了裤头，全身光溜溜的。不过，他的肤色和王冬相比，那就差了不止一个色系。古铜色的肌肤闪烁着健康的颜色，却远不如王冬身上那种白皙引人注目……

"我……外面有人叫我，我着急。对不起啊！"霍雨浩不知道为什么，心跳得特别厉害，赶忙跑到自己的床位处三两下穿好另一身干净校服，转身就跑。

王冬呆呆地站在那里，也没有阻拦他，直到霍雨浩关好门跑掉了，他才回过神来，脸上一阵红、一阵白的不知该说什么才好。

匆忙跑出宿舍，霍雨浩的心情这才平静了一些，但先前那白花花的一片却依旧在他脑海中徘徊不断，尤其是那已经略有规模有些挺翘的臀部……

我都在想些什么啊！霍雨浩心中一阵鄙视自己，赶忙将意识转移到对玄天功的思考上。

耳朵突然一疼，霍雨浩哎呦地痛叫一声。

唐雅娇嗔的声音响起，"你还知道出来啊？我都等半天了。"

霍雨浩可怜兮兮地道："小雅老师，你先放手。我们刚才体能课出了很多汗，这不回宿舍洗了洗就出来了么？"

唐雅这才松开手，看着霍雨浩有些苍白的脸色，眉头略皱，道："是不是周漪那个变态老姑婆难为你们了？你可要小心点，她一向以铁面无私著称。犯在她手里，不死也要脱层皮。怎么样？你身体还行么？不行的话就算了，咱们明天再说。"

霍雨浩赶忙摇摇头，道："小雅老师，我没事。咱们走吧。"今天的体能训练让他进一步认识到自己需要营养，大量的营养。体内玄天功带来的暖意消失了，同时升起了强烈的饥饿感。没钱的话拿什么买吃的？

唐雅嘻嘻一笑，道："就烤二十条鱼，我都给你准备好了。不会耽误你太多时间的。肯定比你给学院打工浪费的时间少。"

"小雅老师，那我们要去哪里卖？"霍雨浩问道。

唐雅显然是早就想好了，"学院门口啊！咱们史莱克学院的大门就是史莱克城的东门，东门外一向有众多商贩，其中也不乏咱们学院做生意的学员们。咱们也去那里，以你的烤鱼手艺，不怕卖不掉。就算卖不掉，我们自己吃好了。"

霍雨浩跟着唐雅一直出了学院，才一出门，霍雨浩就吃了一惊。现在已经没有报名的学员了，东门外大道两边，果真是云集了众多商贩。卖什么的都有，琳琅满目。其中倒是以卖各种食物的商贩最多，叫卖声不绝于耳。显然，他们都是为了做史莱克学院学员们的生意才聚集在这里的。

唐雅显然已经有些迫不及待了，就在城门口不远处，甚至还占了一点大道的路，把自己准备好的东西都拿了出来。

她果然是准备齐全，专门找工匠做的金属烤炉，还有铁架子、各种调料，杀好、洗净的青鱼。她很快将这些捣鼓了出来。为了放这些东西，还专门弄了个小桌子。

霍雨浩帮她将烤炉支好，心中不禁一阵好笑，小雅老师对美食的抵抗力果然是很低啊！

唐雅把炭也取出来放在地上，道："好啦，我的任务完成了，接下来就看你的了。我先去买点别的吃，记得哦，这些鱼里面有我两条。卖五个铜币一条就行了，以后你要买材料，直接找你们食堂的林大娘就行了。"

说完这些，她就兴冲冲地跑掉了。

霍雨浩先检查了一下调料，就开始处理起青鱼，调料还真不少，唐雅也算是有心了，连紫苏都找了一些来。霍雨浩将紫苏撕碎，然后和其他一些调料搅拌在一起，再塞入青鱼的肚子里，用竹签串好。

今天的体能课让他有了很多领悟，他急于回去修炼，自然不愿意在这里多耽搁时间。

生火这种小事儿更是轻车熟路，一会儿的工夫，烤炉里已经多了几块烧得红彤彤的火炭。烤炉的体积不小，能同时架上四条鱼。他直接就烘烤了起来。

不得不说，霍雨浩烤鱼的水平确实是一绝，不一会儿的工夫，浓浓的香气就已经飘了出去。这比任何广告都好使。别说是从学院里出来的学员，就算是周围的商贩们都不由得向他这边投来了好奇的目光。

"小兄弟，你这烤鱼怎么卖？"一名身穿黄色校服的男学员走过来问道。

霍雨浩很客气地道："学长，烤鱼五枚铜币一条。"

那学员也是爽快，"闻着不错，来一条尝尝。"一边说着，一边递给了霍雨浩五个铜魂币。

这还是霍雨浩第一次交易成功，不由得有些兴奋，接过铜币后，烤鱼越发认真起来。甚至催动着刚刚恢复几分的魂力，通过精神探测来观察了一下烤鱼的火候。

有了第一个问的人，自然就有其他人凑过来。只不过霍雨浩是第一次出现在这里，闻着不错，吃起来如何谁也不知道。这些围过来的几乎都是刚刚放学的史莱克学院学员们。

当霍雨浩将一条烤好的青鱼递给那名黄衣学员后，其他人的目光也不由得落在了那名学员身上。

第12章
徐三石与江楠楠

烤制成金黄色的青鱼上还有淡淡的油脂流淌，浓浓的香气不断从鱼腹中喷薄而出。牙齿与烤鱼接触的时候，甚至发出了轻微的咔咔声，鱼皮竟是已经完全烤得焦脆了，却并没有半点焦糊。焦脆的鱼皮下，是鲜嫩多汁并且完全入味儿的鱼肉。

只是一口下去，那黄衣学员的眼睛就直了，顾不上赞美，三口两口的，一条鱼就下肚了。

早已在周围观察了一会儿的其他学员立刻就明白了怎么回事儿，霍雨浩第一波烤制出来的其他三条青鱼瞬间被一抢而空，他今天的销售额也直线提升到了二十个铜魂币，也就是两个银魂币之多。

四条烤鱼在很短的时间内就给霍雨浩带来了绝佳的口碑。这里是学院门口，人流很多，他这小小的摊位很快就被围了个水泄不通。

"太好吃了，真是太好吃了。"第一个买了烤鱼的黄衣学员好不容易才挤了进来，"学弟，再给我来三条。今天我这晚饭就在你这里解决了。"

旁边一名比他年级高一些的紫衣学员冷冷地道："后面排队。"

霍雨浩也没想到自己的烤鱼生意会这么好，歉然地向围在烤炉旁的学员们道："各位学长，今天是我第一次做生意。只能卖十八条烤鱼，刚才已经卖了四条，还有十四条。按照先来后到的原则，没有排上队的学长们就请明天再来吧。"

　　一边说着，他收了排在前面学员的钱，装入二十四桥明月夜腰带之中，卖了十八条鱼，足有九个银魂币的收入，扣除成本和明天进货成本，剩余的钱足够他吃饭有余了。霍雨浩一点也不贪心，他很清楚现阶段对于自己来说最重要的是修炼，钱赚得够用就行了。

　　一条条烤鱼接连出炉，霍雨浩烤制得十分认真，并没有因为人多而降低烤制的质量。每一位拿到烤鱼的学员都吃得无比满意，甚至有人提出要预定明天的烤鱼。霍雨浩权衡之下，还是决定以排队为准。毕竟，烤鱼刚出炉时味道最好，万一有人来晚了，吃的时候味道也会差了。

　　正在这时，从史莱克学院大门处走出几名身穿紫色校服的女学员，走在最前面的女学员一现身就吸引了无数目光的注视。

　　她看上去只有十四五岁，身材修长匀称，一头金色长发呈大波浪状披散在脑后，肌肤胜雪，双目犹如一泓清水，顾盼之际，自有一番清雅高华的气质。容色如玉，如新月生晕，如花树堆雪，柔情绰态、媚于语言、娇柔婉转之际，美艳不可方物，那倾国倾城之姿仿佛令周围一切颜色都为之暗淡了似的。

　　"楠姐，好香啊，什么味道？"绝色少女身边另一名女学员惊奇地向她说道。她的相貌也是不俗，可惜皓月旁萤火又怎有光辉？

　　那绝色少女显然也闻到了香气，众女不禁将目光投向了霍雨浩这边的摊位。

　　或许是那为首少女的容光太过逼人，原本围在霍雨浩摊位前的学员们竟然自行让开了一条通路，她和其他几名女学员径自走到烤炉前。看到大家的主动让路，那绝色少女却并不高傲，面带微笑十分温和地向让路的众学员点头致意，凡是看到她笑容的学员们，无不脸色涨红、满是兴奋。

　　看到那绝色少女的容颜，霍雨浩也是呆了呆，在这之前他见过最美的女子就是唐雅了，眼前这名身穿紫衣的女学员不但在姿容上丝毫不逊于唐雅，更是多了一种温婉和煦的气质，再加上她眉宇间那一抹总是无法化开的愁绪，却是我见犹怜。和她相比，唐雅就是一个活泼开朗的乐天派，至于相貌之比，就是仁者见仁的事了。

　　"学弟，你这烤鱼怎么卖？"绝色少女轻声问道。

　　此时，霍雨浩刚刚将十八条收了钱的烤鱼全部交付了，就剩最后两条在烤炉上，这

是留给唐雅的。

"学姐，五个铜魂币一条。"

绝色少女眉头微皱，道："有点贵了哦。考虑到成本和你的加工，最多三个铜魂币就可以了吧，你还有得赚。"

霍雨浩一愣，他没想到如此容颜的少女竟然会和自己讲价钱，先前可从未有一名学员这样做过。

"抱歉，我的烤鱼不二价，而且今天的都已经卖完了。"霍雨浩平淡地说道，价格是唐雅订的，他不会轻易改变，更何况这笔收入对他很重要，也刚刚好。

绝色少女愣了一下，歉然道："对不起，我只是随便计算了一下。如果以后有机会，我再尝尝。"说着，她转身就向外走去。

霍雨浩分明感觉到周围的气氛有些不对，那些先前还一脸热切看着自己的学员们，有许多竟然向自己怒目而视。

"小子，你敢不卖？"一个低沉浑厚却充满怒气的声音骤然响起，紧接着，一点金光直奔霍雨浩的摊位电射而去。

"叮——"那金光准确的命中在烤炉上，居然完整的嵌入了进去，赫然是一枚金魂币。紧接着，一道身影大步而至，迅速越过那绝色少女就到了霍雨浩的摊位前，抬手就向他烤炉上的两条烤鱼抓去。

因为烤鱼要掌握火候，霍雨浩一直开启着自己的灵眸，当那浑厚声音响起的时候，他就感受到一股巨大的压迫感传来，精神探测下意识就释放了。

那抓向烤鱼的手虽然很快，但霍雨浩通过精神探测却能料敌先机，抢先一步捞起两条烤鱼后退几步，这是他给唐雅留的，怎能让别人拿走？

那人的大手没有抓住烤鱼，却抓进了烤炉里，居然抓住了几块火炭。

此时霍雨浩才看清来人的模样。

此人一身黑色校服，竟然是一名六年级学员，看上去年纪和贝贝差不多，身材高大，堪比和菜头，浓眉虎目、鼻直口方，端的是相貌堂堂。白皙的皮肤因为愤怒泛起几分潮红，略微有些婴儿肥的面庞气势逼人。

"小子，你找死？"黑衣青年怒喝一声，手中的火炭竟然被他一下捏碎了，火星四溅，但他自己却像是没有承受任何灼烧的感觉一般。右脚一扫，霍雨浩的烤炉就被踢倒在一旁。同时一步跨出，大手直奔霍雨浩当胸抓来。

在霍雨浩的精神探测之中，这黑衣青年可不只是气势汹汹那么简单，他这看似简单的一抓，竟是千变万化，霍雨浩虽然也能找到一些破绽，但他的修为太弱，居然就是没有躲开，被这黑衣青年一把抓住了胸襟。

"嘿。"黑衣青年右手一抬，就将霍雨浩举到了空中，同时左手一抄，硬生生地从他手中抢走了那两条烤鱼。

从黑衣青年出现到出手，整个过程迅疾无比，以至于直到此刻周围的人才醒悟过来。

两个声音几乎同时响起。

"你干什么？"

"住手。"

说话的前者正是那绝色少女，此时她是一脸惊怒之色，而后者却已经快如闪电般冲了过来，一掌直奔那黑衣青年拍去。

黑衣青年显然没想到有人会向自己出手，有些猝不及防，他一只手抓着霍雨浩，一只手抓着烤鱼，想要抵挡对手攻击，就必须要放弃一边才行。

他选择放弃的是霍雨浩，手腕一抖，霍雨浩就横向飞了出去，右手下挡，和那拍来的手掌碰撞在一起。

"噗——"两人身体同时一震，各自后退一步，谁也没占到便宜。

来者不是别人，正是唐门大师兄贝贝。

被抛出去的霍雨浩身体在空中旋转两周，一道靓影出现在他身下，双手在他身上一带，就将他平稳地接了下来。

接住霍雨浩的，自然正是唐雅，此时她那娇俏的小脸上已是布满了愤怒。

"徐三石，你敢欺负我的人，老娘跟你拼了。"一边说着，唐雅右手一抬，一点金光就直奔徐三石飞了出去。

黑衣青年右手挥动，一股凌厉的黑光亮起，就要将那金光卷走，但是，令人吃惊的一幕发生了，那一点金光猛然闪亮了一下，居然就那么从浓烈的黑色魂力中钻了进去，

没入黑衣青年身上消失不见。

黑衣青年的身体剧烈一颤，眼神也是骤然凝滞，虎目之中怒光大放，三个魂环瞬间就从脚下升了起来，两黄一紫，他那原本白皙的肌肤颜色顿时变得暗了下来，肌肉膨胀，整个人都涨大了一圈，最为奇特的是，在他右手之中，多了一面直径大约在一米五左右的黑色龟甲盾。

霍雨浩开启着精神探测，他能清楚地感觉到，这黑衣青年在释放出武魂时，气势丝毫不比当初释放出蓝电霸王龙武魂的贝贝差。

"唐雅，你别以为有贝贝护着你，我就不能把你怎么样。"低吼声中，黑衣青年双目喷火。

唐雅冷笑一声，"来啊！老娘怕你不成？"

贝贝淡淡地道："徐三石，你欺负我小师弟，今日之事，必须要给我一个交代，不然我们就上斗魂区决一胜负。"

徐三石微微一震，指了指霍雨浩，道："他是你师弟？"

贝贝面无表情地点了点头。

徐三石冷声道："那又如何？他不给江楠楠面子，就是不给我面子。两条烤鱼而已，我已经付了钱。"

唐雅怒道："那是雨浩留给我的。贝贝，你还和他废什么话，揍他。揍得他生活不能自理，我就让你亲一下。"

原本贝贝脸上还绷着劲，听了唐雅这小魔女唯恐天下不乱的话，脸部肌肉顿时抽搐了一下。

徐三石撇了撇嘴，向贝贝道："你家小雅还是这么脱线。好久没和你切磋了，不就是上斗魂区么？走！"

一边说着，他转身就走，毫不拖泥带水，几步来到那名叫江楠楠的绝色少女面前，他先前还一脸怒火的模样居然一瞬间就变得温柔了，将手中两条烤鱼递了过去，柔声道："楠楠，你先吃着，我待会儿就回来。"

江楠楠却毫不领情，对其他人都很和善的她，对徐三石却如寒冬般冰冷，寒声道："徐三石，我跟你说过，我们之间，没有任何可能，请你以后不要再烦我。"说完这句话，她转身就向外走去。

徐三石脸上一阵尴尬，猛地挺直身体，怒视周围看热闹的人群，"看什么看，都散了。贝贝，我们走。"说着，他就向学院内走去。手里的烤鱼却是直接向霍雨浩抛了过去。

唐雅抢在霍雨浩前面抬手将烤鱼接过，她的动作舒展轻柔，却很自然地接过了烤鱼，毫不客气地咬上一口，另一只手则拉着霍雨浩，一边吃一边说道："走，咱们也看热闹去。"

斗魂区，在史莱克学院中是一个十分重要的区域，位于武魂系西北角，接近史莱克城的地方，和霍雨浩曾经去过的魂导器试验区倒是不远。这里也是许多高年级学员经常要光临的地方。在这里，可以进行各种比赛，有专门的老师作为裁判，负责判定胜负、保护学员、提供救助、治疗等等。当然，这些都是要缴费的。

进行一场斗魂比赛，双方至少要缴纳十个金魂币作为场地费用。但却依旧有许多学员乐此不疲。因为在这里动手是不受到任何限制的，也不用怕出手过重会出现危险，作为裁判的老师会很好地把握尺度。同时，在斗魂区比赛获胜，将会获得一定的学分，在进行年级考试时，会有一定的加分。

到了四年级以后，再想要向上升级，斗魂学分是必须的。譬如，四年级升五年级，就需要至少十场斗魂区战胜同年级对手的经历。五年级升六年级则需要更多。六年级以后，想要进入内院，斗魂学分据说就更加重要了。

斗魂区的比赛是对所有学员都开放的，前提还是缴费，需要支付一个银魂币的门票费用。

令霍雨浩大为惊讶的是，贝贝和徐三石这场单挑竟然吸引了许多学员的注意，先前在学院门口看到这场热闹的学员，无论年级高低，绝大部分竟然都选择跟来观战。

"小雅老师，学院可真会赚钱啊！"霍雨浩在听完唐雅简单介绍了斗魂区的情况后忍不住说道。

唐雅道："这也是理所应当的嘛，学院这么大，开销自然也大，不想办法多赚点钱，拿什么支持？不过，史莱克城的税收也是不少呢。咱们学院反正是大陆第一富裕学院就是了。对了，小雨浩，你烤鱼的水平又有进步哦。要么就是我的调料好，真好吃。"

没等走到斗魂区，唐雅的两条烤鱼早就吃完了。霍雨浩早就饿了，趁着路过食堂的时候，先去买了晚餐，等他和唐雅到达斗魂区的时候，已经有不少人涌入，消息不胫而走之下，还有更多学员络绎不绝地前来。

唐雅交了两个银魂币，带着霍雨浩进了斗魂区。斗魂区呈六边形，差不多和史莱克广场一样大，中央是大片的空地，显然就是学员们比拼之地。周围则是一圈圈逐步向上的座椅，大约能够同时容纳三千人的样子。

此时，围绕在场地边缘，竟然已经坐了两三百人，霍雨浩和唐雅来得还算较早，坐在了最前面距离场内最近的一排。场地内却是空空如也。不知道贝贝和徐三石去了什么地方。

唐雅知道霍雨浩还不清楚斗魂区的规矩，就向他解释道："斗魂区在每天放学后开放，一直到午夜之前。想要进行斗魂的学员需要先缴费、登记。如果比试双方是学院内比较有名的学员，学院会免费在各个宿舍区内通过魂导扩音器广播，让更多的人来观战。门票费用学院会收走一半，另一半则归比赛的胜利者所有。你大师兄在这里已经赚了不少钱了。而且，那徐三石是五年级学员，他才刚刚升入四年级，差了一个年级就算越级挑战了。所以徐三石要是输了，还要额外拿出十个金魂币呢。你大师兄和那徐三石，在咱们外院都是很有名的学员。都被誉为天才。估计今天来观战的人数能够突破五百。"

霍雨浩问道："刚才那江楠楠又是谁啊？"

唐雅抬手就在霍雨浩头上敲了一下，"小小年纪就不学好，知道看美女了，哼！"

霍雨浩吃痛，也不敢再问。打开自己的饭盒吃起了晚饭。

唐雅看着他那老老实实的样子，不禁失笑，"算了，告诉你啦。江楠楠号称是外院第一美女，她出身平民家庭，待人和善，在学院里很有一些拥趸。你觉得她有我好看么？"

霍雨浩赶忙连连摇头。

唐雅有些得意地道："就是，我也没觉得她比我强在哪里，哼！徐三石那家伙，拥有一种很强的变异武魂，叫做玄冥龟。水土双属性，防御力非常强，号称固若金汤。

他的修为和贝贝差不多，都是顶级的兽武魂。放心吧，其实我已经替你出气了，刚才我给了他一记龙须针，够他受的。他追求江楠楠就追求吧，碰了我的人就不行。说来也奇怪，那江楠楠不知道是不是性取向有问题，学院里很多优秀的男学员追她，却从未听说过她对谁有倾向。其他人还都是较为温和地拒绝，对徐三石却是罕见的冷言冷语，不知道是不是徐三石这家伙占了人家便宜。这些来观战的家伙真是无辜啊！他们只知道贝贝和徐三石一个号称外院最强攻击武魂，一个是外院最强防御武魂，却不清楚这两个家伙早就认识。我估计，这次是坑瀣一气地准备赚点钱，这才跑到斗魂区来了。"

霍雨浩吃惊地道："大师兄和那徐三石认识？"

唐雅点了点头，"小雨浩，你放心好啦。认识归认识，但你大师兄还是会跟他较较劲的，不能让他白白欺负了你。"

斗魂区，休息室。

"贝贝，你家小雅也太狠了，你看看，你看看……"徐三石一脸不满地向着贝贝撩起了自己上衣，在他右侧腰间，已经鼓起了一个足有婴儿拳头大的大包。只是他依旧维持着武魂释放，周围的皮肤似乎变得坚硬如铁。

贝贝哼了一声，道："活该，谁让你欺负了我们小师弟的。少废话，玄水丹拿一粒来，我就帮你解了这龙须针，不然你就等着自己挖掉一块肉吧。这龙须针乃是我唐门第一代先祖留下的，只传历代掌门。小雅这次是真生气了。"

徐三石道："刚才那小子真是你们唐门的人啊？没看出他有什么本事啊！玄水丹你就别想了，赶快的，我总不能一直维持着武魂，这龙须针也太歹毒了，疼死了，还专破魂力，猝不及防之下竟然着了唐雅的道儿，真郁闷。"

贝贝仰头望天，道："随便你，爱给不给。你打了我小师弟，还毁了他的摊位，这龙须针你就慢慢受着吧。反正马上比试就要开始了，我不信你带着龙须针还能与我抗衡。"

徐三石怒哼一声，"行，贝贝，你等着。看我待会儿到了斗魂场里怎么收拾你，我可不会手下留情。"

贝贝微微一笑，道："我需要你手下留情么？"一边说着，他向徐三石伸出右手比划了比划。

徐三石很是不情愿地从怀里摸出一个小巧的白玉瓷瓶抛向贝贝。贝贝一把接过来，"多谢，你收起武魂，我帮你起出龙须针。"

徐三石这才缓缓地将武魂收回，没有了武魂的限制，一阵阵钻心剧痛顿时从龙须针射入的地方传来，以他的修为和意志力，身体竟是不受控制地颤抖起来。

贝贝右手迅速在他伤处周围连点数下，然后双手同时动了起来，一股股柔和的魂力不断注入到那些蜷缩在一起的肌肉之中，他的动作奇快无比，而且每一次手指的律动都带有不同程度的魂力。一会儿的工夫，一根纤细更胜发丝的金丝缓缓从徐三石腰间的肌肉中排了出来。

贝贝轻轻一拽，金丝弹出，迅速收缩成一颗小米大小的金粒。贝贝手腕一翻就收了回去。

徐三石如释重负地长出一口气，脸上却依旧满是怒容，"贝贝，你就趁人之危吧。你又不是不知道玄水丹有多珍贵。这样，我们打赌，待会儿这一战要是我赢了，玄水丹还我。"

贝贝轻松地笑道："要是你输了呢？"

徐三石哼了一声，道："给你一千金魂币就是了。"

贝贝摇摇头，道："不行，玄水丹可不止值一千金魂币吧，不公平的事儿我不会跟你赌的。"

徐三石怒道："我就这么多钱，你不答应，我可要翻脸了。"

贝贝轻叹一声，道："难道我缺钱么？好吧，给你一个机会，我知道你还有玄水丹，再拿一颗出来赌就是了。"

徐三石眼中流露出一丝疑惑，"我怎么觉得好像落入了你的阴谋啊！看上去，你似乎很有把握赢我似的？"

贝贝脸上依旧挂着温和的笑容，"是你提出要赌的，又不是我。你可以选择不赌，还有，回头输了别叽叽歪歪的。"

徐三石哼了一声，道："我会输？虽然我不一定能赢你，但你想赢我也不容易。要是打成平局怎么算？"

贝贝却不上当，"各回各家呗。你快点，别磨叽得跟个女人似的。"

徐三石一咬牙，道："好，我跟你赌。你这贱人，实力未必比我强，但却奸猾得很，估计又上你当了。上当我也认了。大不了下次回家再跟我老爹磨一磨。"

贝贝脸上笑容依旧，徐三石虽然已经极力在注意他的神色变化了，但却依旧没有任何收获。

"你啊！其实并不笨，但只要是和江楠楠有关的事情，你立刻就会傻上三分。真不知道你们俩是不是前世的冤孽。那江楠楠虽然漂亮，但学员中优秀的女学员也不在少数。你为什么就非要单恋一支花呢？"

徐三石没好气地道："你少站着说话不腰疼，有本事你把唐雅让给我？"

贝贝站起身，道："你还是赶快调整好状态，省得待会输了不服气。我先出去。"一边说着，他已经向门外走去。

正如唐雅判断的那样，斗魂区内聚集的学员越来越多，目测之下，已经要超过四百了，最终聚集五百人应该是毫无问题。

"霍雨浩。"一个咬牙切齿的声音吓了霍雨浩一跳，他扭头看时，正好看到穿戴整齐的王冬气势汹汹地向他走了过来。

"你怎么也来了？"霍雨浩有些心虚地问道，一看到王冬，他立刻就回想起了先前那白花花的一片……

王冬脸色一阵红、一阵白的，一屁股坐在霍雨浩身边，压低声音道："说，你都看到什么了？"

霍雨浩愣了一下，道："啊？我没看到什么啊！"

王冬怒哼一声，"下次再不敲门，我就杀了你。"

霍雨浩自知理亏，但嘴里却依旧嘟囔着，"大家都是男人，看了就看了嘛，你又不吃亏。"

"你说什么？"王冬大怒，抬手就去抓霍雨浩。

一只修长的手掌伸过来，拍掉了王冬的手，唐雅的声音响起，"小雨浩，你还没给我介绍一下呢。"

王冬这才注意到唐雅的存在，看到唐雅那绝色的容颜，他微微一愣，但很快就恢复了正常，哼了一声，坐直身体不再理会霍雨浩。原来，霍雨浩跑了后，他飞快地穿好衣

服，却找不到霍雨浩的存在了。自己想要冥想却怎么也静不下心来，正在这时，听到宿舍里的广播，这才决定出来散散心，却不想在这里碰到了霍雨浩和唐雅。

霍雨浩道："小雅老师，这是我的室友王冬。王冬，这位是唐雅，我们的学姐。"他也只能这样介绍了。

王冬向唐雅点了点头，唐雅微笑道："好漂亮的小正太啊！我喜欢，要不，小雨浩你做做工作，把他也吸收到我们唐门来怎么样？"

王冬听到唐门二字，身体微微一震，惊讶地道："你们是唐门的人？"

唐雅连连点头，道："是呀，现在唐门就我们三个了。我就是当代唐门门主。怎么样，是不是很震惊？来吧，唐门欢迎你。"

她其实只是随口一说而已，别看唐雅平时大大咧咧的，可实际上谁要真以为她傻乎乎的，早晚会在她手中吃上大亏。她早就看出王冬的不凡了，精华内敛，魂力凝实。一看修为就远在霍雨浩之上。

但是，令唐雅有些意外的是，王冬在短暂的呆滞之后，竟然向她点了点头，道："好啊！我早就听说过唐门暗器的神奇，唐门主，我想要加入唐门，请您收下我。"

"啊？你真要加入我们唐门啊？我们唐门现在可只剩下三个人了。"唐雅大吃一惊，看着王冬的眼神中满是不解。

王冬认真地点了点头，道："我希望加入唐门，学习暗器。"

唐雅脸色也变得郑重起来，道："这件事我考虑一下，回头让雨浩告诉你答复。"

正在他们说话的工夫，贝贝已经从休息室走入了场地。他才一出现，场边观战的学员们就已经开始有人呼喊他的名字了。

"霹雳贝贝、霹雳贝贝……"

贝贝微笑着向场边观战的学员们挥了挥手，目光却在看台上寻找着。

唐雅站起身，向他挥了挥手。贝贝这才看到他们的所在，因为距离远，说话肯定是听不到的，他向唐雅比了几个手势。

两人在一起时间已经不短了，唐雅立刻回以几个手势，表示自己明白了之后才重新坐下。

"小雨浩，你的精神探测共享极限距离是多少？"唐雅在霍雨浩耳边低声问道。

霍雨浩道："如果只是一个方向，大约能到五十米左右。"

他刚刚和王冬尝试过单一方向的精神探测极限距离。如果是正常释放精神探测，只能是直径三十米，也就是说，任何方位实际探测距离都只有十五米，而五十米这个距离已经是两倍多的极限了，但也要大量消耗霍雨浩的魂力。

唐雅立刻将右手举起，向着贝贝比划了几个手势，贝贝向她点了点头。

徐三石在这时也已经走入了斗魂场内。与他一起出来的，还有一名年约四旬的老师。

到了斗魂场内，徐三石和贝贝又都变成了一副横眉冷对的模样，这已经不是他们第一次在斗魂场比拼了，以前的比试中两人互有胜负，但平局却是最多的。利用这斗魂比赛，他们着实赚了不少钱，自然不能轻易暴露两人关系密切的事实。

裁判老师走到场地中央，沉声道："四年级贝贝挑战五年级徐三石。如徐三石输掉比赛，需额外支付十枚金魂币。胜负赌约你们已经私下有了约定，都准备好了么？"

贝贝和徐三石同时向裁判点了下头。

第13章
玄水丹

"比赛开始。"裁判宣布一声后迅速后退。贝贝和徐三石也在同一时刻释放出了他们的武魂。

前一刻还有些嘈杂的斗魂区内瞬间变得一片安静，所有人的目光都集中在场地中的二人身上。作为史莱克学院外院的风云人物，贝贝和徐三石每一次斗魂比赛都打得惊心动魄，学员们最爱看的就是他们斗魂了。私下里，甚至还有不少学员都暗下赌注。

蓝色电光集中，贝贝的右臂迅速胀大，蓝光缭绕中，蓝电霸王龙武魂已经释放开来。

另一边，徐三石也是毫不示弱，身体重新膨胀，将校服撑得紧绷，右手之中，那面硕大的龟甲盾牌也随之出现。

两人都缓慢地向侧方迈开脚步，锐利的目光盯着对方，浓烈的魂力不断升腾，一边是蓝色，一边是黑色，在斗魂场内泾渭分明。

从表面上看，他们就是势均力敌的，都是三个魂环的三十级以上魂尊级强者，也都是战魂尊。只是从双方的武魂来看，贝贝明显是强攻系战魂尊，而拥有盾牌的徐三石则很可能是防御系战魂尊。

一边是最强攻击武魂的蓝电霸王龙，另一边则是变异的强大防御武魂玄冥龟，谁能占据上风还真的很难说。

王冬似乎也忘记了自己和霍雨浩的事，聚精会神地看着场地中的两人不再吭声。霍雨浩也是一样，他们的心情不约而同地都伴随着场地中比拼的两位魂尊而波动。

贝贝释放了武魂后，温和的气质瞬间变得凌厉了，而徐三石则似乎少了毛躁，多了一种如山岳般的沉稳。

就在徐三石缓缓侧行到距离霍雨浩他们这边看台最近的地方时，贝贝突然爆喝一声，如同一道蓝色闪电般冲向徐三石。

徐三石心中微微一怔，自己并没有露出破绽，这也不是什么好机会啊！贝贝这家伙什么时候变得如此冲动了？

心中虽然这样想着，但他却不敢怠慢，贝贝在攻击时的爆发力有多么强大他再清楚不过。

贝贝冲到距离徐三石还有五米左右的地方猛然跃起，覆盖着鳞片的粗壮右臂直奔徐三石当头抽下，龙爪上蓝紫色电光缭绕，随时都有释放魂技的可能。

徐三石却是不慌不忙，左脚略微后退半步，身体微微下蹲，右手中的重盾挡在身前，将自己的身体完全保护在内。与此同时，漆黑的魂力从那龟甲盾上奔涌而出，隐隐形成一个黑色光罩，将自己的身体稳稳地护在其中。

"轰——"贝贝的龙爪狠狠地拍击在那厚重的黑色龟甲盾之上，两人的身体同时一震，贝贝应声停顿，坠落地面，而徐三石的身体则是向后滑出一米。

徐三石身上那三个魂环之中的第一个百年黄色魂环亮起，他那龟甲盾上黑光顿时浓郁了一倍，一股强大的黑色光晕瞬间从盾牌上扩散开来，覆盖了足有十几平米的距离，就像是一个巨大的气罩向外顶出。在发出的过程中，还释放出隆隆轰鸣之声。

玄冥震。徐三石的第一魂技。

这是一个范围型的震退技能，还有一定的击晕效果。如果敌人的修为逊色于他，那么，被震退的同时就会晕眩，至少也会被震退拉开距离。

但是，让徐三石没想到的是贝贝的坚决。

就在他释放出第一魂技的时候，贝贝身上，第二、第三两个魂环竟然同时亮了起来。

首先闪亮的是千年级别的第三魂环，紫色魂环光芒大放之中，一声低沉的轰鸣声骤

然从贝贝身上骤然炸响，只见他全身冒起浓烈的蓝紫色电光，右臂上的鳞片迅速向身上蔓延，将右胸也覆盖在内，整个人的气息瞬间暴涨。

雷霆之怒。

紧接着，就是第二魂环闪亮，一道道粗大的蛇电瞬间迸发，以贝贝的身体为中心骤然向外爆开。

以第二、第三两个魂技为结合，硬撼徐三石的第一魂技玄冥震，就算徐三石再以防御著称，他这玄冥震也不可能将贝贝震开了。

黑色的气罩被硬生生地撕开了一个口子，贝贝不顾那黑色气流对自身的冲击，硬是挤了进去。

徐三石在吃惊之下，动作却是丝毫不慢，他身上的第二、第三魂环也是接连亮起，他太熟悉贝贝的能力了。对自己的防御更是极有信心，虽然他不一定能赢得了贝贝，但如果坚决固守的话，贝贝也绝对赢不了他啊！

但是，也就在他释放第二、第三魂技的瞬间，突然，他的大脑仿佛被针扎了一下似的，意识瞬间出现了一丝模糊，两个魂技骤然停滞了一下，居然没能在第一时间释放出来。

贝贝扑出的身体则是突然变得虚幻了，唐门，鬼影迷踪步。他身体略微下蹲，整个人几乎是贴地滑行而出，右爪一把就扣住了龟甲盾的下沿，同时身体横扫，整个人就到了龟甲盾后面。

徐三石再要释放魂技已经来不及了。让贝贝绕到盾牌后面，就注定了他的悲剧。

贝贝右脚直接蹬在了徐三石的小腿上，雷霆万钧在雷霆之怒增幅下迸发的雷电瞬间奔涌，下一刻，徐三石的身体只能颤栗着在原地颤抖，而贝贝那巨大的龙爪直接抠在他的肩膀上。胜负已分。

比赛比所有人预想中结束得都要快，甚至有很多人根本没看清楚整个比拼的过程，贝贝就已经绕过了徐三石龟甲盾的防御，克敌制胜。

"贝贝胜。"裁判的宣布声响起，也没有阻止贝贝直接一把将徐三石摔倒在地的行动。

雷电收回，徐三石的身体抗性确实极强，颤抖立刻就停了下来，但说话却依旧有些口吃，"你、你耍诈。"虽然他不知道贝贝用了怎样的手段，但刚才自己施展魂技慢了

半拍绝不是自己的原因。还有，贝贝在他的全面防御下，竟然一下就找到了他防御最薄弱的地方，更是让他匪夷所思。

"诈你个头，愿赌服输，玄水丹拿来。"贝贝微笑着用龙爪给徐三石注入了一点雷电魂力，电的徐三石那高大的身躯一阵筛糠。

徐三石又怎么知道，为了帮助贝贝战胜他，看台上，已经有一个人昏迷了过去。

没错，徐三石要施展第二、第三两个魂技时，脑海中的刺痛就来自于霍雨浩的紫极魔瞳加灵魂冲击。别看霍雨浩修为不强，但两个技能合力，瞬间产生出的攻击力却依旧让全身魂力弥漫护体的徐三石吃了亏。

从霍雨浩到徐三石的距离，大约在三十米左右，正好在他的灵魂冲击魂技覆盖范围内。

不仅如此，在施展这个技能之前，霍雨浩还用精神探测与精神共享两个技能为贝贝找到了徐三石的破绽。

可以说刚才那短暂的刹那，却是霍雨浩成为魂师之后的巅峰表现。连续三个魂技加上紫极魔瞳，硬是扭转了一场势均力敌的战斗。

时间回到比赛开始前，贝贝和唐雅比出的那几个手势就是让她告诉霍雨浩帮忙。而唐雅告知他霍雨浩精神探测共享的距离之后，才是贝贝为什么会在分明没有机会的时候向徐三石发动进攻。

这场胜利，是应该属于贝贝和霍雨浩这师兄弟二人的。

除了唐雅和场中的贝贝之外，就只有王冬感受到了。霍雨浩在动用魂技的时候，虽然已经刻意控制着魂环出现在脚下，没有向上升腾，但魂力波动又怎能瞒过他身边的王冬？

王冬清楚地看到，霍雨浩眼中先是出现了淡金色，紧接着那淡金色瞬间变得浓郁了，最后，眼底紫光一闪，下一瞬，他就直接歪倒，倒向了自己。

王冬下意识地抱住霍雨浩时，场内的比赛已经结束了。

"他，他这是怎么了？"王冬吃惊的问道。

看着霍雨浩倒下，唐雅也是吓了一跳，她赶忙检查了一下霍雨浩的状态，这才松了口气，"魂力透支，没事。我们走。"做了坏事，还是早点离开的好。而且，唐雅也在

心中疑惑，小雨浩的精神探测共享作用竟然这么大？贝贝原本的意思只是让他帮助占据主动权而已啊！

贝贝和徐三石修为不相上下，谁能占到先机，胜率就大得多了，却没想到竟是一击制胜。

霍雨浩确实是太疲倦了，一天的体能训练，再加上多次施展自己的精神技能，这一次精神透支让他昏迷得很彻底，一时半会儿是醒不了了。这也是身体的自我保护。

唐雅和王冬一起将霍雨浩架回了宿舍，到宿舍门口时，贝贝追了上来。用魂力帮霍雨浩调理了一下身体后，摸出一个瓷瓶，从瓷瓶内倾倒出一枚丹药塞进霍雨浩口中。

"小兄弟，拜托你好好照顾他。"高年级学员是不能进低年级学员宿舍的，这是校规。所以，贝贝就只能拜托王冬了。

王冬目光有些发呆，他出身名门，见多识广，刚才很清楚地看到了贝贝倒出的那枚丹药的样子。

那是一枚深蓝色的丹药，足有樱桃大小，上面有着许多深浅不一的白色纹理，在倒出瓷瓶之后，丹药周围更是弥漫着一层淡淡的水雾。带着几分清新味道的香气残留在空气中，闻起来沁人心脾。

那是玄水丹？不会吧。王冬心中大吃一惊。

不只是他，就连宿舍门口处一直懒洋洋躺在那里的老者，眼眸也微微开合了一下，然后才又恢复到原本的状态。

唐雅向王冬道："小正太，小雨浩醒了后记得告诉他，明天别忘记去卖鱼，回头我再给他准备一份今天的那些东西。"

贝贝没好气地道："你就知道吃，今天差点害了小师弟。"

唐雅哼了一声，道："你少来这套，我看你是早就跟在徐三石背后想坏主意呢，那家伙笨得很，果然上当了，正好被你抓住机会。"

贝贝一脸无辜地道："刚想睡觉就有人给送枕头，我有什么办法？只能说小师弟运气不错。走啦，回去修炼。我记得某人说我揍了徐三石就让我亲一下的。说话要算数。"

唐雅向他吐了吐舌头："我说的是揍得他生活不能自理，你有吗？修炼、修炼！"

王冬突然道："唐雅学姐，请你考虑一下，我真的想要加入唐门。"

唐雅点了点头，向他挥挥手，而贝贝则流露出若有所思之色，向王冬笑笑，拉着唐雅转身而去。

王冬扶着霍雨浩回了宿舍，将他放在床铺上，脑海中还是浮现着贝贝临走时给霍雨浩吃的那枚丹药，他轻轻摇摇头，又狠狠地瞪了霍雨浩一眼，喃喃地道："看了不该看的也不怕长针眼，活该你睡硬板床。"一边说着，他自己跳上床，盘膝开始冥想起来。今天的体能锻炼对他也同样很有效果。

霍雨浩这一觉睡得格外香甜，自从加入唐门之后，他一直都在苦修玄天功，这还是第一次踏踏实实地睡上一觉。

睡梦中，他只觉得自己仿佛浸泡在一个清爽的水池之中，那种舒爽通透的感觉险些令他呻吟出声。

闭目冥想不久，王冬就重新睁开了眼眸，惊讶地看向对面床铺上的霍雨浩。他是感受到空气中浓郁的魂力波动这才被惊醒的。

果然，那浓郁的魂力波动就是从霍雨浩身上传出的，此时早已进入夜晚，黑夜之中，霍雨浩身上散发出的淡淡蓝光分外明显。能够看到，在他身体表面似乎飘浮着一层淡淡的水雾，水雾弥漫之中，还散发着淡淡的清香味道。

王冬从自己床上跳下，悄悄地来到霍雨浩床边蹲下仔细观看。他发现，霍雨浩的皮肤似乎在轻微地波动着，在波动中，不断有一些细微的气流从他毛孔中散发出来，这就是他感受到的魂力波动了。而那淡蓝色的水雾却不断顺着毛孔涌入、再涌出。随着时间的推移，水雾的颜色渐渐变得深了几分，清香的味道却渐渐淡了。

"玄水丹，竟然真的是价值万金的玄水丹。贝贝学长怎么会随手塞给他这样一颗珍贵的丹药啊！难道是拿错了？"王冬吃惊地自言自语道。

短暂的吃惊之后，王冬刚打算回到床上睡觉，却突然想到了什么，有些无奈地走到霍雨浩床边，向他比了比拳头，哼了一声，"让我有床都不能睡，哼，你等着。"一边说着，他卷起自己的铺盖，收入随身的储物魂导器之中，悄然出了宿舍，不知道跑哪里去休息了。

就在王冬走后不久，霍雨浩身体周围的水雾散发出的味道渐渐从清香转变为腥臭，

颜色也是越来越深，而霍雨浩的呼吸也随之变得越来越平缓了。

这一觉，霍雨浩睡得实在是太香甜舒爽了。他是被一股黏腻的感觉弄醒的。意识才一恢复，他就忍不住打了个大大的喷嚏。

"我靠，臭死了，这是什么味道啊！"霍雨浩一翻身就坐了起来，下意识地就以为是王冬在搞怪。

但是，当他睁开双眼向对面床铺看的时候，却发现那里空空如也，王冬根本就没在寝室内。

外面天色依旧黑暗着，但霍雨浩很快就发现了不对，因为在他眼前，寝室内的一切都是纤毫毕现，丝毫没有受到黑暗的影响。

这样的视力他以前也可以，但那却是必须要催动魂力，释放出灵眸武魂时才行的。可现在他根本没动用武魂啊！

低头看时，他发现自己身上的校服竟然变得漆黑一片，那恶臭的味道也正是从校服上传来的，没有校服覆盖的地方，自己皮肤表面都多了一层漆黑的污垢，感觉上，就像是掉进了淤泥里又被拉上来扔在这里似的。

"王冬没这么恨我吧？"霍雨浩有些无语地看着自己的身体，当他起身时，又发现在自己的木板床上也均匀地密布着一层黑色的污垢。

这究竟是怎么回事？

身上和床上的味道实在是太难闻了，霍雨浩顾不上仔细思考，一翻身就下了床，先把寝室的窗户推开，然后迅速冲出了房门，直奔楼道尽头的洗手间而去。

他身上的污垢还有一种油腻腻的感觉，再加上清理床板、洗衣服，足足折腾了小半个时辰才搞定。

重新坐回床板上时，霍雨浩一脸摸不着头脑的样子。算了，不管了，明天问问王冬自然就知道了。这都睡了大半夜，浪费了不少时间，还是赶快冥想修炼吧。

一边想着，他盘膝坐好，开始催动体内魂力按照玄天功的运行路线修炼起来。

三秒，才进入冥想三秒，霍雨浩就猛地睁开了眼睛，灵眸瞪得大大的，眼中满是不可思议之色。

"我、我是在做梦么？"霍雨浩呆了呆，然后又赶快闭上眼睛。

又是三秒，当他再次睁开眼眸的时候，脸上已经满是狂喜之色。

是的，令霍雨浩不敢置信的事情发生了，就在他进入冥想状态催动魂力运转之时，感受到了前所未有的状态，如果说他以前魂力运转的时候，就像是蜗牛爬一般。那么，现在至少也是蜘蛛爬的速度了。魂力运转至少快了三到五倍之多。而且，魂力本身也比之前增强了一大截，运转起来更是十分通畅。

在魂力运转的过程中，更有一种前所未有的力量感传遍全身，似乎所有经脉都张开了一般，那种感觉实在是太美妙了，四肢百骸都有种再生长带来的麻痒感。

霍雨浩有些迫不及待地重新闭合双目，催动魂力运行起来。事实证明，一切都是真实的。原本魂力按照玄天功修炼的线路运行一周最起码也要半个时辰左右，而这一次，霍雨浩却只用了不到四分之一的时间就完成了。而且，体内魂力的增长幅度比以前也要多了几倍，再不是那种一丝一丝的增加，而是一缕一缕的进化。

同时，通过冥想修炼，霍雨浩发现，自己全身经脉变得前所未有的通畅，以前闭塞、纤薄的地方，都被拓宽加厚了许多，经脉隐隐有了一种柔韧的弹性，增加了许多的魂力冲击在上面，根本不会出现任何危险。

一夜之间，难道自己竟是脱胎换骨了么？

此时的他，甚至不愿意多做思考，从六岁那年开始修炼至今，他还从未有过如此直接的提升感，好不容易抓住了这种感觉，他说什么也不愿意放弃，只是不断地催动魂力运行，玄天功的运转速度竟然还在隐隐地增加着，而他体内经脉在玄天功的滋润下，又开始出现了那种暖融融的舒适感。

霍雨浩也不知道自己的魂力运行了多少个周天，直到外面天色渐渐亮了，远处天际露出一抹鱼肚白的时候，他才从冥想状态中清醒过来。

盘膝半晚的双腿没有任何僵硬麻痹的感觉，只是微微一动，就到了窗前，眺望着远处东方渐渐出现的紫气，霍雨浩体内的魂力自然而然地运转到灵眸之中，开始修炼紫极魔瞳。

身体的变化与魂力的提升似乎令一切都变得不同了，当他那双灵眸注视着东方升起的那一层紫气，开始修炼之时，霍雨浩清晰地感觉到，自己脑海中似乎有什么东西破开了似的，灵眸内隐隐产生出一种无形的吸力，对着那鱼肚白中闪过的一抹紫意如同长鲸

吸水一般吸收起来。

双眸表面一片温热，而内部却又是一片清凉。霍雨浩只觉得他的精神力无形中向四面延展开来，很快就超越了他原本的极限，一直蔓延到直径四十米左右才停了下来。在他眼眸中那层紫意深湛了许多，就连他的皮肤都多了一层莹润的光泽，整个人的精、气、神和昨日相比已经完全不同。

长长地呼出一口体内浊气，完成了紫极魔瞳的修炼，周围的一切变得越发清晰了，霍雨浩只是意念一动，魂力已经收回，灵眸也重新恢复了正常。只是他那双深蓝色的眼眸也变得越发明亮了。

他知道，在自己身上一定发生了什么事，不然的话，就算是修炼半年都未必能有这么巨大的提升。

正在霍雨浩心中充满疑惑的时候，寝室的门开了。

王冬从门缝处探头进来，先用鼻子闻了闻，确认寝室内没有任何异味儿，这才抱着铺盖卷施施然地走了进来，把铺盖往床上一扔，没好气地对站在那里的霍雨浩道："你倒好，来个脱胎换骨，却弄得我有家不能回。哼，今天的早饭，你请了。"

霍雨浩一脸疑惑地看着他道："王冬，到底发生了什么事？为什么我醒过来时会一身污垢，而我的修为又提升了不少。甚至真的像你说的，有种脱胎换骨的感觉。"

王冬手腕上一个古朴的金色手镯上光芒一闪，一个圆形的金属球就到了手中，抛给霍雨浩。

"先看看你的魂力提升到什么程度了。我这个测试魂导器能够测试出十级到三十级的魂力。你把魂力注入进去就行了。"

"哦。"霍雨浩答应一声，握住那金属球，缓缓将魂力倾注其中。

金属球开始时散发出一层淡淡的黄色光芒，渐渐地黄光向外扩散开来，金属球表面更是升起了一个数字，先是固定在十一，然后飞快地跳动了一下，变成了十二。黄光继续向外扩散，那数字十二也开始渐渐地颤抖起来，但霍雨浩此时已经用出了全力，终究没能让那数字再次跳动。

王冬也是一脸的惊讶，"不愧是玄水丹啊！一夜之间竟然让你的魂力提升了接近两级。你现在已经是十二级巅峰的水准了，距离十三级也只是一步之遥而已。"

霍雨浩瞪大了眼睛："你说的是真的？玄水丹是什么？"

王冬从霍雨浩手中抢过测试魂导器，哼了一声，道："我这东西测试准确得很。骗你对我有什么好处。说起来，你应该感谢贝贝学长，他和你是什么关系啊？竟然随手就塞给你一颗价值万金的玄水丹吃。我很怀疑他是拿错了丹药。"

看着霍雨浩一脸的疑问，王冬解释道："玄水丹是一种十分神奇的丹药，据说是一个水属性武魂宗门所特有的。但我也不知道具体是哪个宗门。玄水丹在炼制时，大概要使用十几种水属性魂兽的精血以及数十种水属性的植物，经过特殊的调配才能炼制完成。水有洗涤的作用，玄水丹本身不但大补，能够提升魂力，而且药性十分温和，无论是什么级别的魂师都能很好地吸收药效。对于二十级以下的魂师来说，它至少能够提升一级魂力。但它最珍贵的地方还不在这里，而是那洗筋易髓的功效。"

"我们平时洗澡，洗涤的是身体表面的污垢，而玄水丹清洗的，却是我们身体里面的杂质。这玄水丹对于任何人来说都有作用。对于天赋极好的魂师来说，更多的只是增幅和锦上添花。但对于那些天赋普通的魂师来说，那就是雪中送炭了。驱除体内杂质，滋润经络。一枚玄水丹，至少可以帮助一名普通魂师的潜力提升相当于先天魂力一级。也就是说，如果你的武魂觉醒时先天魂力只有一级，那么，服用一枚玄水丹后，就会变成两级。这可是天赋与体质的增幅变化。"

王冬并不知道的是，他打的这个比方还真的说中了，霍雨浩的先天魂力就是一级啊！

但是，霍雨浩却明显能够感觉到，自己在玄水丹洗筋易髓之后，那脱胎换骨的感觉决非只是提升了先天魂力一级那么简单。他的修炼速度实际上差不多提升了四倍啊！虽然还是不能跟王冬、贝贝他们这些天才魂师相比，但至少也能等同于一名普通魂师了。而不再像以前那样修炼艰难。

"大师兄……"

霍雨浩的眼眶不禁有些湿润了，是大师兄给了自己那价值万金的玄水丹啊！这份情谊，被他深深地记在了心中。

霍雨浩的运气真的很好，王冬对玄水丹的介绍一点错都没有。按照正常情况下，玄水丹的提升就是如同他所说的那样。

147

但是，霍雨浩服用玄水丹的机会却是恰逢其时。经过了昨天一天的苦修，他的身体得到了超越极限的磨炼，就像是服用玄水丹之前完成了一次彻彻底底的热身一般。而且，他对玄天功的明悟也让玄天功本身就浸润了他的经脉，让经脉也全都处于一种被温养的状态之中。霍雨浩精神消耗过度，整个人是在陷入昏厥状态中服用玄水丹的，这样一来，他就不会刻意去控制，玄水丹的药效均匀地在他体内发挥出来，相当于玄水丹的滋润效果完美地被他身体所接受了。

还有一点更为重要的是，玄水丹本身是水属性丹药，而天梦冰蚕带给霍雨浩的第二武魂是冰，本身就是一种水的表现形态，这就让他吸收玄水丹更为有利。

伴随着玄水丹对他身体的改造，天梦冰蚕封印在霍雨浩体内的那十团庞大本源之力的第一团，也终于裂开了一道缝隙，溢出一部分能量与他的身体相结合。因此，和霍雨浩的魂力提升相比，他的精神力提升其实更加巨大。这也是为什么他的精神感知从三十米扩张到四十米的原因。

可以说，这一枚玄水丹调动了霍雨浩身体全方位的提升，才有了这么大的变化。对他未来的修炼，更是有着巨大的好处。甚至连紫极魔瞳都随之进化了。

紫极魔瞳有四重境界，纵观、入微、芥子、浩瀚。霍雨浩以灵眸修炼紫极魔瞳，本身就是事半功倍。在玄水丹提升的同时引动了天梦冰蚕的本源之力，就在他先前修炼紫极魔瞳之时，这股天梦冰蚕的本源之力对天际紫气产生了虹吸效果，从而让霍雨浩的紫极魔瞳直接从纵观跳入了入微境界。可以说，他是历史上修炼紫极魔瞳速度最快的一人。甚至超越了唐门的创始人，唐三。

霍雨浩现在还不知道，紫极魔瞳的进阶，让他对于一切精神属性技能的控制力都大大地增强了。再去控制魂技时，魂力消耗的速度将随之大幅度降低。

看着霍雨浩双眸通红，有些发呆的模样，王冬拍拍他的肩膀，道："走吧，吃早点去。我今天要吃双份！"

霍雨浩笑了："行，吃四份都行。"

王冬眼睛一瞪，"你才是猪。"话一出口，两人不禁都哈哈大笑起来。昨晚的尴尬也随之消失了。在这个单纯的年纪，他们还都保持着一颗单纯的心。

第14章
天梦一指

　　昨天烤鱼赚了钱，在跟唐雅去看贝贝和徐三石比赛之前，霍雨浩还没忘记从烤箱里抠出了那枚金魂币。当他和王冬到了食堂的时候，隐然有几分财大气粗的感觉了。

　　这顿早餐吃得格外丰盛，大大地补充了身体所需。他们是最早来到食堂的，直到吃完饭，还没有多少学员到来。

　　"距离上课还有一会儿，我们回宿舍吧。"霍雨浩拍拍满足的肚皮，伸展了一下自己的身体，一脸的舒爽。

　　自从来到史莱克学院之后，他的心情也渐渐开朗起来，在这里，他终于有了朋友，更有了关心自己的小雅老师和大师兄贝贝，相比在公爵府时那种一切都是冰冷的氛围要好得太多了。

　　王冬道："你省省吧。又要回去修炼。弦绷得太紧是会断的。该放松也要放松放松才行。走啦，我们到海神湖边去走走，放松一下，玄水丹刚帮你提升了不少修为，也不在乎这一会儿了。"

　　"好吧。"霍雨浩痛快地答应下来，入学几天，他还没有去过海神湖，而且距离上课地点确实也不远了，去走走也好。

　　两人出了食堂，绕过新生教学楼，顺着史莱克广场南边向东而行，不一会儿就来到了湖畔小径。

从小径旁的树林中穿过，波光粼粼的海神湖就呈现在他们眼前。

一股柔和的水汽混合着清新空气扑面而来，海神湖虽然只是一座人造湖，但湖水却极为清澈，湛蓝色的湖水蓝的纯净、蓝的深湛，也蓝得温柔恬雅，那蓝锦缎似的湖面上，起伏着一层微微的涟漪，像小姑娘水灵灵的秋波，映出了蓝天白云的倒影和湖畔成荫的绿树。

"好美啊！"王冬忍不住深吸口气，用力地舒展了一下身体。

他将身体舒展开来的时候，上衣难免被抻拉向上，露出了浑圆挺翘的臀部。霍雨浩绝不是刻意注视到那里的，但无意间的一扫却又一次提醒了他昨天看到的白花花……

有些尴尬地扭过头，向海神湖远处看去，这海神湖占地面积极广，恐怕还要超过史莱克广场以西的史莱克学院主校区。远处水面上，还有一层蒙蒙雾气。

霍雨浩的紫极魔瞳进化之后，灵眸的视觉再次大幅度提升，尽管没有催动魂力注入灵眸之中，也依旧能及远。他隐约看到，在远处湖面的水雾之间，似乎有一栋栋房舍的样子。联想起小雅和贝贝的描述，他不禁心中暗想，那边应该就是内院吧。

大师兄这么优秀的魂师都还只能在外院学习，那内院的学长又要强大到什么程度啊！

"咦？"就在霍雨浩心有所想的时候，突然间，他似乎看到了一个红点出现在湖中水雾之中。

"怎么了？"王冬疑惑的问道。

霍雨浩指着自己看到的方向："你看，那边好像有一个红点。"

王冬顺着霍雨浩手指的方向看去，却只是看到一片水雾而已，"哪有？"他才刚刚质疑霍雨浩的话，下一刻却是瞪大了眼睛，他也看到了，什么红点，那分明是一道红色身影，正以惊人的速度在水面上奔驰，而且看那样子，竟然是朝着他们这个方向冲来的。

霍雨浩和王冬对视一眼，同时惊呼道："内院学长？"

那红色身影的速度实在是太惊人了，就是这么一会儿的工夫，他就已经冲到了湖水中央，脚尖每一次在湖面上点动，都会带起一片涟漪，但他也就是借助那轻微的浮力不断加速，就像是一团红云般急速前飘。

离得近了，霍雨浩也更能看清了，那红色身影不只是身上衣服是红色的，就连头发也是血红色，身材修长，但全身散发着一种凛冽凶威，就像是一头恐怖的魂兽一般。脸上戴着一个同样是红色的面具，就连眼睛都是血红色的。

他身体周围的空气微微扭曲着，所过之处，脚下甚至有一片片水雾荡漾开来。

"这学长看上去很强啊！你看，他都没释放武魂就能在湖面上奔跑。"王冬一脸兴奋地向霍雨浩分析着。

霍雨浩修为不如他，但感知却要敏锐得多，"王冬，我怎么觉得有点不对啊！"

那红色身影来得实在是太快了，就在他们交谈的工夫，已经接近了岸边百米范围内。一股恐怖的高温瞬间席卷而来，霍雨浩和王冬眼中同时流露出了骇然之色。因为他们同时感觉到那位学长身上爆发出了一股难以形容的疯狂气息，那绝不是正常人应该出现的。

刷的一声，湛蓝的双翼在王冬背后张开，他一把抓住霍雨浩，就想向空中飞起。但就是这么一个动作，那红色身影就已经到了近前。

恐怖的高温瞬间迸发，王冬和霍雨浩只觉得自己仿佛被一片火海覆盖了一般。王冬背后张开的双翼刹那间就变得卷曲了，再也飞不起来，二人同时坠落在地。周围数十米范围内的所有植被全部在瞬间变成了焦黄色。

修为差距实在是太大了，王冬还想试图释放自己的魂技，但他的魂力才刚刚催动，立刻就遭受到了那恐怖热力的冲击，闷哼一声，直接陷入了昏迷。

霍雨浩的修为还不如王冬，但是，千万别忘了，他还有一个未成形的武魂是冰。

受到外界高温的强烈刺激，这冰属性武魂立刻就被激发了，但霍雨浩那十二级巅峰的魂力却只是在一秒之内就被外界的灼热消耗得一干二净。而且，那红色身影的一只大手已经悍然向他拍了过来。

只是身体周围的温度就已经如此可怕了，要是被他正面拍中，岂不是会死得很惨、很惨？

霍雨浩最后能做的，就是发起一次灵魂冲击。但是，双方的差距实在太大，他的灵魂冲击甚至连那层浓烈的火属性气息都未能冲过就在热量中消散了。眼看着，他就要在那灼热的巨掌下灰飞烟灭。

就在这时，霍雨浩眼前突然变得一片空白，周围的一切都变得模糊起来。

死了么？我这就要死了么？在死亡来临的这一刻，他心中有的并不是不甘，因为这

一切实在是太突然，因此，他此时只有茫然。

景象突然变得清晰了，霍雨浩看到了奇异的一幕，他看到了自己……

如果王冬现在还醒着，那么，他必定能够看到无比震惊的一幕。

就在霍雨浩即将被那火焰巨掌吞噬的瞬间，他那双灵眸的颜色突然变了。闪烁着淡淡金光的深蓝色眼眸在一刹那就变成了白色，宛如万载玄冰一般的白色。

一股极致寒气骤然从霍雨浩身上扩散而出，竟然硬生生地将前方的一切灼热全部驱散，那火红色的身影也是闷哼一声，身体倒卷而坠。

霍雨浩在施展灵眸时，脚下升起的魂环是白色的，而此时，白色的魂环竟然变成了无比灿烂的金色。刺目金光闪耀，就像是一轮朝阳从他脚下升起一般。

以霍雨浩的身体为中心，直径百米范围内，瞬间化为一片冰雪世界。就连前方的海神湖都冻结了。

那红色身影似乎在剧烈地颤抖着，空气中，恐怖的威压不断凝聚，霍雨浩的右臂缓慢地抬了起来，他的右手食指不知道什么时候已经变成了冰蓝色，眼中白光闪耀。阴沉的声音直接在空气中响起。

"敢动哥选中的人，敢吵哥睡觉。去死吧。"

食指向前点出，顿时，一道冰蓝色的光线在空中一闪而没，直奔那红色身影而去。

红色身影身体周围的温度在霍雨浩散发的极致寒意作用下急剧下降，或许是感受到了危机的来临，他身体猛地一挣，紧接着，一声嘹亮的凤鸣骤然响起。

就从他的背后，一只巨大的火凤凰悬浮而起，两黄、两紫、两黑，六个魂环也随之升腾而起。魂帝级强者！

六个魂环中，第二、第三、第六，三个魂环同时闪亮。身后的火焰瞬间变成了暗红色。一道细如手指般的火线从那火凤凰口中喷出，与霍雨浩右手食指射出的冰蓝色光线碰撞在一起。

"哧哧——"一连串奇异的声音响起，火线瞬间溃缩，那巨大的火凤凰猛然前扑，用它那庞大的身体挡在了红色身影前方。

剧烈的轰鸣声中，火红色的身影倒卷而回，全身都弥漫上了一层冰蓝色，直接摔入了远处的海神湖之中。湖水中顿时升腾起大量的白色水雾。

霍雨浩刚要追击，脚下却停顿了一下，先前出现过的声音再次响起，"讨厌，又有人来了。咦，这小家伙的身体素质进步很快啊！看来可以再多给他一点力量了。我遁。"

金色光环迅速淡化，化为白色消失，周围的一切寒意也在瞬间隐去，湖水迅速恢复了正常。霍雨浩散发着浓烈寒意的白色眼眸变回正常，身体一软，瘫倒在地。

前一刻还有着恐怖魂力波动的海神湖畔，此时却已经完全恢复了平静。岸边，只有霍雨浩和王冬倒在地上昏迷不醒。

远处，海神湖深处，十多道身影以惊人速度而至，只是几次眨眼的工夫就来到了岸边。

"不好，伤了外院的学员。"为首的是一名身穿白衣的老者，他在半空中突然一步跨出，就像是穿越了空间一般，来到霍雨浩和王冬身边。双手一引，两人的身体顿时悬浮起来。

"还好，只是昏厥了。并没有受到什么伤害。李老师，你给他们治疗一下。"

"是。"另一名白衣中年人闻言赶忙上前，接过霍雨浩和王冬，如果霍雨浩和王冬还清醒着的话，那么一定会认出，这位李老师就是昨天施展生命之树武魂，为他们全班进行恢复的那位魂圣级强者。

魂环绽放，一圈圈绿色光晕围绕着霍雨浩和王冬的身体悄然浸润着，神奇的一幕出现了，周围那些枯萎的植物竟然以惊人的速度恢复着，隐约中能够看到，海神湖畔大范围的植被都散发出淡淡的绿色光芒向霍雨浩和王冬的身体涌来，缓缓浸入他们体内。

"小桃在这里。"

哗啦一声水响，一名白衣人从水中捞出了先前坠入海神湖的那名红衣人。

红衣人全身已经湿透了，露出了曼妙的身形，看那样子，竟然是一名女子。

白衣老者来到她身边，右手按在她肩膀上，能够看到，浓郁的白色魂力以惊人的速度涌入那红衣女子体内。

"奇怪啊！"白衣老者眉头皱起，似乎有什么事情想不明白。

"李老师，那两名外院学员情况如何？"他扭头向为霍雨浩和王冬治疗的老师问道。

那位李老师道："没什么问题，很快就能醒来。"

白衣老者松了口气，道："幸好未铸成大错，看来，小桃还是保留了一定神志的。李老师，你送这两名学员回去。叮嘱他们忘记之前看到的事，如果外传就开除。给他们高级补偿。我们回去。"

最后四个字是对其他人说的。他抱起那名红衣女子，身形闪烁，已经化为一道白光向海神湖深处而去。

当霍雨浩昏倒在地的那一刻，他的意识也无法再看到外面的一切了，自然也不知道后来发生了什么。

"这么快就把哥吵醒了。真是讨厌啊！"天梦冰蚕的声音在精神之海中回荡。

霍雨浩呆呆地道："天梦哥，刚才是你出手了？"

天梦冰蚕道："当然是哥，不然，你已经变成烤人干了。那个家伙的火属性真是很强，竟然有一定神兽凤凰的血脉在。不然的话，哥那一指就能灭杀了她。不过算了，她应该是失去神志了。她那火焰有些邪门的，但哥吃了那么多年万年冰髓也不是白吃的，她还差得远呢。小雨浩，你的修炼很顺利嘛，身体素质提升了不少。我在你体内留下的十道封印中，第一道已经开启了一部分。"

"真的么？"霍雨浩大喜过望。来到史莱克学院中，他越来越认识到自己的渺小，见识过那么多强者之后，他对实力越发地渴望了。但苦于自己天赋不佳，只能暗暗努力。此时就连天梦冰蚕也夸奖了他，他怎能不高兴？

天梦冰蚕很是郁闷地道："不过，哥刚才使用了本源之力。这是我的本源精神，从某种意义上来说，就是附加在你魂环之上的智慧。因为只有这样才能先护住你的身体再动用我的力量。而且，你的身体经过了刚才的冲击之后。至少在一年之内不能再被我的力量附体了。你可要千万小心。再遇到这种你完全无法抵挡的对手，咱们两个可是要一起玩完了。好了，不跟你说了，我继续睡去。你赶快努力。等你提升到两环之后，就不用总是麻烦哥了。"

天梦冰蚕每次出现都是这么急匆匆的，霍雨浩本来还想问它一些关于魂技控制的问题，可它已经陷入了沉睡，周围的一切也都暗了下来。

……

王冬先醒了过来，一睁眼，他就看到了身前的白衣中年人。还没等他开口，旁边的霍雨浩也是闷哼一声，缓缓睁开了双眼。

和霍雨浩知道大概情况不同，王冬脑海中是一片茫然，怒道："这究竟是怎么回事？刚才那又是什么怪物？"

白衣中年人淡淡的道："你们已经没事了。关于刚才看到的东西，请你们忘掉。否则会被开除出学院。这两个东西给你们，作为补偿。相信你们都是聪明人。"他一边说着，一边分别抛给霍雨浩和王冬一人一个绿色的东西。

两人下意识地抬手接住。那白衣中年人已经腾身而起，向海神湖中而去，"去上课吧。记住，忘掉之前所看到的一切。"

霍雨浩和王冬面面相觑，呆滞了半响。

"霍雨浩，你说这是怎么回事？"王冬低声问道。

霍雨浩摇了摇头："我也不知道。好像我们碰到了个疯子。"

王冬低头看了一下手里那个绿色的东西，顿时呆了一呆，紧接着脸上就充满了喜色："哇，发达了。升魂丹，居然是升魂丹。"

霍雨浩疑惑地看向手中那团绿色，那是一枚核桃大小的绿色丹药，散发着一股淡淡的清香。表面是碧绿色的，里面似乎隐隐有光晕流转，晶莹剔透，充满了生命的气息。

"升魂丹是什么？和玄水丹一样，是一种丹药么？"霍雨浩问道。

王冬道："是啊！而且是同一级别的丹药。相对来说，玄水丹要更加珍贵一些，因为它有洗筋易髓的功效。但对于修为超过三十级，已经定型的魂师来说。升魂丹却要比玄水丹更好了。因此，升魂丹的价值和玄水丹差不多。你可收好了。据说炼制这种丹药极为不易，没想到刚才那位老师给我们的封口费如此高昂。我决定就当之前的事儿都没看到了。"

霍雨浩道："你说清楚好不好。这升魂丹究竟有什么作用啊？"

王冬嘿嘿一笑，道："就不告诉你，求我啊！"说完，他转身就向新生教学楼的方向跑去。

霍雨浩一阵无语，将升魂丹小心地收入二十四桥明月夜后，这才向王冬追去。一边跑一边喊道："你不告诉我我就去问大师兄。大师兄肯定是知道的。现在告诉我，中午

饭我请了。"

王冬放慢脚步，等他追上来："那我要吃好的。"

霍雨浩掏出自己的全部资产，道："反正我是个无家可归的孤儿，这是我的全部资产，你看着办。"

王冬愣了一下："你、你是孤儿？"

霍雨浩点了点头。

王冬又道："你宿舍床上连铺盖都没有，不是因为要头悬梁、锥刺股的刻苦修炼，是不舍得花钱买被褥？"

霍雨浩道："我觉得留着钱吃饭更重要。食堂的饭菜挺贵的。"

王冬不知不觉间停下了脚步，霍雨浩自然也跟着他停了下来："你干吗？这快要上课了，咱们要赶快过去才行。"

王冬抿紧嘴唇，注视着霍雨浩。霍雨浩被他看得一阵发毛："你这是怎么了？脑子被刚才那家伙烧坏了？"

王冬用鼻子深吸气，再缓缓呼出："霍雨浩，对不起。我不知道你是孤儿，我不该欺负你。"

霍雨浩呵呵一笑，道："你不是也没欺负成么？"

王冬有些恼怒地拍了他肩膀一巴掌："我感动的时候你能不能不要打断我。走吧，去上课。以后你的伙食费我包了。"

霍雨浩摇摇头，道："那倒是不用。小雅老师帮我想了个办法，以后每天放学我去卖一会儿烤鱼，就足够生活费了。回头晚上我请你吃烤鱼吧。"

一边说着，两人再次起步，走向教学楼。一边走，王冬将升魂丹的作用告诉了他。

升魂丹的作用主要是提升魂力，它是由几种天材地宝作为药引炼制而成的。每一名魂师一生之中都只能服用一粒，增幅的魂力大约相当于魂师从三十级提升到三十一级时所需的那么多。一下提升一级魂力，这可是不可多得的好东西啊！但如果多吃就会影响自身未来的修炼潜力了。

而且升魂丹和玄水丹有一点比较相像，因为它本身是以激发潜能提供更多的营养为主，因此，药性也比较温和。只要修为超过十级以上的魂师都能够服用。

"那我要是吃了，能提升多少魂力？"霍雨浩试探着问道。

王冬摇了摇头，道："不知道。我还没听说过谁在十几级的时候就舍得吃升魂丹。这玩意儿在任何级别的拍卖会上都是好东西，而且，很少有人会卖的。据说只有极少数的几位植物系魂师会制作，一年的产量也不超过二十枚。咱们这次真的是走了狗屎运了。看来学院还是公平的，那家伙威胁到了咱们的生命安全，却给了这么个好东西。"

和王冬的赞叹不同，霍雨浩却并没有太多欣喜的情绪，因为他清楚，如果不是有天梦冰蚕在，恐怕他和王冬早已化为焦炭了。要什么丹药都没用。

"那你觉得什么时候吃最合适？"霍雨浩又问道。

王冬道："当然是今天晚上回去就吃了。这种好东西可不能留着。而且，修为早点提升起来，也好早日达到三十级。要是今天我能有第三个魂环，起码不会那么被动，带你飞起来是毫无问题的。"

霍雨浩想了想，也决定今晚回去就吃了这枚升魂丹。玄天功魂力越强，对他体内经脉的温养效果就越好，魂力自然是多提升一些才好。也不知道这一枚升魂丹能够让自己的魂力提升多少。从三十级到三十一级的魂力，起码可以让自己提升两三级的魂力吧。要是那样的话，自己的修为也就差不多十五级了呢。就符合史莱克学院入学的修为标准了。

一想到这里，霍雨浩心中顿时一片火热。他虽然并不自卑，但却充满了危机感。以他原来的天赋，新生三个月之后的第一场考核恐怕很难通过。但这两天的高速提升，却让他看到了希望。无论如何，他都一定要留下来。

和昨天周漪的课程相比，今天的课程对于学员们来说实在是太轻松了。上午、下午全都是理论课。上午是武魂分类课，下午则是魂兽年限识别。

很多学员因为家学渊源的缘故，对这两门课程都不是很重视，但霍雨浩却不同，他听得十分认真。他缺乏的不只是天赋与修为，同样还有知识。

中午果然是王冬请他吃了顿好的，下午一放学，唐雅就来了。

"走吧，小雨浩，我又给你准备了一次。放心好了，今天小雅老师守在你身边保护你。看还有哪个不开眼的敢来欺负你。对了，这个你大师兄让我给你。回头晚上回去吃了。"

一边说着，唐雅又塞给霍雨浩一个瓷瓶。

王冬在一旁看得瞪大了眼睛，这种瓷瓶他昨天刚见过啊！就是贝贝取出玄水丹给霍雨浩服用的那种，一模一样。

这、这是第二颗玄水丹了？玄水丹和升魂丹不同，没有服用的限制，但第一颗效果最好，之后的效果是要递减的。毕竟，每个人体内的杂质都是有限的。提升的魂力又不像升魂丹那么多。

"小雅老师，你考虑我的事儿怎么样了？"王冬一脸热切地向唐雅问道。

唐雅嘻嘻一笑，道："我跟贝贝商量过了。贝贝说，如果你在新生第一次考核中获得了全年级第一名，就吸收你加入我们唐门。"

"好，一言为定。"王冬毫不犹豫地答应下来，唐门的福利实在是太好了啊！霍雨浩这都两枚玄水丹了啊！虽然他自认天赋绝佳，玄水丹对自己没什么用。但说不定唐门还有别的什么好东西呢？更何况，他加入唐门的根本原因还不在福利上。

霍雨浩接过瓷瓶就放入了二十四桥明月夜之中，也没有多问，跟着唐雅就向学院外走去。

王冬赶忙跟上去，道："我也去。霍雨浩，怎么说咱俩也是室友，我先照顾你生意买两条烤鱼。"

霍雨浩呵呵一笑，道："我请你吃吧。"

王冬摇摇头，道："那怎么行，朋友是朋友，生意是生意。我不用你请。我自己买。"一边说着，一边掏出一个银魂币，硬是塞在霍雨浩手中。

他原本还以为自己这是帮了霍雨浩，可等三人一起出了学院大门，王冬才明白，原来倒是自己占了便宜了。

学院门外，至少有超过三十人在等着霍雨浩出来烤鱼，而其中最引人瞩目的，正是昨天在斗魂比赛中输给了贝贝的徐三石。

看到徐三石，霍雨浩愣了一下，唐雅却立刻挺身而出："怎么，不服气啊！要不今天我跟你上斗魂区？"

徐三石没好气地道："你？省省吧。我可不打女人。别捣乱，我今天是来买烤鱼的，可不是来捣乱的。没看到我排第一个么？"

听他这么一说，唐雅的脸色才缓和下来，悻悻地道："买给江楠楠？"

"嗯。"徐三石点了点头。

唐雅取笑道："看不出你还挺痴情的，可惜，人家看不上你。"

徐三石怒道："唐雅，你别惹我啊！昨天让你家贝贝骗得我好惨，我都没找你们算账呢。"

唐雅吐了吐舌头，扭头向霍雨浩道："开始吧，小雨浩。看在某人昨天提供了一些好东西的分上，今天就卖他两条。"

烤炉支起，霍雨浩第二次在史莱克学院门外开始贩卖他的烤鱼，不过，前两条却依旧没给徐三石。对于这个昨天对他动手的家伙他是毫无好感。而且是王冬先付钱的。因此，前两条烤鱼就先给了王冬。

而第三、第四条则给了唐雅。

直到徐三石脸色越来越黑的时候，才拿到了第五、第六条烤鱼。他这才扔下钱转身离去。

"好吃、真好吃啊！原来鱼肉还能这么香。"王冬一边吃着，眼眸中光芒大放，他吃烤鱼的样子和唐雅有得一拼，等两条鱼下肚，他的脸上、手上已经都是油了。

就在霍雨浩这边卖着烤鱼的时候，史莱克学院海神湖湖心岛的一间密室之中，一个人渐渐从昏迷中苏醒了过来。

"嘤咛……"红衣女子身体动了一下，下意识地，右手捂住了自己的胸口，喃喃地道："好热、好难受。我好难过。嗯？"

渐渐地，她睁开了眼睛，她的眼眸是淡淡的粉色，原本的血色已经褪尽，眼神中略微带着几分疑惑："奇怪，怎么不热了？"

猛然翻身坐起，她下意识地低头看向自己，身上原本湿漉漉的衣服已经干透了。她从床上跳下来，一把摘下脸上面具，露出略微有些苍白的瓜子脸。看上去二十岁左右的样子，脸部线条有些冷，但却依旧无法掩盖她那动人的绝色，站直在那里，更是露出丰满得动人心魄的身材，就像是已经成熟的水蜜桃。

"你醒了。"苍老的声音响起，长长地叹息一声，"小桃，这次你险些铸成大错啊！只是不知是否机缘巧合，一股外界的冰属性力量涌入了你的身体，震住了你体内的邪火。你可还记得，在冲出海神湖后遇到过什么吗？"

第15章
三个月

密室中的红衣女子正是险些带给霍雨浩和王冬灭顶之灾的火属性六环魂帝。如果她真的是表面看上去二十岁左右的年纪，那么，她的天赋就已经不能简单地用惊才绝艳来形容了。

二十岁的魂帝，这在斗罗大陆魂师出现后的整个历史上，都能名列前茅，甚至能够与史莱克学院的第一代史莱克七怪相比了。

苍老的话语声属于将她带回到这里的那位白衣老者，听了他的问话，被称作小桃的红衣女子有些茫然地摇了摇头："不记得了，我只记得眼前一片红色，然后好像有什么致命的威胁出现，我奋起反抗，再之后，就回到了这里，就是现在。"

白衣老者眉头微皱来到她面前，沉声道："你体内邪火压制不住怎能不告诉我？你知不知道这次险些酿成大祸，有两名外院学员差点就死在了你的邪火之下。"

小桃呆了呆："我，我也不知道会这么严重。我以为我能控制得住。可是……"

白衣老者长叹一声，道："压抑得越久，爆发时就会越厉害。小桃，从现在开始，你暂缓修炼吧。尽管你是数百年来史莱克学院第一天才，但也不能为了学院而毁了你。如果下一次邪火毁掉了你的神志，老师会后悔终身的。"

小桃倔强地道："不，老师，我要修炼，我保证，以后不会了。我能感觉到，邪火的那份邪异与爆热已经完全被压制住了。短时间内肯定不会再出问题。只是，究竟是什么力量，竟然能够压制得了我的凤凰邪火？"

白衣老者沉思道："那是一种十分极致的冰属性，至寒之力。其纯净程度远超你的凤凰邪火，有些像是上古冰龙的绝对寒冰吐息。这才全面压制了凤凰邪火对你身体的影响，甚至比我们用过的任何方法都要好。"

小桃疑惑地道："可是，根本不可能有上古冰龙啊！更不会出现在咱们学院。难道是有什么人潜入了学院不成？"

白衣老者摇了摇头，道："我已经让人去查了。原本我以为会是那两名学员家里派来守护他们的人。但查过后却发现没有这种可能。那两名学员一个叫王冬，一个叫霍雨浩。霍雨浩是唐门的特招生，我问过贝贝，是他和唐雅在星斗大森林遇到并且带回来的，天赋一般，而且是个孤儿。肯定不会有强者跟随保护他。那个王冬倒是有很大的背景，但是，他的背景却并非是冰属性武魂擅长。至于学院里，我早就查过很多次，拥有冰属性武魂的学员、老师不少，但这种极致的冰属性武魂却从未得见。真是奇怪。"

小桃道："老师，算了。您也别查了。"

白衣老者道："这事关你的未来，我怎能不急？如果能够找到一名极致冰属性武魂的拥有者，还是男性的话。让他和你成为良配，就能化解你体内邪火凤凰武魂所带来的负面影响，只有那样，你才能在未来真正的一飞冲天。而现在，你已经完全受到制约了。不但修炼速度下降，甚至还会危及到生命。"

小桃俏脸一红："我才不要嫁人，更不要为了武魂而嫁给一个不喜欢的人。"

白衣老者叹息道："问题是，邪火上来压不住啊！"

小桃哼了一声，道："我会压住的，我就是不嫁人。"

白衣老者怒道："马小桃，你再任性我就不认你这个弟子了。"

马小桃一看白衣老者发怒了，顿时老实了许多，委委屈屈地道："可是，老师，我……"

白衣老者摸摸她的头："傻丫头，感情是可以培养的，生命却只有一次。更何况你是这么优秀。无论如何，老师都会给你找一个好的归宿。"

……

"楠楠，我给你买了昨天那个小子的烤鱼。你放心，我可没用什么暴力手段，我是

排队买的。"徐三石挡在正准备去食堂的江楠楠面前，一脸殷勤地说道。

江楠楠摇了摇头说："不用了，谢谢。"

徐三石试探着问道："你是觉得我昨天太暴力了？其实，我平时不是这样的，只是因为你，我才会……楠楠，我知道你因为当初的事而心存芥蒂。可是，我们能够在史莱克学院重逢，不也是一种缘分么？我是真的喜欢上你了，而且我保证会对你从一而终。"

江楠楠冷淡地道："我记得我对你说过，那次见面之后，我们各取所需、各奔东西。我和你之间，没有任何交集的可能。徐三石，你是高高在上的贵族，又何必非为我一个小女子呢？我什么也给不了你。请你以后不要再干扰我的生活，否则，我会向学院反映。也请你不要再因为我去欺负别的学员。"

说完这句话，她扭头就要走，却被徐三石一横身拦住了，怒声道："我欺负别的学员？你不知道我被贝贝那家伙欺负得多惨？昨天那个烤鱼的是他的小师弟，他借着机会骗走了我两颗玄水丹。唐雅还给了我一记龙须针，现在我腰上还淤紫一大片呢。我有什么不好的？你就是不肯给我一次机会。"

江楠楠冷声道："你小小年纪就去过那种地方了，你又有什么好的？"说完，她转身就走，这一次，她是直接弹身而起，身上三个黄色魂环闪烁，隐隐看到她的耳朵似乎变长、竖起，但身材也显得更加修长了。一双长腿只是略微发力，一个闪身就到了十米开外，头也不回地迅速离去。

看着她的背影，徐三石发了会儿呆，然后才恶狠狠地咬了一口手上的烤鱼，"徐三石，你真没出息。有什么了不起的，我自己吃。咦，这烤鱼味道还真不错。"

……

"霍雨浩，没想到你烤鱼的水平这么高。这样好了，以后每天晚上我请你吃饭，你请我吃烤鱼，怎么样？"王冬回味着烤鱼的浓香鲜美，一脸兴奋地说道。

霍雨浩失笑道："你总不能每天晚上都吃烤鱼吧？再好吃的东西吃得多了也会腻的。"

王冬道："没事，我不在乎。先吃过瘾了再说。就这么定了，明天晚上我要吃四条，两条真不过瘾啊！而且，你看今天还有那么多排队的人，我觉得，你应该再多加一些。反正也耗费不了太长时间。不然的话，还没等你卖，就都被内部消化了。”

此时两人卖过烤鱼之后已经收摊返回宿舍区，又在食堂吃过了晚饭后就回到了寝室之中。

“大师兄又给了我一颗玄水丹，王冬，你说我是先吃这个，还是先吃升魂丹比较好？”霍雨浩摸出玄水丹和升魂丹，向王冬询问道。王冬在丹药方面显然比他要见多识广。又获得了两枚珍贵的丹药，霍雨浩的心情着实有些急切，将这两枚丹药转化为自身修为的话，他就不会再落后于同班的其他学员了。

王冬想了想，道："要是我建议的话，你最好这两颗都先别急着吃呢。"

"为什么？"霍雨浩一脸疑惑地问道。

王冬道："你想啊，昨天你刚服用过一枚玄水丹，体内杂质已经被排出了许多，玄水丹的药力总会在你身体里停留一段时间，伴随你的冥想而消化。这时候你再服用其他丹药，虽然效果也会不错，但终究会浪费一些药力的。玄水丹和升魂丹都可以用天材地宝来形容。这么珍贵的丹药当然要物尽其用。我建议你先修炼个十天左右，等身体将第一枚玄水丹的药效完全吸收之后，再服用第二枚玄水丹，进一步改善自己的体质，同时提升魂力。等两枚玄水丹的药效都吸收完毕后，你的体质、经脉都会有不小的进步。身体通畅了，再服用升魂丹，自然能够得到最大的好处了。"

听了王冬的分析，霍雨浩深觉有理，道："谢谢你，幸好你告诉我了，要不我也不知道该怎么服用才好，那你呢？今天就吃？"

王冬点了点头，道："我已经是二十一级了，体质、经脉都处于极佳状态，吸收升魂丹自然是再适合不过。我这就吃，有一晚的时间足以消化药力了。嘿嘿，明天我至少也是二十二级，甚至是二十三级呢。小雅学姐不是说等我获得了新生第一次考核全年级第一名时，就让我加入唐门么？吃了这升魂丹，我的把握就大得多了。好啦，我现在就开始了，你自己修炼吧。"

他一边说着，一边将那核桃大小的升魂丹取出送到嘴边，轻轻地咬了一口，顿时，一股极为浓郁的清新香气从那丹药中喷薄而出，王冬轻轻一吸，顿时，一股绿色的汁液从破口处被他吸入腹中，就连丹药外壳也没有放过，直接放在嘴里咀嚼了几下吞咽下去。

此时，寝室内弥漫着一种万花丛中般的大自然醇香，霍雨浩只觉得脑海一清，全身三万六千个毛孔都随之张开了一般，一种难以形容的亢奋感传遍全身，他不敢怠慢，赶忙盘膝坐好，借助体内魂力完全被调动的契机修炼起来。

经过玄水丹的洗筋易髓，霍雨浩觉得现在的修炼对自己来说根本就是一种享受啊！很快他就进入到了入定状态之中。玄天功在体内自如运转，浸润着他的身体，同时也在缓慢却稳定地提升着。

王冬身上渐渐浮现出一层淡淡的青碧色光芒，浓郁的清新气息始终在房间内回荡，被霍雨浩吸收一部分，更多的则是伴随着王冬自己的呼吸吞吐而吸入。在升魂丹的刺激下，他的魂力正在以惊人的速度提升着。

经过开学前两天的波折之后，霍雨浩的学院生涯稳定下来，而且渐渐变得小有名气了。他的名气自然不是来源于实力，而是来源于他那一手烤鱼绝技。几乎所有吃过霍雨浩烤鱼的学员、老师，无不是赞不绝口。

霍雨浩的烤鱼从最初的每天二十条增加到了三十条，但却依旧远远不能满足学员们和老师们的需要。但他不肯继续增加了，毕竟他要将更多的时间留给修炼。

为了吃到一条烤鱼，很多学员一放学就冲出来排队，而且，因为烤鱼的紧俏，不得不变成每个人限购一条。但就算如此，霍雨浩也始终未曾涨价，受到了学员们的一致好评，也认识了不少朋友。

外院第一美女江楠楠终于还是吃上了一次烤鱼，那是她自己排队买到的。更有趣的是，徐三石虽然没能成功用烤鱼取悦江楠楠，但他自己却喜欢上了这个味道，成为了霍雨浩的忠实客户。

转眼间新生最初的三个月学习已经过去了。在周漪严格到变态的指导下，新生一班可以说是完全变了样子。但令学院高层都有些震惊的是，由周漪作为班主任的新生一班，经过了三个月的洗礼之后，居然还剩下六十七个人之多。这和学院预估的仅存三分之一学员的数量大相径庭。

如果说这三个月来，新生一班变化最大的学员是谁，那么，毫无疑问就是霍雨浩了。

刚入学的时候，他的魂力不过是十一级而已，更是刚刚拥有魂环不久，自身能力绝

对是全学院倒数第一，毫无悬念。

但是，三个月后的今天，霍雨浩却完全变了样子，而且，自从当上了新生一班的班长之后，这个位置从未有人跟他争夺过。

不是因为霍雨浩自身实力惊人，没有人能赢他，而是因为他那份精神让所有新生一班的学员们都发自内心地敬佩。这也是为什么新生一班在周漪这么严厉的执教下却依旧能够剩余三分之二学员的重要原因。

霍雨浩真是太刻苦了，几乎所有给新生一班上过课的老师都知道新生一班有这么一名学员存在。无论是什么时候上课，上午还是下午，无论是什么课程，总有一双眼睛始终注视在老师身上，聚精会神地聆听着老师们的讲解。

他的天赋并不如何出色，他的能力也并不是多么强。但是，他却永远都是最认真的那一个。

周漪的严格在全学院是首屈一指的，但就算是她，也从霍雨浩身上挑不出任何的毛病。她那残酷的长时间体能训练，对于同龄学员来说都是痛苦的折磨。但是，霍雨浩不但每一次都能坚持到最后，甚至每天夜里还加练。

那是一天夜晚的时候周漪发现的，那天她正好有事出去，回到学院的时候已经是深夜了。当她路过教学楼前的史莱克广场时，吃惊地发现，史莱克广场的跑道上正有一个身影缓慢地移动着，隐约间，身上还传来铁链碰撞的轻微声音。

定睛看时，她看到了一个赤裸着上身、汗流浃背的身影。他身上的铁衣早已被汗水浸透，每一步踏出都是那么地沉重，周漪甚至看到，跑道上留下了一串水渍。

这个并不高大，但却步伐稳定而执著的身影，正是霍雨浩。那一次，周漪被深深地震撼了。他竟然在半夜时分加练。

周漪叫住了霍雨浩，问他这是在干什么。霍雨浩只是告诉她，老师，我天赋差，就比别人多努力一点，体能训练后再冥想，似乎魂力提升能快一点。

周漪当时甚至怀疑霍雨浩是知道她今天出去了，所以故意做给她看的。但之后不久她就打消了这个念头。因为无论刮风、下雨，每天深夜，史莱克学院的广场上，都会悄悄地出现这样一道身影，一跑，就是两个时辰以上。而且，他身上的铁衣甚至渐渐从一件变成了两件。

毕竟这是在学院里，霍雨浩虽然谁都没有告诉，但还是被同班的学员们知道了。曾经有其他学员也尝试过和霍雨浩在半夜一起跑，但是，却没有一个人能够坚持超过三天的。白天就已经是高强度的学习了，半夜再继续加练，这已经不是普通的体能训练，简直是对自己身体的折磨啊！

可就是这份折磨，霍雨浩坚持下来了。能人所不能，他的这份精神，得到了全班所有学员的认可和敬佩。而霍雨浩也在周漪的严格要求下，硬是坚持到了三个月，成为新生一班留下的六十七个人之一。

勤能补拙，很简单的四个字，但真正能够做到的又有几人呢？

霍雨浩做到了，所以，他有收获。不错，两枚玄水丹加一枚升魂丹，是他在这短短三个月时间内修为大幅度提升的重要因素。但他的提升却不只是魂力，而是全方位的。无论是知识还是各种技能，三个月后的今天，他已经有了脱胎换骨的变化。

原本比王冬略矮一些的他，现在身高已经和王冬差不多了，身体也明显结实了许多，没有夸张的肌肉，但如果露出上身，就能看到，他的身材十分匀称，每一块肌肉似乎都蕴含着充足的爆发力。

更为重要的是，霍雨浩的体质在这三个月时间里有着天翻地覆的变化，这种变化是由内而外的，而且绝不简单是因为两枚玄水丹的改变。

在对玄天功有了特殊的明悟之后，霍雨浩将这种领悟告诉了唐雅和贝贝，但唐雅和贝贝尝试之后却都无法像他那样产生滋润经脉的力量。

霍雨浩之所以每天深夜加练体能，就是因为只有在体能与魂力全部枯竭之后，玄天功的这种滋润效果才会随之出现。每一次潜移默化的滋润，都会令他的经脉有些许扩张，而这种感觉，伴随着时间的推移，已经变得越来越微弱了。而他的修炼速度也得到了极大的增强。

服用第二枚玄水丹之后，霍雨浩的修炼速度已经提升到了最初的七倍，体内杂质进一步排除。而经过这三个月的修炼之后，体内经脉不断拓宽，变得更加坚韧，现在已经是原本修炼速度的十倍左右了。这是一个多么惊人的提升啊！

第二枚玄水丹服用后，将霍雨浩的魂力提升了整整一级，从十二级巅峰到了十三级巅峰。调整一段时间后，霍雨浩才服用了升魂丹。果然，升魂丹对于魂力的提升效果更加可观。霍雨浩的魂力连破三级并且又冲过一个瓶颈，停滞在了十七级的程度上。

至此，霍雨浩自身的修为已经达到了班级内学员们的平均水准了。更为可贵的是，他凭借自己的修炼，这三个月来，魂力继续提升，三个月之后的今天，已经到了十七级巅峰，即将突破十八级的程度。这还是因为他前面通过药物突破过快需要稳定根基。可以说，现在他的天赋早已不是刚到史莱克学院时的废柴。

"今天的体能课暂停。"周漪站在讲台后，苍老的面庞依旧是一副不冷不热的样子，但只要是上她的课，几乎所有学员都坐得笔直，绝没有任何一个敢有异动的。

"从开学至今，已经过去了三个月的时间。你们也将迎来进入史莱克学院的第一次考核。考核通过，才能正式成为一年级学员，从而真正成为史莱克学院中的一员，不出意外的话，至少在一年级毕业考试之前，你们是能够继续留在学院中修炼的。考核在明天即将开始，今天我先给你们讲讲考核的要点。"

难得周漪的声音比较平和，她的目光从下面的六十七名学员身上掠过，其实心中是很满意的。这一批学员的素质或许并不比以前的学员强什么，但经过这三个月的调教之后，他们的意志力却绝对要超过周漪所带过的任何一个班级。对于周漪来说，这绝对可以称得上是意外之喜，霍雨浩这个班长起到了十分重要的带头作用。

"霍雨浩。"

"到。"霍雨浩瞬间起立，恭敬地回答。

三个月了，霍雨浩对周漪的尊敬绝对是发自内心的，而并非是因为周漪的强势。周漪在教学方面确实是经常会出一些怪招，甚至有时候会折磨得他们这些学员们有种生不如死的感觉。但不得不说的是，周漪的教学能力极强，而且那些怪招的作用也比他们想象中还要好得多。正是因为如此，新生一班不只是精神面貌大变样，三个月后的今天，留下的这六十七名学员身上，都多了一种坚如磐石般的气势。

霍雨浩也观察过其他班级的学员，却并未看到同样的气质出现。就像贝贝所说的那样，周漪虽然严厉，但只要能够在她的教导下坚持下来，那么，就一定能够成为一名优秀的学员，甚至在未来成为一名真正的强者。

周漪向霍雨浩挥了挥手，霍雨浩赶忙走到讲台前，接过了周漪递来的一沓纸张，不用周漪吩咐，他已经快速地发给了班里的每一名同学。

周漪道："新生考核结束之后，就要因材施教了。把你们未来修炼的方向写下来，稍后交给我。"

她所指的修炼方向就是例如：强攻、防御、控制、辅助这些魂师的分类。刚开始这三个月的教学大家都可以在一起，但开始真正一年级的学习后，却要有所区分了，毕竟不同类别的魂师的修炼倾向性差别很大。

霍雨浩回到座位，最后一个开始写自己的目标，他写的当然是控制系战魂师，下面签好了自己的名字。但他没有注意到，身边的王冬瞥了一眼他所写的内容后，才开始写了自己的倾向。

周漪道："你们都是我教出来的学员，虽然新生考核后会重新分班，但我希望你们这群小兔崽子不要忘了我教给你们的东西。你们手中的纸下课后再交上来。现在我给你们讲讲新生考核的要点。"

一边说着，周漪转身走向黑板，在黑板上简单地画出几个线条，在黑板中央写下了战斗两个大字。

"战斗。没错，新生考核就是要战斗。而且是每个人都要参加的战斗。我知道，你们之中的器魂师，尤其是辅助系和食物系的器魂师会很奇怪，为什么你们也要参加战斗？我没说错，你们确实也要出现在战场上，和战魂师一样。史莱克学院培养的虽然是综合型人才，但最重要的还是在战场上的能力。在开学第一天我就说过，随着魂导器的出现，魂师的分类已经变得模糊化了。哪怕你是辅助系或者是食物系的器魂师，也同样可以凭借魂导器爆发出强大的战斗力。但是，你们的战斗本能要从何而来？难道是个魂师给个魂导器就能傻乎乎地上战场，就能生存下来？当然不。战斗能力必须要从战斗中来。因此，你们所有人都必须要进行战斗考核。"

"当然，学院绝不会让辅助系器魂师去和强攻系战魂师比拼，那样对你们是不公平的。因此，新生考核将以团战的方式进行。但人数不会太多，最终决定今年的团战规模是每个团三个人，这是你们这个年纪能够产生一定配合能力的较高标准了。在分团时，要求最多只能有一名强攻系战魂师。另外两名队员随便配制。首先会考虑到同一寝室的学员为一个团队，其他则由你们进行自由组合，未能完成自由组合的，则由抽签决定。稍后，我会给你们一个分团的较为合理的规划。"

"新生考核，将会在全年级统一进行，由于这些年咱们学院的学员数量已经不少，这一次，新生考核一共有接近三百组学员参赛，但其中却只有半数能够留下来。也就是排名靠前的一百五十组。这个排名是按照你们战斗比赛的积分进行。"

"比赛将进行抽签，每一组学员至少要进行十场战斗。最终按胜场进行排名。其中，最后排名前六十四位的团队将进行淘汰赛，淘汰赛的前四名学员将会分别有不同的奖励。冠军团队的奖励将会十分珍稀。"

每一名学员都聚精会神地听着，对他们来说，新生考核是他们能否留下的关键。一旦被淘汰，就只能回去选择次一级的学院，恐怕就永远也不能成为斗罗大陆上的顶尖强者了。他们已经努力了三个月，谁也不想在这个时候被淘汰掉。

周漪淡淡地道："咱们班目前有学员六十七名，可以分出二十二组，还富余一人。我按照你们各自的武魂特点进行了分类，仔细分析后，替你们完成了分组。如果有谁不满意的话，你们回去之后可以再行改变。但明天早晨我最终向上报名时没有人提出异议，那么，就必须要严格按照我的安排，否则的话，后果你们很清楚。"

"宋青寒。"周漪沉声道。

"到。"一名身材瘦小的学员迅速站起身。他在班里一向不太起眼，显然没想到周漪第一个会叫到他。

周漪道："每一名新生班的班主任可以提出一个特招学员直接通过考核。我选中的人是你。经过我对你的观察，我认为，你更适合到魂导系那边继续修炼。有没有问题？你现在有两个选择，要么去魂导系，要么卷铺盖走人。"

强势，真的是太强势了。所有学员的目光不约而同地投在了宋青寒身上。

"我愿意，谢谢周老师。"宋青寒却对周漪的强势没有半分抵触，兴奋得险些跳起来。他来到史莱克学院的目的就是要进入魂导系啊！

周漪向他做了个手势，示意他坐下，道："下面开始分组。第一组，霍雨浩、王冬、萧萧。"

霍雨浩和王冬几乎是同时站起身，本来他们也打算是一组的，但听到周漪亲口将他们分在一起，两人对视一眼，都看出了对方眼中的惊喜之色。

和他们一同起身的，还有一名坐在前排的女学员。这名女学员身材不高，看上去十

分娇小，和之前的宋青寒一样，她在一班学员里也并不是特别出众，似乎各种能力都是中游左右。

小姑娘长得不算特别美，但却清清秀秀的，十分耐看。脸上还带着几分羞涩，扭头看向后面，不过，她的目光直接忽略了霍雨浩，落在了越发俊美的王冬身上。她脸上一红，转身低下了头。

"第二组，紫浩、马青霜、冷冷。"

"第三组，……"

周漪看上去强势，但在她的分组宣布下来之后，每一名学员却都有种如释重负的感觉。

霍雨浩冷眼观察，心中不禁暗暗赞叹，别看平时周老师总是冷着脸又那么严厉，可实际上，她对每一名学员都十分了解，这样分组下来，显然都是有她的安排。

第16章
新生考核

"好了，就是这样。有意见赶快提。回去给你们一天的考虑时间。别的班现在也都在分组，但却绝对没有咱们这么快。让他们磨叽去吧。把你们手上的纸都给我交上来，然后你们可以放学了。回去后都给我好好休息，谁也不许到处瞎折腾，明天开始的新生考核，我最终要的结果是你们二十二组全部晋级。谁要是被淘汰了，不但要卷铺盖走人，我还会给你们留下一些深刻的记忆。"

看着周漪眼中那骤然变得森然的眼神，每一名学员都不禁激灵灵打了个寒战。毫无疑问，周漪留下的记忆，恐怕就会是噩梦了吧。

一时间，整个新生一班的学员们骤然变得杀气腾腾起来。就算只是为了不被这位周老师虐待，他们也要拼命通过考核啊！

"霍雨浩、王冬、萧萧，你们三个留一下。"

其他学员交上手中写了未来修炼倾向的白纸之后纷纷走出教室回宿舍去了。只剩下霍雨浩三人。此时，其他班级都还在热烈地讨论新生考核的分组。

"拿来给我。王冬，你躲什么？"周漪要过霍雨浩三人手上的白纸，王冬立刻低下头，并且悄悄地后退一步，躲到了霍雨浩身后。

周漪看着手中的三张白纸，眼角抽搐了一下，再抬头看向霍雨浩、王冬和萧萧。

被她那锐利的眼神一看，霍雨浩三人都有种身体被穿透了的感觉。

"行啊！你们三个，故意给我个下马威看看是吧。"她拿起其中一张白纸，往桌子上一拍。

"砰！"霍雨浩三人同时一颤。

"控制系。"周漪冷冷地说道。

然后她又拿出第二张白纸，又是重重地拍在了桌子上。

"控制系！"她的声音明显提高了几分，霍雨浩有些惊讶地向身边的王冬看去，无疑，这第二张纸就是他的啊！

"砰——"周漪的最后一巴掌险些将讲台拍碎了，"还是控制系。"

"啊？"这次轮到霍雨浩和王冬一起惊讶了，两人也将目光同样投向了低着头在那里把弄衣角的萧萧。在他们两人的印象中，萧萧应该是辅助系器魂师才对啊！怎么变成了控制系？

周漪的嘴角也跟随着眼角一起抽搐起来，道："你们三个小混蛋故意的是不是？新生考核虽然限制每一组只有一名强攻系，但也限制了三个人倾向性不能一样。你们三个倒好，都给我一个控制系，你们故意的是不是？要不是明天就开赛了，我就让你们先出去跑五个时辰清醒清醒。霍雨浩，你先说，你怎么回事？你那精神武魂作为辅助系再合适不过，你给我来个控制系是什么意思？"

霍雨浩赶忙道："周老师，我一直都是希望能够成为一名控制系战魂师。我的精神探测能够纵观全场，而且，我的灵眸未来吸收的魂环中必定会有攻击型的魂技。因此，我不想单纯地成为辅助系。控制系应该更适合我未来的发展。"

周漪缓缓点了点头，道："有点道理。控制系比辅助系更有前途，你这么选也没什么错。算你过关了。王冬，你藏什么藏，给我出来。要说霍雨浩和萧萧写个控制系还有点道理，你呢？你一个强攻系战魂师给我写个控制系，你故意捣乱是不是？"

"呃……"王冬小心翼翼地从霍雨浩背后挪出一步，一脸讪笑地道："周老师，您别生气。其实吧，我觉得我的能力当控制系战魂师也没什么不行。对吧，我要是能凭借攻击力控制全场，那不就是控制了么？而且，我又能飞又能远程攻击，控场也不是不行吧。"

"你……"周漪差点让王冬气笑了，眼含深意地瞪了他一眼，"别以为我不知道，

你是不想和霍雨浩分开。说你傻吧，你偏偏是班里修为最高的一个，也勉强可以称得上是个天才了。说你聪明吧，你有时笨得冒鼻涕泡。你什么时候见过强攻系战魂师和控制系战魂师分家的？分班是不错，但强攻系战魂师和控制系战魂师是分在一起的。你这个笨蛋，给我改了。"

一边说着，她就把手中的白纸扔向了王冬。

"咳、咳……"虽然被骂成笨蛋，但王冬却依旧是一副兴高采烈的模样，飞快地把控制系改成了强攻系，然后再恭恭敬敬地交给了周漪。

"哼！"周漪怒哼一声，目光最后转向萧萧，"你呢，萧萧。我没记错的话，你的武魂是器武魂中很少见的镇魂鼎，也算得上是顶级的器武魂了。这镇魂鼎的主要功效是辅助，你怎么也给我来个控制？"

萧萧瞥了一眼王冬，细声细气地道："周老师，我的镇魂鼎和一般的镇魂鼎不太一样，是攻击和辅助一体的，用来防御也勉强可以，算是变异的镇魂鼎，叫做三生镇魂鼎。"

周漪愣了一下，说："萧萧，难道你不知道如果倾向性过于散乱的话，对你以后发展不利？我建议你还是朝着一个方向发展比较好。就算是变异武魂，在附加魂环的时候也一样要有倾向性。"

萧萧点了点头，道："我知道的，所以我在三生镇魂鼎的能力上主要选择了攻击和防御。"

周漪皱眉道："那也和控制无关啊！"看得出，她对这个叫萧萧的女生很有耐心。

萧萧小声道："可是，我还有另外一个武魂，能进行辅助和控制。"

"啊？"这一下，不只是周漪大吃一惊，就连霍雨浩和王冬也同样是瞪大了眼睛。王冬的震撼尤其强烈，他一直都以为自己在新生一班中绝对是独一无二的强大，却没想到班里竟然还隐藏着这么一位。

"双生武魂？"霍雨浩和王冬几乎是异口同声地说道。

萧萧腼腆地低下了头。

周漪也是眼神连变，新生一班第一次有超出了她控制的情况出现，思考片刻后，道："好吧，控制系就控制系。也方便与以后你们三人的配合了。新生考核虽然只是你

173

们在史莱克学院中的第一次考核，但对于你们未来的修炼道路却很重要。能够在新生考核上拿到好名次，才有可能在学院的培养名册出现。咱们班里，我最看好的就是你们三个，王冬和萧萧不用说了，你们都有着超越其他学员的天赋和实力。至于霍雨浩，你的修为虽然不强，天赋也一般。但是，你却有着常人所无法企及的毅力以及特殊的精神属性武魂。你们三个的能力在不考虑萧萧第二武魂的前提下，本身就有一定的互补性。我给你们一个任务，在新生考核中，你们的目标只有一个，就是冠军。要是拿不回冠军，萧萧就算了，你们两个就等着一直跟随我修炼吧。"

霍雨浩点了点头，道："周老师，就算是拿到了冠军，我也愿意一直跟随您修炼。"

周漪一愣，说："傻小子，你不觉得我很严格么？他们私下里叫我什么我都清楚得很，你用不着哄我高兴。"

霍雨浩摇了摇头，认真地道："不是的，周老师。我真的愿意跟您一直学习下去。虽然您严厉了一些，但跟着您才能学到更多有用的东西。我偶尔也观察过其他班的学员，至少在新生这三个月期间，他们的提升都没有咱们班的同学大。"

周漪脸上终于有了一丝笑意，虽然她那苍老的面庞笑起来并不怎么好看，但霍雨浩还是第一次从她身上感受到了温和的情绪。

"好了，你们三个回去休息吧。记住，冠军是你们必须要做到的。而且，我可以提前告诉你们，咱们史莱克学院财大气粗也不是一次两次了。在学院的所有考核中，新生考核冠军以及外院毕业考核冠军的奖励是最为丰厚的。至于是什么，等你们拿到了冠军自然会知道。去吧，回去调整好状态，我相信你们的实力。"

"是。"三人同时答应一声，一起走出了教室。

才一出门，萧萧像是鼓足了勇气似的，道："王冬，我能和你聊聊么？"

王冬却是摆了摆手，道："不用了，我还要回去准备明天的比赛。萧萧，等考核开始了，我们再见识见识你双生武魂的厉害。"说着，他抓着霍雨浩的肩膀就先走了。

看着萧萧眼中的失落，霍雨浩向她笑了笑，萧萧勉强回以一笑，他们年纪都还很小，对异性彼此有一些朦胧的感觉主要来自于外貌。王冬的拒绝虽然让萧萧心中有些失落，但她也并没有多想什么，只是在心中暗暗想道：有什么了不起的，等考核开始后，

你就知道我的能力了。哼！她的骄傲一向是隐藏在内心深处的。

"人家对你有好感，你不用拒绝得那么明显吧？"霍雨浩打趣王冬道。

三个月来，两人已经混得烂熟，而学院紧张的修炼生活对于霍雨浩来说锻炼的只是身体，而他的心神却是前所未有的放松，至少在这里每一位学员都是平等的，丝毫没有在公爵府中那种阶级的感觉。心神放开，他的性格也变得开朗了许多，不再是刚来时有些沉默寡言的腼腆少年了。

王冬撇了撇嘴，很是大气地道："喜欢我的姑娘多了去了，难道我能每个都回应？"说到这里，他更是老气横秋地道："我们年纪还小，一切应该以学业为重，怎能有别的心思？霍雨浩，你心理真不健康。"

"我……"霍雨浩还真说不过他，"你赢了！"

王冬嘿嘿一笑，道："走吧，今天提前放学了，弄点烤鱼吃吃，明天正式报名，估计考核后天才会开始。咱们大展身手的时候到了。"

霍雨浩没好气地道："你每天吃烤鱼，不会腻吗？而且，就要考核了，临阵磨枪吧。"

王冬哼了一声，道："你这死脑筋，就知道练啊练，你就不怕练傻了么？"

霍雨浩呵呵一笑，道："我天赋差，笨鸟先飞早入林。你也知道，我现在魂力能达到十七级大部分都是药物的作用。总算是有点机会能够通过考核了。周老师把我跟你和萧萧分在一组，明显是照顾我。我要再不努力，岂不是辜负了周老师一片好心？"

王冬撇了撇嘴，道："你天赋是不怎么样，但武魂还是不错的。放心啦，有本天才在，别说是收拾几个新生，就算是二年级的学员也未必能赢我。到时候你只需要将你那精神探测共享施展出来，然后就在后面瞧好吧。本天才出马，冠军还不是手到擒来。"

霍雨浩提醒道："咱们史莱克学院可是天下第一学院，一向是藏龙卧虎，你可不要大意。不过我看那萧萧实力也不错，到时候你们俩好好配合。"

他有四大精神技能，但王冬知道的也只是精神探测共享。至于直接的战斗能力，霍雨浩修炼了唐门绝学后虽然也已经有了些根底，但单纯凭借唐门绝学和武魂强大的魂师战斗还是不足的。正如王冬所说，在考核中，他最大的作用还真是精神探测共享。

王冬嘴上虽然能够说得过霍雨浩，可实际上却拗不过他的固执，两人回到宿舍后，

终究还是各自冥想修炼了，不过霍雨浩也答应王冬，晚上多准备一些烤鱼，让他吃个够。

十七级魂力，在体内已经能够汇聚成一条白色的气流，按照玄天功的运行路线游走，全身通透，经脉温暖，不但舒适，而且进步明显。

经过三个月的苦练，霍雨浩已经隐隐感觉到，在两枚玄水丹和他自己发现的玄天功滋养奥妙作用下，他的经脉已经拓宽了许多，而且弹性十足，十分坚韧。体质方面已经不逊色于任何同龄人了。但他毕竟进入正轨时间较晚，想要追上王冬那也是不太可能的，只能是共同进步。

按照这个速度，霍雨浩有信心在一年级毕业的时候修为突破到二十级，从而去获取自己的第二魂环。天梦哥曾经说过，拥有了第二魂环之后，他的实力将会产生飞跃，尤其是冰武魂也将真正拥有自己的能力。

对于那一刻，霍雨浩是十分期待的，到了那时候，自己再和王冬并肩战斗，一定能够更多地帮到他。

冥想时间总是过得最快，很快到了傍晚。和往日一样，霍雨浩去食堂买了处理好的青鱼，直奔学院门口而去。

今天学院门口的人流明显有所减少，或许是因为即将新生考核的缘故，绝大部分新生都有了紧迫感，留在宿舍苦修呢。

不过霍雨浩的生意却并未因此受到影响，等他到的时候，队伍已经排起来了，排在第一位的，赫然正是徐三石。

"叮——"徐三石将一枚银币弹给霍雨浩，道："不用找了，给我来条大的。"

霍雨浩呵呵一笑，道："徐大哥，你这真是风雨无阻啊！"

两人当初的不快早就过去了，每天见面，也早就混熟了。混熟之后霍雨浩发现，徐三石为人虽然不像贝贝那么温和，脾气也有些暴躁，性如烈火却十分的古道热肠。

徐三石嘿嘿一笑，道："谁让我喜欢上你这口呢。每天晚上不吃上这一口儿，晚饭我都吃不香。这烤鱼我以前也吃过不少，但没一个能把火候控制得像你这么好的。连江楠楠都夸你烤鱼做得好呢。对了，听说你们要新生考核了？"

霍雨浩点了点头，道："是啊！"

徐三石道："那你可一定要加油，千万别被淘汰了。不然我可就没地方吃烤鱼了。"直到现在他都不知道当初贝贝赢了他后面有霍雨浩的影子，只知道霍雨浩天赋一般，就是烤鱼好吃而已。而事实上，霍雨浩在史莱克学院烤鱼的名声绝对要比实力大多了。

"小徐。"正在这时，一个清冷的声音突然响起，听到这个声音，徐三石激灵灵打了个寒战，霍雨浩从他眼中竟然看到了几分恐惧，但更多的却是无奈。

而排在徐三石身后的其他食客却也都是瞬间噤若寒蝉。

一名女子从学院大门走了出来，缓步自至，人群很自然地给她让出一条通路，甚至连看都不敢看她，纷纷低下头。这效果明显已经超出了江楠楠出场的时候。

霍雨浩抬头一看，只见来人是一名红衣女子，身材修长匀称，首先会被人注意到的就是她那略有些夸张的峰峦，可她的腰肢却十分纤细，一直到胯部弧线才骤然放大，双腿笔直、浑圆，一股浓浓的青春气息扑面而来。

但却看不到她的容貌，她脸上戴了一袭红色面纱，但从眼眉处也能看出，必然是一位美女。她那双淡粉色的眼眸很容易给人一种勾魂摄魄的感觉。幸好她的眼神很冷，才略微压制了那销魂蚀骨的目光。

徐三石显然是认识她的，硬着头皮转过身，却不看她的眼睛，略微低着头，道："小桃姐。"

这一下霍雨浩就更加惊奇了，徐三石性如烈火且桀骜不驯，作为五年级学员，他在外院的地位甚至比贝贝还要高。因为天赋强大，很多六年级学员都对他敬畏几分。就算是老师也不会让他有如此态度啊！这位红衣女子究竟是谁？不知道为什么，霍雨浩和他身边的王冬看到这女子后都略微觉得有些眼熟。

红衣女子看了一眼霍雨浩的烤炉，缓步走到徐三石身边，道："小徐，你这是出来吃烤鱼？"

徐三石点点头，道："是啊！雨浩做的烤鱼味道非同一般，很好吃。"

红衣女子眼中略微流露出一丝好奇，向霍雨浩道："给我也来一条尝尝。"她可不是什么不食人间烟火的仙女，平日几乎都在修炼，见到新奇事物自然也感兴趣。

霍雨浩下意识地道："抱歉，我每天只卖三十条，今天排队的人已经够三十了，还

请你明天早点来吧。"

同样的话他不知道对多少人说过。但这一次，他话音才落，几乎所有排队的人都猛地抬起头，一脸惊恐地看向他，就连徐三石也不例外。

紧接着，更是令霍雨浩大吃一惊的是，先前还排在徐三石身后的人轰然而散，瞬间走得一干二净。

红衣女子笑了笑，道："好了，现在没人排队了，我想我应该能吃得上。"

徐三石一个劲地向霍雨浩使眼色。霍雨浩也不是不明事理的人，点了点头，继续认真烤鱼。

一旁的王冬却不干了，有些不忿地道："你是什么人，干吗搅了我们的生意？"

红衣女子右手抬起，露出春葱般的手指，在她右手食指上，有一枚硕大的红宝石，鸽血一般的鲜艳红美到极致，光芒一闪，一把金魂币就出现在她手中，递到王冬面前，说道："今天的烤鱼我包了就是。"

王冬可是毫不客气，抬手就接过了金魂币不再吭声，这红衣女子虽然气势逼人的吓跑了不少人，但看样子也并不是不讲理。而且，他隐隐感觉到有些不对，心中对这红衣女子竟然多少也有几分恐惧出现。

倒是霍雨浩老老实实地道："用不了这么多钱，我的烤鱼五枚铜魂币一条。"

红衣女子似乎不愿再与他多说，淡淡地道："就当先寄存在你这里，以后我要想吃你不收我钱就是了。"

"好。"霍雨浩一边点头答应着，一边仔细地烤鱼。

红衣女子本来看上去是找徐三石的，但她现在却不再理会徐三石，反而聚精会神地看着霍雨浩烤鱼。

片刻之后，她口中发出一声轻咦，道："火候控制得如此完美，你是火属性武魂？"她自己就是玩火的大行家，自然看得出霍雨浩不时调整烤鱼位置对炉火掌握得妙到毫巅。

霍雨浩摇了摇头。

片刻后，第一炉的四条烤鱼已经烤制完成，反正今天也没别人了，霍雨浩就分别递给红衣女子和徐三石各两条。他每天购买的青鱼其实不止三十条，多出来的自然是给唐雅和王冬的。

徐三石看到红衣女子后明显有些心神不宁，吃烤鱼都不像平时那么热切了。反而是那红衣女子，缓缓掀起面纱，露出了自己绝色的俏脸，缓慢地吃了起来。

她吃得很仔细，动作优雅，但令霍雨浩和王冬为之震惊的是，鱼吃掉后，鱼刺却在她手中诡异地消失了，一点痕迹都没有留下，她分明是用手抓着吃的，但却一点油都没有留在手上。

这是什么能力？霍雨浩和王冬对视一眼，都看出了彼此眼中的震撼。

两条烤鱼很快就吃完了，红衣女子向霍雨浩点了点头，道："你做的烤鱼很好吃，味道好，还有一种认真的感觉。让我看看你的武魂。"

她的话语中有种不容拒绝的味道，上次体内火焰爆发之后被那奇异的冰属性压制了，这让她在之后三个月都不需要再被自身武魂那霸道的邪气所困扰。可是，随着时间的推移，那冰属性气息渐渐被她自身的凤凰火焰炼化，反噬的情况又开始渐渐出现了。她找徐三石，是因为徐三石的玄冥龟武魂在目前学员中是水属性最好的武魂，她可以借助一定的力量帮自己压制体内邪火。这个过程对徐三石来说就像是百炼成钢一般只有好处，但过程却十分痛苦。这也是为什么徐三石看到她之后立刻苦着个脸的原因。他被折磨也不是一次两次了。

霍雨浩眉头微皱，身边的王冬更是不忿，却被霍雨浩抬手拦住了。他缓缓抬起头看向红衣女子，淡金色的光芒在眼中亮起，在那淡金色亮起的同时，深蓝色的眼眸中还荡漾起一层紫意。

唐门绝学中，霍雨浩进步最快的就是紫极魔瞳，每天早上吸收东方紫气的时候，他的灵眸自然会产生一种虹吸般的感觉，他修炼一天，要比贝贝和唐雅修炼十天的效果都要好，因此紫极魔瞳进步极快。

红衣女子长长的睫毛微微上扬了一下，因为她感觉到了霍雨浩那神奇的精神探测共享。

伴随着修为的提升，霍雨浩的魂环威力也渐渐开始增强了。正如天梦冰蚕所说的那样，霍雨浩有多大的承受力，它所化的第一魂环就有多大的威力。

最初的第一魂环，虽然蕴含四个技能，但只是相当于四百年左右魂环的效果。而现

在的第一魂环，却已经具备了六百年左右的威力。精神探测和精神干扰所能达到的范围已经达到了直径五十米，而且更加细致入微。

天梦冰蚕在霍雨浩体内的第一个封印已经开启了一部分，它那强大的精神本源之力只要霍雨浩的修为有了突破，第一魂环的威能就会自然而然地随之提升几分。这是其他魂师想都不敢想的事。随着霍雨浩的修为提升，未来他这第一魂环只会变得更加恐怖。

天梦冰蚕不能一次性给霍雨浩十分强大的能力，但是，它给了霍雨浩一个惊才绝艳的未来。

精神探测共享只是维持了十秒左右就被霍雨浩收回了，红衣女子似乎是愣了片刻后，才向霍雨浩点了点头，又深深地看了一眼那从他脚下升起的唯一一个白色魂环，道："这是我见过的最强大的十年魂环。"

霍雨浩很自然地回答道："再强大也还是十年魂环。"

红衣女子轻笑一声，道："我叫马小桃，很高兴认识你，有机会我会再来吃你的烤鱼。小徐，我们走吧。"

徐三石一脸苦涩地道："小桃姐，今天轻一点行不行？"

马小桃淡淡地瞥了他一眼，徐三石顿时改口道："没问题，我都没问题。"一边说着，他赶快走在前面，向马小桃做出一个引路的动作。

直到两人进了学院，王冬才低声道："她的名字真俗气。"

霍雨浩道："名字能证明什么吗？你觉不觉得她有点眼熟？"

王冬突然一惊，"不会是那次遇到的那个人吧？红衣，难道她是内院弟子？"

霍雨浩耸耸肩膀，表示不清楚。

马小桃和徐三石一走，立刻就有人重新跑过来排队，跑在最前面的一名外院四年级学员正好听到了两人的交谈，立刻压低声音道："两位学弟，你们小点声。内院弟子是不能随便议论的，尤其是小桃学姐。"

霍雨浩惊讶地道："真的是内院的啊？"

那名学长道："当然是。在咱们史莱克学院穿红衣的都是内院的学长。内院有多少人我不知道，但内院学长很少出来倒是真的。在内院中也有排名的，而且争夺得很激烈。这位小桃学姐在内院可是名列前十，那实力绝不是我们能媲美的。徐三石学长似乎和小桃学姐关系很好，说不定以后小桃学姐会推荐他进内院呢。"

王冬好奇地问道："进内院还要推荐？"

学长道："那是当然啊！但具体怎么个程序我不太清楚。可据说每一名要进入内院的外院学员都必须要有内院学员推荐才行。"

烤鱼卖得很顺利，快到尾声的时候，贝贝和唐雅联袂而来，霍雨浩拿出给他们准备的存货请他们吃了烤鱼。

"小师弟，明天就要开始新生考核了，我得到准确消息，上午报名，下午考核就会开始，你要做好准备。"贝贝是一如既往的温和。

霍雨浩点了点头，道："大师兄，我一定会努力通过考核的。"

贝贝笑笑，一旁的唐雅道："小雨浩，为师也不能白吃你这么多烤鱼，给你点好东西。到时候能用的上。"一边说着，她递过来一个百宝囊似的东西给霍雨浩。"回去自己分类到二十四桥明月夜中，用的时候注意点，别打人害害。还有啊，过了新生考核后，你就要开始选修魂导器制作了，到时候老师再教你点绝学。"

"谢谢小雅老师。"霍雨浩接过百宝囊，大概能猜到里面是什么。

王冬一脸好奇地问道："小雅老师，新生考核不能用魂导器吧？"

唐雅没好气地道："用什么魂导器？不知道我唐门是以什么出名的啊？"

等霍雨浩和王冬回到宿舍，打开百宝囊一看，还是被吓了一跳，全都是暗器，有飞刀、飞针、透骨钉等十几种之多，每种都有上百件。这百宝囊可以算得上是一个暗器库了。

很显然，唐雅是因为霍雨浩的武魂没有什么攻击手段才给他准备的这些。三个月来，霍雨浩在唐门绝学中都有所进步，也开始涉猎暗器百解了，他聪明好学，现在也掌握了两三种手法，正常使用暗器取准是毫无问题的。对于他们这些只有一两个魂环的新生来说，还是有不小威胁的。

王冬看了霍雨浩这些暗器后不禁撇了撇嘴，道："你这小雅老师明显是看不起我，有我在，哪还用得上你动手。"

第17章
初次配合，双控场

霍雨浩有些无语地道："骄傲使人退步，低调些。"

王冬哼了一声："你觉得我那武魂有可能低调么？"

"呃……"是啊！他那光明女神蝶武魂无论在什么时候出现都是震撼全场的存在，想要低调确实是不容易。

一夜无话，在修炼中度过。第二天一早，两人吃过早饭后来到教学楼。刚一进班，就感受到一股热切的气氛。

经过了昨天周漪的分组，今天都是每三名学员凑在一起，在那里嘀咕着什么。

萧萧比他们来得要早，早就等在那里了，见到两人进来，赶忙向他们招招手。

霍雨浩和王冬走过去，萧萧道："下午考核就要正式开始了，咱们研究研究战术吧。"

王冬大大咧咧地道："没什么可研究的，一路打过去就是了。"

萧萧轻轻地摇了摇头，道："没那么容易的。我听说每个班都有一些特别优秀的学员组成了尖子团队，都是奔着冠军去的。他们并不好对付。我们必须要配合默契才有机会。"

王冬还想说什么，却被霍雨浩拦住了："王冬，端正态度，不然我就跟周老师申请换团队了。"

萧萧不知道是不是因为昨天被王冬拒绝而有些记恨，立刻附和道："就是，自信过多就是自大了。"

王冬哼了一声，却不再说话。

霍雨浩一只手搂着他的肩膀，道："行了，别生气。我们好好配合，考核时战胜对手不是更轻松么？我们都先说说自己所擅长的能力。"

虽然大家在一起同窗三个月了，但学习时在一起，可修炼却是各自进行，甚至彼此都不太知道其他人的武魂是什么。

霍雨浩道："我先说吧。我是精神属性武魂，擅长精神探测共享，可以让你们较为细致地知道战斗时直径五十米范围内的任何动静，同时有一定料敌先机的作用。"

王冬道："我是强攻系战魂师，远近程攻击皆可，还能飞行。"他虽然有些自大，但也确实有自大的本钱。无论是魂力修为还是武魂、魂技，他在同龄人中都是首屈一指的存在。单是第二魂环就是千年级别的这一点在整个学院中恐怕也无人能出其右。

萧萧点了点头，道："我的主武魂是三生镇魂鼎，攻防一体，有一定的控制战场作用，以撞击敌人并且产生震慑为主，一旦撞中敌人，会令对方出现眩晕，同时产生攻击效果。我的第二武魂是箫，九凤来仪箫，以辅助控制为主。目前我的第二武魂只有一个百年魂环，能够在战斗时减缓对手的速度。"

王冬有些惊奇地道："你的辅助武魂不是增幅自己人么？"

萧萧有些得意地一笑，道："不是。有的时候，削弱对手比增幅自己效果更好。你到时候就知道了。不过，我的第二武魂不会轻易动用的，我们隐藏一些实力，慢慢来呗。"

霍雨浩和王冬都意识到一个问题，萧萧恐怕比他们想象中更强大。

他们还不知道的是，当霍雨浩和萧萧形成双控场的时候，更是会爆发出惊人的控制力。

"砰、砰、砰。"三声敲击声响起，下一刻，全班顿时安静无声，落针可闻。

周漪站在教室门口，右手刚刚放下，刚才就是她捶击教室门发出的声音。

缓步走到讲台处，周漪依旧是那副冰冷的样子："我已经将参赛团队报上去了。比赛从今天下午正式开始。在十场循环赛中，你们彼此不会碰到，只会碰上外班学员。我

对你们的指导只有一个，谁阻挡你们通过考核，就揍他娘的。行了，都散了吧，下午考核区集合。"说完，这位老太太酷酷地扭头就走。

王冬低声向霍雨浩道："你觉不觉得周老太太越来越帅气了。"

霍雨浩看了他一眼，道："不是帅气，是霸气十足。"

萧萧正从旁边走过来，嘻嘻一笑，道："周老师这叫气场。走吧，我们找个地方先演练一下，要不下午怎么配合？"

霍雨浩不等王冬开口立刻就点头同意了，"王冬同学，如果你以后还想吃到烤鱼的话，我要求你在新生考核的过程中，一切听从本班长盼咐。你同意吗？"

"呃……"王冬看着霍雨浩十分坚定的目光，一脸悲愤地道："霍雨浩，你这是乘人之危。"

霍雨浩老神在在地道："你可以选择不吃。"

王冬犹豫了一会儿，最终还是屈服了，"我忍了，听你的就是。不过，以后寝室内的卫生都归你。"

霍雨浩一脸鄙视地道："你之前三个月搞过卫生？"

"这个……"王冬一阵无奈地道："算你狠。"

萧萧现在似乎已经完全站在了霍雨浩这边，扑哧一笑，道："懒惰是种罪恶。"

王冬突然蹦出一句话，令萧萧这个小姑娘俏脸一下就红了："萧萧同学，你移情别恋的速度真快啊！"

"你——"萧萧抬手指着王冬，一脸的怒气，甚至还带着几分委屈。

"好了好了。不是说要演练么？咱们赶快走吧。我看，我们到学院外面去。学院外面有不少树林，省得被别人打扰。"

王冬向萧萧吐了吐舌头，转身就跑。霍雨浩劝慰了萧萧几句，她这才破涕而笑，两人追上王冬，沿着湖畔小径出了学院。

在史莱克学院外找个安静的地方再容易不过，这里虽然四通八达有不少大道，但大道两旁却都种植着大量的植被。有些是自然生长的，有些是人工种植的。

三人在树林中找了个相对平坦的空地，王冬问道："咱们怎么演练？各自把魂技用一遍？"

萧萧立刻道："那有什么意思。演练自然要有对抗效果才是最好的。你是强攻系战魂师，你自己一边，我跟班长一边。我们来一场对抗。"

"你们俩跟我打？"王冬抬起右手，食指摇了摇道，"你们不行，一点机会都没有啊！"

萧萧针锋相对地冷笑道："不试试怎么知道行不行？不过你是强攻系战魂师，总不能跟我们贴身开始比斗，要先拉开距离，我看，就三十米吧。"

霍雨浩在一旁听着两人斗嘴，越来越发现萧萧的聪明之处了，他的精神探测共享是直径五十米，萧萧让王冬到三十米外，相当于是王冬一动手，就会进入自己精神探测的范围。

王冬毫不犹豫就答应了。

萧萧又道："你能飞，我们不能飞。我们这是演练，你可不要输了就飞跑了。"

王冬很随意地道："我不离地超过五米就是了。行了吧，那我过去。让你喊开始。"一边说着，他已经退开了。

萧萧立刻转身向霍雨浩道："班长，待会儿我们放风筝。你一直用精神探测共享辅助我就行了。咱们让那自大的家伙好好吃个憋。"

如果是在来史莱克学院之前，霍雨浩绝对不知道什么叫放风筝，但他现在却清楚，放风筝是一种且战且退的战术。

霍雨浩点了点头，道："好，我配合你。"他也想看看，萧萧和王冬的能力究竟强大到了什么程度。三个月了，他也没见过王冬真正动用武魂战斗时候的能力。不过，他很清楚，王冬虽然骄傲了一点，但其实他只是自信，并不是自大。自信来源于实力。

两边距离很快就拉开了，王冬懒洋洋地靠在一株大树上看着三十米外的霍雨浩和萧萧，他甚至还多拉开了一些距离。抬手向霍雨浩和萧萧挥了挥手，示意自己准备好了。

萧萧和霍雨浩并肩而立，她的身材娇小，在全班都是较矮的，甚至有袖珍美女之称。她扭头向霍雨浩点了点头："班长，帮我。"

"好。"

萧萧这才转身向王冬喊道："开始。"一边说着，她飞速地释放出了自己的武魂。

萧萧脚下，两圈黄色光芒同时闪亮，瞬间升腾而起。她竟然也是一位二十级以上的

185

大魂师。令身边的霍雨浩暗暗汗颜。

萧萧脚下升起两圈魂环，但身体却没有任何变化，只是一团黑色光影在她头顶上方迅速凝结。那光影分明是个大约直径一米左右，三足两耳的鼎。正是萧萧的主武魂，三生镇魂鼎。

霍雨浩的精神探测共享同时开启，一圈白色魂环从他脚下升起，看得萧萧都不禁觉得有些单薄，心中暗想，难怪班长会那么拼命修炼，确实是天赋差了点啊！

但是，很快萧萧就被精神探测共享带给她的奇异景象震惊了。

以他们的身体为中心，直径五十米范围内的一切瞬间变成立体图案出现在她脑海之中，根本不需要去思考，各种信息已经飞快出现在她脑海之中。甚至连范围内的一草一木都清晰存在。全景立体地图如多了一个帮她思考的大脑一般。

萧萧震撼地看了一眼霍雨浩，而另一边的王冬此时已经动了。

王冬表面看上去很是藐视霍雨浩和萧萧，可实际上他一点都没有大意。霍雨浩的精神探测共享他是享受过的，深知其料敌先机的强悍能力。

绚丽的蓝色双翼瞬间从背后张开，王冬身上也蒙上了一层在蓝紫间变换的奇异颜色。他那双巨大的翅膀上，一个个金色光团亮起，组成了"V"字。一黄一紫两个魂环升起，光明女神蝶武魂已经释放而出。

身形一闪，王冬就高速冲了起来。魂力从他双翼上的金色光团中向后喷出，令他瞬间就达到了高速。

这并不是魂技，而是他这光明女神蝶武魂的本能，由此可见这武魂的强大。

陡然加速的王冬几乎瞬间就冲出了十几米的距离，眼看就要到霍雨浩和萧萧面前了。可以想象，当他一名强攻系战魂师近身到两名控制系战魂师身边，而对方又没有什么近战手段的情况下，结局似已注定。

也就在王冬冲入距离霍雨浩和萧萧二十五米距离的时候，他行动中的数据瞬间就在萧萧脑海中迅速地出现，包括他的行进轨迹、身体的变化、武魂变化，甚至连他经脉内魂力运转状况都能隐隐探查到。

186

萧萧看上去一点也不慌乱，霍雨浩那不过是白色十年魂环产生的魂技已经给了她巨大的惊喜，眼看着王冬瞬间而至，她也动了。

右手向王冬一指，头顶上那直径一米的大鼎光影瞬间就朝前方冲去。大鼎光影没有直接撞向王冬，但却是击向他的必经之路。而且，同样的，她利用的也是自己器武魂的本能，并没有一上来就触动魂技。

令王冬感到十分别扭的是，那黑色大鼎所飞的位置，正是他前进的必经之路。无疑，这就是霍雨浩精神探测共享的妙用了，否则的话，萧萧只能凭借自己的眼睛和魂力波动进行判断，绝不可能像现在这样将位置把握得如此准确。

无奈之下，王冬左侧翅膀略收，身体在空中微微偏转，就要改变行动轨迹。但更让他郁闷的是，那黑色大鼎瞬间横移，依旧挡在了他面前。

料敌先机。

萧萧下意识地扭头看了一眼身边眼露金光的霍雨浩。有了精神探测共享，她现在甚至不用眼睛去看王冬，只需要跟随着霍雨浩精神探测的指引完成进攻就行了。这简直是再简单不过的事情。

王冬偏偏不信邪，拍打着双翅在空中辗转腾挪，更是数次加速。但奈何霍雨浩的精神探测连他运行魂力的情况都能探测到，始终能够料敌先机。他想要通过闪避躲开萧萧那在空中随意移动的三生镇魂鼎显然是不现实的。

王冬那个郁闷啊！他忍不住叫道："霍雨浩，你有没有人性啊！好，躲不过，我就霸王硬上弓了。"

一边说着，他身上的第一魂环骤然闪亮起来，霍雨浩眼中金光陡然一亮，通过精神探测他能清晰地感觉到，王冬体内的魂力以一种爆发般的方式澎湃运转，疯狂地注入到一双前翼之中。后翼则是完全大张，保持自己身体的平衡。

能够看到，他的前翼完全变成了湛蓝色，而上面那一团团金色光纹则散发出金光向外扩散，瞬间就在前翼边缘形成了一圈宽约三寸的金色光边，极其锋锐。

萧萧也是脸色微微一变，通过霍雨浩的精神共享她能够清楚地感受到王冬这附加了魂技的双翼有着惊人的破坏力。

王冬双手同时抬起，各自抓住前翼内侧，猛然一带，前翼顿时在他身体两侧展开，配合着那金色光边，就像是两柄大铡刀一般。他身体猛然一甩，右翼就朝着三生镇魂鼎劈了过去。正如他所说的那样，软的不行来硬的。

187

但是，他却依旧小看了霍雨浩和萧萧这双控场配合的厉害。三生镇魂鼎并没有直接硬挡，而是瞬间后退两米，正好闪开了他右翼的斩劈，然后再猛然前撞，撞在他翅膀的平面上。

轰的一声大响，王冬的身体被撞飞出十几米外，萧萧的三生镇魂鼎则是定在空中。

王冬这个郁闷啊！他自问实力绝对在萧萧之上，可面对萧萧和霍雨浩的联手却偏偏是有力使不出，自身的实力根本没办法发挥出来。突然间，他眼睛一亮，这一次却是不进反退，身形一闪，就脱离开了霍雨浩和萧萧二十五米范围，自然也就出了精神探测的范围。

"嘿嘿，霍雨浩，我看你这下还怎么探察我的情况。哥可是有远程攻击的。一边说着，他的第二魂环就亮了起来。"

霍雨浩微微一笑，道："你忘了我可以固定方向探测么？现在我大约能探测出一百米，如果你自问攻击能够超过一百米距离并且能够锁定我们，大可以试试。而且，当你的远程攻击进入到我的精神探测范围时我再帮萧萧抵挡也来得及。除非你的实力已经能够打破萧萧的三生镇魂鼎。更何况，你别忘了，萧萧还有第二武魂没用呢。"

王冬呆了，是啊！他的第二魂技虽然是千年级别的，攻击力也是相当强悍，但要是超过了百米，威能也要大幅度降低了，更何况，霍雨浩确实是有足够的时间来帮助萧萧抵挡。不过，嘴上可不能服输："我的远程攻击还是范围攻击，你探测到了也没用。"

萧萧笑道："王冬，你少得意。别忘了，我的两个魂技还没用呢。你知道我三生镇魂鼎的魂技都是什么吗？坦白说，一对一你也未必是我的对手。至于你那所谓的远程攻击或许威力不俗，但我只需要给自己和班长争取到闪躲的时间就足够了。你看着。"

一边说着，她右手再次向三生镇魂鼎一指，顿时，三生镇魂鼎微微一颤，紧接着竟然一分为三，瞬间在她和霍雨浩头顶处散开，成三足鼎立之势。同时，萧萧身上的第一魂环亮起。

空中轰然一声巨响，在他们头顶上方大约十几平米范围内的空气全都在那剧震之下扭曲起来。

三鼎再次合一，悄然落在萧萧身前。

这一次，霍雨浩和王冬的脸色一起变了。好强大的武魂，那三生镇魂鼎一分为三的时候乃是本能，最后那一震才是攻击。通过精神探测，霍雨浩能够清晰地感觉到那震荡力的恐怖。

王冬的脸色很快就恢复了正常："不打了。你们两个联手，我确实是没办法。不过，萧萧，以后你会知道的，一对一，你肯定不是我的对手。但是，在同级别修为相差不多的情况下，谁有霍雨浩的精神探测帮助几乎是必胜的。他那技能完全不给人活路。除非是修为远超凭借绝对力量碾压，否则始终都要处于被动之中。"

萧萧虽然不服气王冬说一对一能赢她的话，但对于他后面的话却很认可，点了点头，道："是啊！有班长的精神探测在，我在战斗中只需要简单地施展技能就行了。班长，你这技能真的很强大。和你配合的感觉棒极了。原本我还小看过你这个十年魂环，对不起啊！"她是个直性子的小姑娘，心里想什么就说什么，绝不拖泥带水，顿时赢得了霍雨浩和王冬的好感。

霍雨浩向萧萧伸出右手，萧萧嫣然一笑，将自己的右手搭了上去，王冬走来，将自己的右手搭在最上面。

霍雨浩道："从现在开始，我们就是一个团队的伙伴。新生考核，我们要得冠军。"

"我们要得冠军。"三人同时大喊一声。彼此之间的关系顿时更近一步，最高兴的自然是萧萧，她终于感觉到自己被霍雨浩和王冬真心接纳了。所以说，魂师之间，实力说话永远是最简单直接又有效的。

史莱克学院的考核区位于武魂系中北部，毗邻斗魂区。和斗魂区相比，考核区的面积要大得多。对于史莱克学院外院的学员们来说，这里是优秀学员展现自我的乐园，但也是修为较低学员的梦魇。每年都会有大量的学员因为通不过考核而被淘汰，其中，大部分考核就都是在这考核区进行的。

考核区呈椭圆形，并不像斗魂区那样如同一个围起来的体育场，而是一片空地。外围是一圈矮墙，内部则被隔板分成一个个区域，这些隔板可以随时拆分来改变区域的大小。

历年的新生考核都是考核区区域分割最多的时候，不仅是因为新生数量多，也是因为新生的破坏力和攻击距离有限，不需要太大的面积就足以让他们施展自己的能力了。

整个考核区有大约两万平方米，此时已经被分为五十个区域，每个区域四百平方米左右，为边长二十米的正方形。对于普遍只有两环修为的新生来说，这已经足够了。

经过上午紧张的分组之后，下午考核正式开始，因为今天是考核的第一天，为了让新生们先有所适应，因此，今天的考核每一组都只进行一场就可以离开了。学院派出五十名老师分别在五十个区域进行考核登记。今天的考核比拼对象都已经在中午抽签分组完成了。尽量保证在未来的十场循环赛中同班级的团队不会碰到。

除了新生一班只有二十二组团员之外，其他的班级一般都在三十组以上，除非是在新生期间表现特别不好的学员之外，新生班级的老师们一般不会在新生考核前轻易淘汰学员出局，总要给他们一个接受考核的机会。

最终，参加新生考核的学员一共有三百一十组，共计九百三十人，而在这三百一十组学员中，最终只有一百五十组能够留下，正式成为一年级学员继续学习下去，其余的都将被淘汰。

在史莱克学院学习，竞争无疑是激烈而残酷的，但也正是因为如此，在紧张的气氛下才能让学员更加努力，也更能激发他们的潜力，从而形成了史莱克学院万年不衰的常胜之局。

一共有五十个区域进行新生考核，也就是每个区域被分配到六个或者是七个团队的学员参与。不仅是今天，他们明天也依旧要在同样的区域和这个区域分配的其他团队进行比赛，直到全部碰面过之后再重新分组，最终完成每个团队的十场比赛。

霍雨浩三人被分在了第三十三区，三人一起吃过午饭后返回宿舍冥想了一会儿就联袂而至，区域划分得很好找，每个区域都有明显的标志。很快，他们就找到了自己所在的区。

同样在这里参加比赛的其他班级学员也已经到了，看上去有的心怀忐忑，有的则是摩拳擦掌。大家都是十一、二岁的孩子，心里根本藏不住事儿，彼此对视时，非常清晰地流露出敌意。毕竟，在他们之间很可能只有一半人能够留下来。而考核虽然有十场比赛之多，但每一场都相当于关系到他们的未来。

"所有新生请注意，所有新生请注意，请立刻进入考核区准备参加新生考核。还有最后十分钟的时间入场，过时将被视作本场考核弃权处理。"

巨大的广播声在整个外院内响起，声音足以传遍外院的每一个角落。新生们的脸色也大都变得严肃起来，属于他们的第一场考核就要来了，说不紧张那是假的。

霍雨浩也不自觉地攥紧了双拳，不时摸摸腰间的二十四桥明月夜，考核不允许使用魂导器，但暗器却只是普通武器，并不在此列。一般来说，魂师是很少使用武器的，除非是施展魂导器，而作为唐门弟子，霍雨浩显然是个例外。

王冬左手搭在霍雨浩的肩膀上，身体斜斜地靠着他："别紧张，小意思而已。"

这一次萧萧没有再说王冬骄傲，同样向霍雨浩点了点头。今天三人切磋时王冬虽然没有发挥出实力，但他最后那句十分坚定的话能够看出，他的修为至少不在自己之下，再加上班长那神奇的精神探测能力，在同年级学员中确实很少有人能够是他们的对手。

霍雨浩低声道："我们是冠军。"

萧萧和王冬同时向他点了下头，三人的手掌再次叠加在一起。他们虽然年纪小，但也都知道，通过考核对他们来说或许不难，但如果想要获得最后的冠军，最为重要的就是团结。因此，哪怕是王冬都将自己的骄傲收敛了起来。

新生考核何等重要，学院通过魂导器的广播提醒其实作用不大，所有的学员早已来到了自己的指定区域做好了准备。

一名看上去四十岁左右的老师来到第三十三区，他看上去相貌十分普通，也没有什么凌人的气势，脸上笑眯眯的，十分和气的样子，与周漪绝对是天壤之别。数了数人数后微笑点头道："很好，咱们这边一共是六组学员进行考核，都已经到齐了。我先自我介绍一下，我叫王言，将是你们接下来两天的考核老师。"

"王老师好。"学员们赶忙向他躬身行礼。

王言呵呵一笑，道："不用那么多礼，我的执教习惯一向是把大家当成朋友来看待，从现在开始到考核结束前，你们就都是我的小朋友了。所以，我不希望看到任何人受到伤害。考核虽然将决定你们是否能够留在史莱克学院继续学习，但我必须提醒大家的是，这是考核，绝不可以伤残对手，否则的话，我只能抱歉地请他离开并且上报学院了。"

他说得温和，而且轻描淡写，更没有说出伤残对手的后果是什么，但能够进入史莱克学院的学员哪个不是人精，自然听得出他话语中的意思，纷纷点头表示明白。

王言微笑道："既然如此，那我们就开始吧。比赛早点结束你们也好早点回去临阵磨枪。对于你们这些年轻人来说，有点紧迫感是好事儿。"

一边说着，他拿出一个文件夹打开，看了一眼后抬头道："第一轮第一场考核，新生一班：霍雨浩、王冬、萧萧，新生三班：欧阳俊逸、陈俊峰、赵昊辰。你们可以进入场地了，各自在一角。我说比赛开始后，你们才可以释放自己的武魂。入场吧。"

六组学员，今天这第三十三区要进行三场比赛，霍雨浩他们也没想到自己竟然是第一个出场的，彼此对视一眼后，迅速走入场地在西北角站定。

三人的站位很有讲究，王冬站在最前面，萧萧第二个，霍雨浩则站在最后面的角落之中。而另一边的三名学员自然就选择了东南角。

来自新生三班的三名学员全都是男生，长相都还不错，身材最高大的是欧阳俊逸，相貌也是他最好。虽然和王冬相比还有所差距，但他的身材看上去要比王冬强壮许多。在他身边的陈俊峰个子不矮但却十分纤瘦。最后面的赵昊辰就是个小胖子了，肚皮圆滚滚的，一脸憨厚地笑着。

看双方都站好位置，王言老师点了点头，道："考核开始。"

双方瞬间就在第一时间释放出了自己的武魂，霍雨浩虽然站在角落中，但在他刻意控制下，没有让自己的精神探测囊括身后，而是单纯地将整个比赛场地全部笼罩在内。萧萧也同样是释放出了她的三生镇魂鼎，黑色的大鼎在头顶上方迅速成型。

王冬的行动则更加直接，身形一闪就冲了出去，人在空中，一双绚丽的蓝紫色翅膀已经舒展开来，闪亮的金色光纹、绚丽的翅膀，无论是对手还是负责监督比赛的王言老师都是吃了一惊。实在是因为他那双翅膀太漂亮了，以至于后面的萧萧和霍雨浩的风头全部被遮挡了。

他们的对手三人也早已做好了准备，都在第一时间释放出了自己的武魂。

第18章
三十三区，三对三

站在最后面的赵昊辰大喝一声："快来，我的大鸡腿。"只见他脚下一圈黄色魂环荡漾而起，两道黄光在手中闪耀，顿时，两根红烧大鸡腿就出现在了他掌握之中，迅速递给前面的两人。

欧阳俊逸和陈俊峰一边释放着武魂一边迅速接过鸡腿用力地咬上一口大吃起来。

食物系武魂？这还是霍雨浩第一次见到食物系武魂的样子，只是不知道那鸡腿的作用是什么。赵昊辰的魂环只有一个，但却是百年的，想必增幅效果也十分不错。不过，欧阳俊逸和陈俊峰各自啃着鸡腿的样子实在是有些古怪，以至于萧萧不禁笑了出来。三生镇魂鼎还在她头顶，一点都没有要出手的意思。

欧阳俊逸和陈俊峰同时出手了，两人一个是兽武魂一个是器武魂，但却全都是敏攻系战魂师。

欧阳俊逸的武魂是剑喙蜂鸟，武魂释放后，他的右臂前端迅速出现了一根尖刺，他的武魂乃是鸟类，但是，修为未到的情况下他还未能拥有翅膀。仅仅是从这一点就能看出他这武魂品质与王冬之间的差距了。王冬的光明女神蝶武魂天生就是具有翅膀的，那才是顶级的兽武魂展现。

陈俊峰的武魂则是一柄软剑，他们三人全都是一环魂师，但却都拥有着黄色的百年魂环。其中欧阳俊逸实力最强，修为已经达到了魂力十九级，陈俊峰则是十八级。赵昊

193

辰因为是食物系魂师，提升相对较慢，修为只有十七级。

两名敏攻系战魂师吃过鸡腿之后，宛如两道箭矢般同时扑向王冬，速度之快，就连王冬都吃了一惊。不过，他也在瞬间明白过来，这二人吃下的鸡腿恐怕提升的就是速度啊！

不只是周漪会分团，其他班级的老师也同样会，以赵昊辰辅助欧阳俊逸和陈俊峰，无疑能够将他们的速度优势最大程度地发挥出来，完全是以速度取胜。

可惜的是，对于霍雨浩三人来说，其实最不怕的对手就是速度型的，因为霍雨浩的精神探测完克他们。

淡淡的金色光芒在霍雨浩眼底亮起，整个比赛场地完全是立体式地出现在王冬脑海之中。那欧阳俊逸和陈俊峰的速度虽快，但他们飞行的轨迹、魂力运转方式、魂技爆发的方向和破绽、漏洞，全都出现在王冬的脑海之中。王冬终于感受到上午萧萧和霍雨浩配合时的畅快了。

欧阳俊逸和陈俊峰的攻击目的性很强，王冬一个人冲出来正合他们之意，速度的突然爆发，他们有十足信心让霍雨浩和萧萧来不及救援。先击溃了王冬，再收拾霍雨浩跟萧萧，也算是各个击破。

欧阳俊逸除了右手中的尖刺之外，整条右臂上都覆盖上了一层羽毛，身体也变得十分轻盈，同样是敏攻系魂师，他要比陈俊峰先到一步，身上黄色魂环闪耀，手中尖刺瞬间化为数十道光影向王冬覆盖而去。

陈俊峰速度虽然慢上一拍，但他显然不是第一次和欧阳俊逸配合了，人未到，手中短剑已然挥出，同样是第一魂环闪亮，一道剑芒迸射而出，从正面劈向王冬。

金色光纹，早在他们出手的时候就已经扩散在了王冬的双翼之上，他施展的也是第一魂环。双臂与前翼瞬间重合，那两柄霍雨浩和萧萧见过的翅翼铡刀再次出现。

身在半空，王冬的位置比欧阳俊逸和陈俊峰要高出几分，脸上流露出一丝高傲，就像是居高临下一般看着二人，面对他们的进攻，王冬左翼横扫而出，直接迎上了欧阳俊逸的剑喙蜂鸟武魂，右翼则是正面劈斩，后发先至，迎向了陈俊峰的剑芒，位置把握得不差分毫。

"咻咻咻咻咻……"一连串的破空声中，欧阳俊逸震惊地看到，自己的剑喙蜂鸟武

魂第一魂技蜂鸟闪烁刺在光明女神蝶前翼上，竟然只是泛起一圈圈金色光晕，以剑喙蜂鸟的锋锐，居然无法突破那羽翼的强度。紧接着，那巨大的前翼就扇到了他面前。

欧阳俊逸也算是有些战斗经验，瞬间一矮身，就想要从这翅膀下钻过去，但谁知道王冬的翅翼铡刀突然下拍，就像是他直接下蹲停下给王冬拍似的，"砰"的一声，欧阳俊逸直接被拍落尘埃，来了个狗吃屎，背上传来的巨力令他险些吐血。

另一边的陈俊峰还不如他，软剑发出的剑芒与翅翼铡刀的锋锐正面碰撞，陈俊峰只觉得金光一闪，自己发出的剑芒就溃散了，紧接着，他的软剑传来一阵剧烈的嗡鸣，轰然破碎。他自己只觉得眼前金蓝色光芒一闪，身体就被横扫得倒飞而出，以比来时更快的速度倒飞而回，正好撞在了啃鸡腿的那位赵昊辰身上，两人顿时变成了滚地葫芦。

王冬双翼在空中一展，光明女神蝶翅翼上蓝色紫色光芒交替闪耀，金色光纹缓缓收敛，同时他的身体也是飘然落地，脸上的骄傲始终未曾消失。

场边的王言老师看得眼中异彩连连，而其他几支三人队团队也都在场边观战，看了这一场比赛后，一个个都是脸色沉凝，整个三十三区变得鸦雀无声。

太强悍了。这是何等恐怖的强攻系战魂师啊！

本来强攻系就从一定程度上克制敏攻系，可是，大家都是新生，差距怎么会如此之大呢？王冬凭借一己之力，竟然在一击之下击溃两名敏攻系战魂师，而且还是在对方有食物系器魂师辅助的情况下。

虽说两环相比于一环有着巨大的优势，但以一对三的情况下还秒胜对手，可想而知这位光明女神蝶魂师是多么强悍的存在。

而且，和王冬一样是两环的，还有另外一人，人家这团队有两名二十级以上的魂师啊！至于霍雨浩，则是被所有人直接忽略了，只有王言老师隐隐看到了他眼底闪烁的淡金色光芒。

实际上，欧阳俊逸这支团队虽然和霍雨浩他们有实力上的显著差距，但王冬如果只是一人，也不可能胜得这么快。可是，别忘了，他有霍雨浩相当于六百多年魂环的精神探测共享辅助啊！

精神探测共享不是一个技能，而是两个，两个六百年魂环的技能辅助，王冬得到的帮助可是要远远超过对方的。

　　而且，同样是百年魂环，王冬的魂力已经达到了二十四级，修为远超对手，而且拥有第二魂环之后，他的第一魂环攻击力也更强。再加上武魂的全面压制，这才造成了这一场大胜。

　　王冬双翼收起，转身回到萧萧和霍雨浩面前，三人击掌相庆。萧萧低声笑道："班长就是厉害，王冬，下次让我过过瘾怎么样？"她有信心，如果刚才换成是她，也一样能够击溃对手。越是感受过霍雨浩精神探测共享的神奇，就越是不能自拔。所以她称赞的是霍雨浩而不是王冬。

　　王冬嘿嘿一笑，道："别啊！你还是保存实力吧。前面这十场考核对咱们来说不过是开胃菜而已。我一个人显摆就行了，可不能让人家摸清了我们的实力。"

　　霍雨浩呵呵笑道："王冬说得也有点道理，萧萧你可是我们的杀手锏。"

　　听他们这么一说，萧萧也笑了，点头答应下来。

　　"一班霍雨浩团队胜利一场。"王言宣布之后，在自己手中的文件上记录下来。

　　另一边，欧阳俊逸三人都已经爬了起来，王冬手下留情，他们并没有真正受伤，但却一脸的羞愤之色。让人家如此轻而易举地战胜了，他们连一秒钟也不想留在这里，飞速地跑掉了。

　　王言登记完比赛结果后，又一次看了霍雨浩三人一眼，心中暗想，这一组估计是一班的杀手锏吧。周漪老师教出来的学员果然是非同凡响啊！

　　不过，他还是想不通霍雨浩是怎么回事。和学员们不同的是，他很清楚每支团队登记时候的奥妙。

　　新生一班这支团队叫做霍雨浩团队，也就是说，霍雨浩才是这支团队的队长。但从修为来看，王冬和萧萧都要远超过他。说得更直接一点，以霍雨浩那第一魂环才是十年的程度，而且也没有突破到二十级的修为，甚至都没有进入史莱克学院成为一名新生的资格才对。

　　可是，他就是这支团队的队长，也就是说，这看上去只有十年魂环的学员才是这支团队的核心，这是为什么呢？

　　王言乃是史莱克学院理论流、温和派代表人物。理论扎实，教学能力很强。别看他只有四十多岁，但在外院是首屈一指的高级教师。

在史莱克学院中，老师的级别提升甚至比学员们更加困难，也更是分明，周漪也不过是中级教师而已，当然，这也和她那恐怖的教学方式有关。而王言能够成为一名高级教师，是有资格给内院学员上课的，可见他在理论方面有多么强悍了。但现在依旧看不明白霍雨浩他们这一组的情况，甚至没看出霍雨浩是什么样的魂师。

霍雨浩三人考核结束后并没有离开，而是在场边观看了另外两场比赛，直到全部三场比赛结束后才向王言告辞离去。

王言也没有叫住霍雨浩询问，他相信，在接下来的几场比赛中一定能够看出霍雨浩的能力。

新生考核第一轮很快结束了。今天的考核主要是让新生们适应这种战斗式的考核方式。而明天的考核密度就将大幅度提升了。上午、下午各进行两轮考核，一共四轮。而第三天更恐怖，每一支团队要进行五轮考核。整个新生考核的时间就只有三天。

这不只是锻炼学员们的实战能力，还有持久战的能力。

当第二天考核开始时，所有新生一班的学员们就已经开始发自内心地感谢他们的周漪老师了。一天四场比赛，不只是魂力消耗的问题，体力消耗也同样十分严重。而新生一班经过周漪魔鬼式的特训之后，对于这种赛制的接受能力明显要比其他班级强多了。

经过了第一天的比赛和观察，霍雨浩他们完全确定，在这一组中，确实没有能够给他们造成威胁的对手，二十级以上的新生除了他们之外就只有一人而已。

在密集赛制的情况下，其他各组新生也不是傻子，为了取得更好的成绩，在面对霍雨浩他们的时候，直接就放水了。

以至于和其他新生团队的疲惫不堪完全不同的是，霍雨浩三人在第二天的全部四场比赛中轻松获胜，从而获得了五战五胜的佳绩。有了这个成绩垫底，他们基本上可以说新生考核已经通过了。而且，这五场胜利也让他们建立了充分的信心。

而作为三十三区的考核老师，王言就有些郁闷了。五场比赛过去，霍雨浩团队的战斗方式全都是一模一样，王冬出手，霍雨浩和萧萧看戏。然后短时间内结束战斗。他竟然依旧没能看出霍雨浩的能力是什么，这让身为理论流教师的他怎能不郁闷？

"霍雨浩，你们三个过来一下。"第二天比赛结束，王言将霍雨浩三人叫到面前。

"王老师。"霍雨浩走在前面，王冬和萧萧在他后面一左一右。

果然。王言心中暗想，这霍雨浩确实是他们团队的核心啊！

"你们三个在前面五场比赛中获得了五战全胜的好成绩，后面的比赛要继续努力，争取进入前六十四强参加排位赛。不过，明天的五场比赛绝不会像今天这么轻松。今天的比赛结束后将进行重新抽签，其中那些五战全败的团队将会被直接淘汰出局。而抽签时，除了考虑同班级不碰撞之外，还会考虑到前面的战绩，明天你们的比赛地点肯定还是咱们三十三区，但很可能会遭遇到一支或者两支团队强有力的挑战。"

霍雨浩点了点头，道："谢谢王老师，我们会加油的。"

王言微微一笑，道："那就好，回去早些休息吧。"他依旧没有询问霍雨浩的武魂是什么，他有他的骄傲，他相信，只要遇到强手，霍雨浩他们是怎么都瞒不住的。

"真爽啊！跟切瓜砍菜似的就赢了。"走在返回宿舍的路上，王冬一脸兴奋地说道。今天他可是过足了瘾。

萧萧道："明天该轮到我出场了吧。王冬，我觉得是这样，直到目前为止，你所用的也只有第一魂技而已。如果明天我们遭遇到的对手比较强大，你恐怕就要用第二魂技了吧。而你的第二魂技乃是千年魂环所成，可以说是咱们团队中最强的攻击手段。还是不要轻易被别人看出来的好，等咱们到了排位赛的时候再用。明天要是遭遇强有力的对手，我跟你一起出手，咱们尽量都用第一魂技，就算是对手强大，也是我用第二魂技，把你的第二魂技隐藏起来。这样咱们就有两个杀手锏了，怎么样？"

王冬扑哧一笑，道："萧萧，你说了这么多，还不就是因为你手痒了。好吧，就按你说的，我都过了瘾，怎么也要让你爽一爽。"

幸好他们此时的交谈没有成年人经过，否则王冬这话直接就要引人歧义了。

霍雨浩呵呵笑道："走吧，我请你们吃烤鱼。我昨天多订了一些。"

就在三人刚刚走出考核区的时候，迎面却碰到了两个人，看到他们，霍雨浩和王冬都不禁为之一愣。

来的不是别人，正是一身红衣的内院弟子马小桃和几天前被她带走的徐三石。

和平时的意气风发相比，此时的徐三石看起来一脸的灰白，就像是被抽空了精力似的，整个人无精打采的，身上的衣服也是皱皱巴巴的，那样子要多颓废就有多颓废。

马小桃还是那么美，但俏脸上却有着一层不正常的潮红，眼眸的淡粉色也深了几分。

"这不是找到了，小桃姐，我可以走了吧。"徐三石一脸苦笑地说道。折腾了几天，在剧烈的痛苦煎熬中，他终于挺了过来。但无论是精神还是体力、魂力的消耗都太剧烈了，他现在只想回宿舍大睡一觉。

马小桃点了点头，道："行了，你走吧。"

徐三石向霍雨浩和王冬递出一个你们自求多福的眼神转身就走，那个没义气的样子不禁令霍雨浩、王冬二人心中都是一紧，马小桃找他们干什么？

马小桃淡淡地道："你们两个，跟我来。小学妹，你自己先回去吧。"

萧萧刚要说什么，霍雨浩却立刻向她摇了摇头，让她先走，示意自己二人不会有事的。

看样子马小桃来者不善，他并不想将萧萧卷进来，而且这里是学院，霍雨浩和王冬都认为马小桃不会对他们怎么样的。

萧萧有些心不甘情不愿地走了，霍雨浩和王冬在马小桃的带领下走向湖畔小径，沿着小径走了一会儿，正好到了当初他们遇袭的湖边。

马小桃一直走到海神湖前才停下脚步，霍雨浩和王冬都和她保持了明显的距离，王冬一脸的警惕，霍雨浩也是心中打鼓。

"马学姐，你叫我们来有什么事么？"霍雨浩试探着问道。

马小桃背对着他们道："我知道你们应该认出我了，没错，我就是当初那个从内院跑出来险些伤害到你们的学员。我有不得已的苦衷。在这里，我先向你们两个道歉了。"

王冬撇了撇嘴，心说，这就叫道歉？真是一点诚意都没有啊！

霍雨浩和王冬对视一眼后，道："马学姐，过去的事情都已经过去了。而且学院也给了我们补偿。"

马小桃猛地转过身，她那双粉红色的眸子颜色突然加深了几分，一股难言的压迫力瞬间出现在霍雨浩和王冬身上。

"可是，对我来说，这件事还没有过去。"马小桃沉声说道。

"那天，应该有一名冰属性魂师阻止了我，所以才没有伤害到你们。这个人对我

来说很重要。把你们知道的都说出来。或者说他是你们之中谁的保护者。我一定要找到他。"

王冬有些茫然地道："马学姐，我不明白你说的是什么意思，那天你扑向我们的时候，你身上的高温直接就令我们昏迷了过去，之后发生了什么事我们根本不知道啊！什么冰属性魂师就更无从说起了。"

霍雨浩也跟着连连点头，他是无论如何都不能泄露关于天梦冰蚕之秘的。

马小桃看两人神色不像作假，眼中流露出一丝犹豫。

她之所以来找霍雨浩和王冬，是因为那天回去后，她突然想起了为什么对这两名学员眼熟，她在内院看到过关于霍雨浩和王冬的资料。

之前三个月，她凭借着那次天梦冰蚕留在她体内的那股寒气压制邪火，修为在三个月内有了不小的进步。寒气消失后，她只能又找徐三石。但她发现，徐三石的玄冥龟武魂虽然是顶级兽武魂，但本身是水属性而非冰属性，对她的帮助已经越来越小了。

不能压制邪火，她就必须要停止修炼，而且，邪火还随时有可能爆发，令她失去神志。

思前想后之下，她决定来找霍雨浩和王冬，如果能找到当初用冰属性阻止了她的那个人，那么，她的问题也就迎刃而解了。

"你们真的不知道？"马小桃沉声问道。

霍雨浩和王冬同时摇头。

马小桃脸色猛然一变，厉声道："那就别怪我不客气了。你们不知道，那我就逼他出来。"一边说着，一股浓烈的热浪轰然而出，赤红色的火焰宛如火山喷发一般从马小桃身上迸发而出。

霍雨浩和王冬在被马小桃叫过来的时候就已经觉得不对了，所以两人心中一直都保持着警惕，再加上上次吃过大亏，马小桃这一发动，两人也立刻有了反应，总不能坐以待毙啊！

光明女神蝶的翼翅瞬间从王冬背后冲出，双翼在展开的同时就已经布满了金色光纹，翅翼铡刀在第一时间就施展了出来。

霍雨浩的精神探测共享与灵魂冲击也是同时释放了出来。

别看只过去了三个月，霍雨浩和王冬的修为都提升了不少，而且配合也很默契，骤然发动之下，还真让王冬从后面抓着霍雨浩飞了起来，迅速向后飞退。

马小桃显然是大意了，一个一环一个两环，想让她重视也没可能啊！武魂刚释放出来，绚丽的火红色翎羽才覆盖身体，王冬就已经从后面搂着霍雨浩迅速飞起后飘了。

紧接着，马小桃就看到了霍雨浩紫光闪烁的眼眸，就在那一瞬间，她只觉得霍雨浩的眼神犹如两根尖针刺来一般，令她下意识地闭上双眼，脑海中也出现了瞬间的眩晕。

紫极魔瞳进阶之后，霍雨浩这灵魂冲击的威能更加强劲了，以马小桃六环级别的修为都有感觉而不是直接免疫。

虽然只是一瞬间的工夫，但王冬已经带着霍雨浩冲出了树林，返回湖畔小径。

"回教学楼。"霍雨浩大喝一声，与此同时，双手同时朝着马小桃的方向挥出，一道道寒光闪过，直奔马小桃飞去，正是唐雅给他的暗器。最简单但也是最快捷的甩手箭手法令暗器发出刺耳的破空声。

王冬双翅上的金纹同时喷吐出强烈的气流，推动着他的身体迅速远遁。

马小桃怎肯让二人逃走，根本不理会霍雨浩的暗器，身形一闪就追了上来，背后一双巨大的火翼展开，所有到了她面前的金属暗器都在瞬间融化，化为液体滴落在地。恐怖的高温就像是一只大手般从后面覆盖向霍雨浩和王冬。

霍雨浩的精神探测共享在同阶中几乎是可以改变胜负的强大技能，但是，面对马小桃这种层次的对手显得太过单薄了。能够准确判断又如何？知道也挡不住啊！

王冬已经竭尽全力在飞了，但背后的热浪几乎是一瞬间就吞噬了他们二人的身体。如果从空中俯瞰就能发现，马小桃身形一闪就追上了霍雨浩和王冬，然后她那巨大的火翼再次暴涨，猛然向中间合拢，将霍雨浩和王冬直接笼罩其中消失了。

马小桃一手一个，抓着王冬和霍雨浩的衣襟，她那恐怖的魂力直接让两人失去了抵抗力。王冬和霍雨浩震惊地看到，周围尽是一片火红，根本看不到外面的世界了。甚至连说话都做不到。

马小桃脸色沉凝地静静等待着，足足过了半分钟之久，她才眉头皱起："难道上次真的是一个巧合？"

她向霍雨浩和王冬出手的目的只有一个，就是要逼迫当初那个以冰属性镇压了她的

魂师出现。可事与愿违，从外面看来她已经完全将霍雨浩和王冬吞噬了，但那名魂师却依旧没有出现。

火光收敛，周围所有的红色全部褪去，马小桃也恢复了正常，她双手一松，推开霍雨浩和王冬。两人都是一个趔趄就跌倒在地。

马小桃淡淡地道："既然与你们无关，那就算了。我知道你们不服气，不服气就好好修炼，等有一天如果你们能够进入内院，我给你们挑战的机会。"说完，理也不理眼中尽是悲愤的霍雨浩和王冬，转身飘然而去。

"这个疯女人。"王冬愤怒地叫道。

霍雨浩从地上爬起来，然后再拉起王冬："行了，有力气骂她不如回去修炼。她也没说错，谁让我们实力不如她？回去吧。"当初马小桃被天梦冰蚕一指击退的全过程霍雨浩都看在眼中，因此他先前隐约猜到了马小桃的想法。

清醒状态的马小桃几乎没可能在学院里杀他们，无非就是要逼天梦冰蚕出来。但霍雨浩已经猜到了她的目的，就算猜不到，天梦冰蚕也出不来啊！他老人家正睡得香甜呢，而且早就说过，一年内无法再附体帮助霍雨浩。

第二天一早，当萧萧看到霍雨浩和王冬的时候，俏脸上不禁流露出一丝惊讶："你们两个这是怎么了？都臭着张脸，昨天那位内院学姐没把你们怎么样吧？"

王冬抢着道："当然没有，就是找我们问点事儿。走，考核去。"笑话，那么丢人的事儿他可不愿意说出来。

由于他们在之前的五轮比赛中成绩最好，因此依旧留在了三十三区，重新抽签分组后，换了五组新生与他们继续考核。

这些新生肯定不会是其他区域的第一名，所以接下来的五场循环赛肯定不会遇到最强的对手。但和前面相比，也未必会那么轻松了。

王言老师眼含深意地看了一眼霍雨浩三人，这才宣布道："好，人都到齐了。由于在之前五轮比赛中一班的霍雨浩团队获得了本区域最优秀的成绩，因此，他们为本区域的种子队伍。按照比赛顺序将第一个进行比赛。三十三区第六轮第一场，新生一班霍雨浩团队、新生七班黄楚天团队进行考核。"

双方同时入场，霍雨浩三人立刻惊讶地发现，在对方团队中，竟是有一对长得一模

一样的女学员。

两名女学员都是一头蓝色长发，清秀的小脸红扑扑的，看上去十分可爱，年纪似乎比他们还要小一点。

双胞胎？

两名女学员前面的是一名身材高大魁梧的男学员，显然就是那位黄楚天了。也是他们这三人小团队的团长。

"我叫黄楚天，左边是蓝素素，右边是蓝洛洛。请指教。"

"霍雨浩，王冬，萧萧，请指教。"霍雨浩回答道。

双方站好位置，霍雨浩这边，还是按照原本的顺序，王冬在前，萧萧居中，霍雨浩在最后的角落里。

另一边，黄楚天在最前面，蓝素素和蓝洛洛在他后面。每支团队最多只能有一名强攻系战魂师，很显然，这对双胞胎小姑娘不会是强攻系战魂师，很有可能是双辅助或者是和霍雨浩他们一样的双控制。

王言老师沉声喝道："考核开始。"

双方迅速释放武魂，黄楚天一声怒吼，双拳用力地捶击了一下自己的胸膛。他肯定还不到十二岁，但身高就有一米五开外了，武魂释放出来，身材更是瞬间暴长到一米八左右，粗壮的肌肉直接撑破了身上的校服，裸露在外的皮肤全部变成了铁黑色。

双眼由原本的黑色变成了黄色，两颗犬牙从变厚的嘴唇下突出几分，四肢格外粗壮，那一块块肌肉就像是钢铁般坚实有力。

两个黄色魂环同时从他脚下升起，赫然是一名二十级以上的强攻系大魂师。

黄楚天身后的双胞胎小姑娘也同时释放出了她们的武魂，她们的武魂竟然是头发……

蓝洛洛和蓝素素脚下居然也各自出现了两个魂环，同样都是黄色。头一甩，脑后的蓝色长发顿时飞扬起来，迅速在空中绽放开，很快就变成了足有十几米长的蓝色发丝，在空中飘荡也不落地。

第19章
武魂融合技之天罗地网

　　这是一支三名全部由二十级以上学员组成的团队啊！他们在原本的区域竟然没获得第一名？这也是霍雨浩他们遇到的第一支全部由两环大魂师组成的新生团队。

　　黄楚天三人的实力确实很强，但在他们原本的区域中却遇到了正好克制他们的对手，结果五战四胜一负，屈居第二来到这里。

　　另一边，王冬在第一时间就飞了出来，双翼展开，炫丽的光明女神蝶一出现，蓝素素和蓝洛洛这一对小姑娘眼中满是星光，看着王冬的眼神顿时就变了。

　　黄楚天低吼一声，猛然迈开大步朝着王冬就迎了上来，他的脚步落在地面上，竟然发出"咚咚咚"的巨响。眼看着距离王冬还有三米时猛然跃起，双拳直奔王冬砸了过去。

　　王冬背后双翼一合，硬接了他这一下。

　　"轰——"他竟然被硬生生地从空中砸了下来，落地后接连后退数步才稳定住身体。

　　黄楚天双脚落地后立刻再次跳起，追向王冬。

　　也就在这时候，一个漆黑的大鼎悄无声息地出现在了黄楚天身形腾起的最高点，看那样子，根本就是他自己撞上去的。

　　黄楚天微微一愣，空中没有借力的地方，跳起后也无法再改变方向，无奈之下，他

的双拳只得改向那黑色大鼎砸去。

诡异的是，他动作才一变，那大鼎突然后退了三十厘米，正好让开了他的双拳，然后再瞬间前冲。

黄楚天也是彪悍，头部向前一顶，居然用自己的脑袋硬撼三生镇魂鼎。

"砰——"黄楚天被撞击得倒飞而回，而三生镇魂鼎则是从天而降，刚好落在了王冬身前。至此，萧萧终于在新生考核中第一次出手了。

负责监督比赛的王言眼睛一亮，他当然看得出萧萧这武魂的非同凡响，更令他重视的是萧萧对时机的掌控。

王冬回身向萧萧一笑，道："我只是试试他的力气，这家伙的武魂应该是铜皮铁骨的大力神猿，难怪力气这么大，看我的。"一边说着，他再次腾身而起，脚尖在身前的三生镇魂鼎上一点，身上的第一魂环就亮了起来。

"黄楚天，看看你的铜皮铁骨是否挡得住我的翅翼铡刀。"王冬双翼张开，直扑对方。

就在王冬飞出去的同时，另一边，蓝素素和蓝洛洛也收回了看向他的目光，双胞胎小姑娘改为彼此相对，同时四只手拉在一起。从她们身上，顿时迸发出一股更加浓烈的魂力波动。先前长达十几米的蓝发瞬间飞扬起来，在空中形成一张大网，直奔王冬挥洒而去。

以网来对付蝴蝶，这显然是最好的方式。

发网，这是双胞胎小姑娘一模一样的第一魂技。两个一样的魂技加上她们心灵相通的配合，当那蓝色大网罩向王冬的时候，在霍雨浩的精神探测中，竟然是没有死角和破绽的。

黄楚天身形迅速后退，退入那发网之中，但那些蓝发像是长了眼睛一般纷纷让开，并不触及到他的身体。

霍雨浩最担心的情况还是出现了，对方也是一强攻加两控制的配合，而且，对方的两名控制系魂师还是双胞胎，配合起来自然更加密切。

王冬的翅翼铡刀强横的威力在这个时候就展现了出来，发网原本是克制他的蝴蝶武魂，但是，他那一双翅翼铡刀挥舞起来，锋利的边缘产生了强大的破坏力，只见两片蓝金色的巨刃上下挥舞，竟然直接从那大网上破开一个缺口，同时瞬间坠落，在霍雨浩的精神探测共享指引下直扑黄楚天。

黄楚天和蓝素素姐妹也是大吃一惊，王冬这光明女神蝶的破坏力竟然强悍如斯确实是他们没想到的，而且他们也不明白为什么在被发网干扰了视线之后，王冬还能准确找到黄楚天的位置。

黄楚天大吼一声，第一魂环瞬间闪亮，只见他两个拳头骤然长大一倍，闪耀着浓烈的金属光泽，同时向王冬的翅翼铡刀上迎去。而蓝氏姐妹的发网则从后方席卷而至，试图将他缠绕。

"当——"翅翼铡刀斩在那一双铁拳上，竟然迸发出一声金属碰撞般的爆鸣，这一次后退的就是黄楚天了，脚下一阵趔趄，倒退五六步开外。双拳之上更是鲜血淋漓，各自被割开了一个口子。

黄楚天不禁骇然色变，他的大力神猿也是相当强悍的武魂了，以铜皮铁骨、力大无穷著称，竟然挡不住王冬的翅翼，不是他力量不如，而是那一双翅翼铡刀上蕴含着恐怖的锋刃，如果他不退，恐怕双拳就要受到重创。

一击劈退黄楚天，王冬威势更盛，两片后翼同时拍动，拧身，挥舞着翅翼铡刀宛如陀螺般迅速旋转起来，将后面扑来的发网绞得支离破碎，却丝毫无法限制住他。

萧萧在霍雨浩的精神探测共享下自然能够感受到王冬此时的情况，因此她的三生镇魂鼎也只是出手那一次之后就停顿下来。

"吼——"黄楚天再次怒吼出声，双手合握高举于头顶，盘旋于身上的第二魂环终于亮了起来，只见他全身都泛起了一层浓浓的黄色光芒，这一次，两条手臂都膨胀起来，粗壮的肌肉蕴含着恐怖的爆炸性力量，那黄色光芒一直运行到他双拳处才停滞下来。

"力之炮锤。"黄楚天爆喝声中，双拳猛然向王冬的方向砸了出去。一团凝实的黄色光球瞬间从他双拳处轰出，直奔王冬而去。这光球竟然是有锁定效果的，王冬连续三次闪身居然都无法避开。

就在他准备用翅翼铡刀硬挡的时候，脸上突然流露出一丝微笑，居然放弃硬挡，不再去管那飞来的力之炮锤，而是翻身向下，一边绞碎发网，一边直奔蓝素素和蓝洛洛而去。

三生镇魂鼎悄无声息地出现在王冬背后，与那力之炮锤狠狠地碰撞在一起，在二者碰撞前的一瞬间，一层黑色光晕从三生镇魂鼎上扩散开来，于半空中发出一声震耳欲聋的轰响。

力之炮锤与那黑色光晕碰撞后，顿时被削弱了大半，然后才撞击在三生镇魂鼎上，虽然依旧凭借着强大的爆炸力将三生镇魂鼎炸飞，但黄楚天这一击也终究被化解了。而且，蓝氏姐妹正面临着王冬的全力攻击。

蓝素素和蓝洛洛显然是料敌不足，黄楚天和王冬对抗虽然落在了下风，但并没有落败，她们却忘了人家也不是一个人啊！等王冬绞碎发网扑向她们的时候，她们的第二魂技再想应用已经有些来不及了，因为这第二魂技需要一定距离才能发挥出最大的威力。

姐妹二人对视一眼，眼眸中都流露出了坚决之色，两人身上的魂环竟然同时消失了，拉在一起的双手同时放开，居然就在战斗中张开双臂，彼此拥抱了对方。

王冬也是愣了一下，她们这是要干什么？

下一刻，蓝氏姐妹给了他答案，一股远超先前的庞大魂力波动瞬间绽放，蓝素素和蓝洛洛拥抱在一起的瞬间，一股深蓝色光晕从她们身上同时发出，将她们的身体遮盖在内令人无法看清。与此同时，她们脑后的长发同时扬起，全都变成了晶莹剔透的蓝色，发丝依旧是那么纤细，但是，当它们再次笼罩向王冬的时候，带给王冬的感觉已是截然不同。

翅翼铡刀正面斩中发网，却没有像先前那样瞬间破开，王冬只觉得自己撞入了一个充满弹性和坚韧的大网之内，无论如何挣扎，这张大网也是越收越紧，而就在这张大网笼罩向他的一瞬间，霍雨浩的精神探测共享竟然消失了。

霍雨浩停止了技能释放吗？答案当然是否定的。这是因为眼前王冬所面临的这个魂技太过强大，以至于庞大的魂力波动硬是屏蔽掉了霍雨浩的精神探测，无论怎么说，霍雨浩都只是一名一环魂师而已。

几乎只是转眼间，王冬就像是粽子一般被捆在了其中，身体周围尽是晶莹的蓝色发丝。而这些铺天盖地的蓝色发丝并没有就此罢休，而是迅速向着萧萧和霍雨浩的方向覆盖了过去。

"武魂融合技?"萧萧惊呼一声,三生镇魂鼎迅速全力出击,大鼎在空中一分为三,同时向那张大网砸去。

所谓武魂融合技,就是两名武魂彼此之间极其契合的魂师联手发动的技能。武魂融合技的威力远远要大于同级别的任何魂技,可以说已经不是一个层次的存在了。而武魂融合技是只有极少有魂师能够做到的,可以说是万里挑一。

黄楚天这个团队之中,个体实力自然是黄楚天最强,可真正的杀手锏却是蓝氏姐妹的武魂融合技啊!

在前面五轮的考核之中,她们一直隐忍不发,哪怕是输掉了一场比赛也没有动用武魂融合技。但是,今天是后五轮比赛的第一场,她们已经不敢再输了。就像霍雨浩团队是一班的种子团队一样,黄楚天和蓝氏姐妹也是新生七班的种子团队,是肩负着冲击前三任务的。

因此,在短暂的思考后,蓝素素和蓝洛洛才彼此相拥,发动了这武魂融合技之天罗地网。

别说是两环级别的大魂师,就算是三环级别的魂尊,如果只是一个人,也不可能从天罗地网中挣脱出去。

三个黑色大鼎瞬间就被天罗地网吞没了,萧萧娇喝一声,只听三声轰鸣同时在天罗地网中响起。

顿时,天罗地网竟然被震得略微散乱,正是先前阻挡黄楚天技能的同一技能,也是萧萧三生镇魂鼎的第一魂技——鼎之震。

与之前的单一发动不同,鼎之震这一次是三鼎齐发,威力被释放到了最大程度。

萧萧这三生镇魂鼎的奥秘就在于,三鼎合一时防御最强,三鼎分开时攻击和魂技威力最强。

但是,天罗地网乃是武魂融合技啊!萧萧全力发动的鼎之震虽然强大,但和天罗地网比起来依旧是小巫见大巫,只是略微散乱之后,天罗地网就已经再次扑上,眼看就要到萧萧面前了。

也就在这一刻,霍雨浩突然大喝一声:"王冬。"

那已经到了萧萧近前的天罗地网就像是被霍雨浩的声音震慑住了似的,突然停顿了

下来，而在天罗地网深处，浓烈的蓝金色光芒骤然大亮。

霍雨浩的精神探测共享一直都开启着，天罗地网内的情况虽然被屏蔽掉了，但萧萧依旧感受着精神共享带来的增幅。就在霍雨浩大喝的同时，她突然惊骇地发现，原本范围型的精神探测共享突然向中央收束，瞬间就变成了一道窄窄的探测，直刺天罗地网核心。

不仅如此，霍雨浩的魂力波动似乎在急速地升腾，还有一种她无法明白的力量混合在魂力之中。下一瞬，萧萧只觉得似乎有什么东西从自己脑侧掠过似的，她只觉得大脑一阵眩晕。

紧接着，那铺天盖地而来的天罗地网，居然就那么溃散了，如同海潮般退去。

"扑通——"

王冬坠地，大口大口地喘息着，显然经历了剧烈的消耗。而蓝氏姐妹更是不堪，居然已经双双倒地昏迷了。

霍雨浩的脸色也显得极其苍白，甚至连精神探测共享也无法再继续维持。虽然不像王冬那样大口喘息，但胸前也是不断地起伏。

场边，王言瞪大了双眼，满是不可思议地看着眼前这一幕。

当蓝氏姐妹发动武魂融合技天罗地网的时候，他的眼神就已充满了震惊。他原本以为霍雨浩他们已经输定了，但却怎么也没想到会出现戏剧性的变化，眼看着天罗地网即将克敌制胜时，霍雨浩团队竟然瞬间扭转了乾坤。

最让王言郁闷的是，他没有看出霍雨浩团队是如何出手的。尤其是那霍雨浩。从霍雨浩苍白的脸色以及他先前那一声大喝就能看得出，他一定是出手了。而且破开天罗地网很可能就是他全力以赴出手的结果。可是，他究竟是怎么出手的？又是如何破开武魂融合技的？王言是完全想象不出。

战斗并没有结束，尽管黄楚天看到蓝氏姐妹倒地，天罗地网竟然没有战胜敌人的时候也是大吃一惊，但他很快就清醒过来，低喝一声，直扑距离自己最近的王冬。在他看来，一定是王冬破掉了武魂融合技。霍雨浩不过只有一个十年魂环，在任何情况下都不会引人注意的。

王冬此时已经接近力竭，眼看黄楚天扑向自己，勉强拍动双翼迅速后退，同时叫

道："萧萧，接下来可就看你的了。"

"交给我吧。"萧萧吼了一声，三生镇魂鼎在天罗地网散开后就重新合一，虽然没有霍雨浩的精神探测共享辅助，但黄楚天那么大的目标她自然能清楚地看到。大鼎一横，就挡在了王冬身前，拦住了黄楚天的去路。

萧萧身后的霍雨浩直接盘膝坐在地上，通过冥想恢复自己的精神力。刚才那一下，他的消耗确实是相当巨大的。幸好现在的他已经不再是当初只有十一二级的菜鸟，紫极魔瞳也有了质的飞跃，因此才没有耗尽精神力。可那一下的瞬间输出也让他此时大脑一阵阵眩晕，无法再同时维持精神探测和精神共享了，必须要恢复一下才行。

以霍雨浩的能力能够破掉武魂融合技？那当然是不可能的，他不过才一环而已，百万年魂环虽然强大，但现在的他还远远无法运用出这百万年天梦冰蚕魂环真正的威力。

之所以能够破掉天罗地网，是多方面原因结合在一起才完成的。其中，霍雨浩确实是起到了至关重要的作用。

他大喊一声王冬，王冬立刻会意，在天罗地网不断的收紧中发动了自己的第二魂技。他这第二魂技自然还是无法破开武魂融合技的。但别忘了，王冬的第二魂技乃是千年魂环所出，威力也一样是相当强悍的，虽然破不掉天罗地网，但也使得那对双胞胎小姑娘的魂力消耗急遽上升。

而接下来，霍雨浩的攻击就到了，精神探测被天罗地网屏蔽，他将自己的精神探测瞬间集中在一个方向，强烈的精神波动冲破重围，再次完成了探测，只不过这一次是单方向的。

当他找到了蓝氏姐妹的时候，灵魂冲击在紫极魔瞳的增幅下全力发出，这就是萧萧感受到脑海瞬间眩晕时霍雨浩发动的全力一击。

事实证明，霍雨浩的全力以赴成功了。蓝氏姐妹的武魂融合技足够强大，但也不是没有缺陷的，最大的缺陷就在于，以她们目前的修为发动武魂融合技实在是太勉强了，本来就坚持不了多久。在王冬的全面消耗下，霍雨浩的灵魂冲击骤然撞上了她们的身体，强烈的精神波动一下就击溃了她们的技能，武魂融合技强大的反噬随之令她们陷入了昏迷之中。

不过，蓝氏姐妹能够凭借二人之力令霍雨浩和王冬几乎都失去了战斗能力，可见武魂融合技的强大。霍雨浩看着弱小，可他那是百万年魂环啊！

黄楚天双拳齐出，狠狠地轰击在三生镇魂鼎之上，又是第一魂技，大力金刚拳。

"轰——"黑色光晕与金属铁拳碰撞，三生镇魂鼎瞬间被震开三米之外，黄楚天却也是站在原地不动，身体剧烈地颤抖了一下。

萧萧的鼎之震有强烈的晕眩效果，不但能够以震荡伤敌，还能够将三生镇魂鼎周围一米范围内的敌人全部震晕。

黄楚天这一晕眩，萧萧冷哼一声，双手连挥，三生镇魂鼎瞬间一分为三，将黄楚天包围在中央。

晕眩只是短时间的，黄楚天很快就清醒过来，这一次他没有再立刻出手，而是略微停顿了一下观察眼前的局面。

己方蓝氏姐妹已经昏迷，完全失去了战斗力，对方的王冬和霍雨浩看上去也失去战斗力了，但至少他们还清醒着，说不定什么时候就能重新加入战斗。唯有速战速决，才有一线可能获得考核的胜利。

想到这里，黄楚天大吼一声，双脚猛然跺地，身体迅速蹿起，同时双拳合握于头顶，第二魂环光芒闪亮，力之炮锤再次发动。

萧萧双手向内一合，三生镇魂鼎所化的三个大鼎同时腾起，向内撞击。力之炮锤的威力非同凡响，她绝不能让对手把攻击发出来。

黄楚天却狡猾地一笑，他那腾起的身体在空中突然一个翻转，就在三鼎重合前，改成了头上脚下的姿势，合握的双拳全力一甩，顿时，一团黄光就激射而出，直奔萧萧而去。

攻敌所必救。黄楚天就不信萧萧愿意和自己两败俱伤。只要她控制三生镇魂鼎回援，自己就有近身的可能，而获胜的契机也就来了。

确实，黄楚天的算盘打得很好，萧萧想要抵抗他的力之炮锤，必须要三鼎合一才能做到。而那样的话，黄楚天就有足够的时间欺近。无论是攻击他们三个中的谁，他们都很难抵挡了。

但是，也就在黄楚天出手前的一瞬间，突然，他觉得自己好像眼花了一下似的，力

之炮锤是放出去了，可居然打歪了……

黄色的光球斜斜地飞了出去，伴随着一声轰然巨响，将考核区用来区域分割的隔板炸得粉碎，相邻的另一个区域正在进行考核的学员们不由得震惊地看向他们这边。

而这时，霍雨浩团队与黄楚天团队之间的胜负已经分出了。

萧萧是三鼎合一准备回防了，但就在融合后的大鼎回飞数米之后，又重新荡了回来，狠狠地撞击在黄楚天身上，只见萧萧身上第二魂环闪烁，黄楚天在一层黑色光晕的包裹下被直接撞飞出了场地，还是王言一伸手将他接了下来，这才避免了他飞出更远距离。

那黑光不断缭绕，足足持续了三秒以上，黄楚天才重新恢复了行动能力。

这是萧萧三生镇魂鼎武魂的第二魂技，鼎之荡。

鼎之荡针对单一目标，不但可以产生碰撞的杀伤力，同时能够将对方荡飞的同时令其晕眩，也可以算是一个控制技能。就凭她现在这两个技能，她自称为控制系战魂师就当之无愧。

萧萧当然无法猜到对手的攻击会偏离，之所以改防御为进攻，因为她重新得到了霍雨浩的支援。

只是她不知道，霍雨浩在那一瞬间同时释放出的是三个技能，而这三个魂技，也终于完全抽空了他的魂力。

在这三个技能之中，第一次被霍雨浩运用于战斗中的，就是精神干扰，一个范围型的全覆盖技能。

和灵魂冲击相比，精神干扰的威力似乎要弱得多，但别忘了，它是一个范围技能，而且，精神干扰发生作用时十分柔和，往往能够在对方神不知鬼不觉间就受到了影响。否则的话，黄楚天那分明是锁定技能的力之炮锤又怎么会打偏呢？

王言道："霍雨浩团队胜。"一边说着，他将有些摸不着头脑的黄楚天放下来，并且跟他一起走到蓝氏姐妹身边，用魂力帮她们苏醒过来。

蓝氏姐妹清醒后，只觉得头痛欲裂，仿佛有万千钢针在扎着自己的脑袋似的。

霍雨浩的灵魂冲击威力已经越来越强了，就连六环修为的马小桃都要受到些许影响，更不用说她们了。再加上武魂融合技的反噬。这一战可以说黄楚天团队吃了大亏。至少蓝素素和蓝洛洛今天是肯定恢复不了战斗力了。而后面，他们还要面临四场比赛啊！

霍雨浩他们这边的情况比对手总要好上一些，好歹他们又获得了一场胜利，而且王冬和霍雨浩消耗的只是魂力，并没有受伤。他们至少能够休息两场比赛的时间。但接下来的几场考核，萧萧就要当仁不让地成为主力了。

王冬扶着虚弱的霍雨浩来到场边，萧萧也跟了过来，还有些疑惑地道："班长，刚才他那一击怎么会打歪了？"

霍雨浩苦笑道："先别说这些了，赶快冥想恢复魂力吧。我们第一场消耗地这么大，后面还有四场比赛呢。只能祈祷别人也有同样的消耗了。"

说完，他立刻盘膝坐好开始冥想。

不只是萧萧疑惑，王冬心中也同样心存疑惑，和萧萧不同的是，王冬在奇怪那蓝氏姐妹的武魂融合技为何会这么轻易就被化解了。如果她们的武魂融合技只能支持这么短暂的时间，那还有使用的必要吗？答案显然是否定的。可她们用了，却在自己一个千年魂技的释放下很快就溃散了，甚至还双双昏迷，这又是怎么回事？联想到霍雨浩的那一声大叫，他心中总是觉得有些不对，但又不清楚不对在什么地方。

一共六个团队参与考核，霍雨浩他们这边比赛结束后，第二场立刻开始。

新生考核重新分区后已经进入到了后半程，也是最重要的抢分时刻了，每多一场胜利，就多一份留下的可能。因此，无论是哪支团队，现在都已经开始全力以赴。

先前霍雨浩团队和黄楚天团队的碰撞令其他四支队伍极为震惊，他们都自问没有那份实力，自然就要在其他队伍上尽可能地拿分了。而第一场几乎是两败俱伤的比拼，也令这一组的考核变得越发复杂起来。

很快，第一轮的三场比赛全部结束。正像霍雨浩希望的那样，其他四支团队的消耗也都是相当大的。毕竟，他们不只是今天在消耗，昨天的持续四场比拼消耗也同样不小啊！本来就还没有恢复到最佳状态呢。

作为种子队伍，第二轮比赛开始时，霍雨浩他们又是第一个出场。这一次，他们的对手换成了新生四班的三名学员。

双方通名后各自站位，霍雨浩他们这边，位置明显变化了一下，萧萧站在最前面，她后面是霍雨浩，而身为强攻系战魂师的王冬则在最后面。而且，还没等王言喊比赛开始，他就已经一屁股坐在地上，居然就那么在战场上冥想起来。

这也是霍雨浩交代给他的任务，务必要尽一切可能恢复先前消耗的魂力。只有王冬的修为恢复到最佳状态，他们才有在循环赛上获得全胜的可能。

"萧萧，加油。"霍雨浩低声说道。

"放心吧，班长。我们一定可以的。"

伴随着王言一声"考核开始"，双方同时释放武魂。通过先前的观战，霍雨浩他们知道，对方这一组是三名敏攻系魂师，走的是速度路线。

王言一声开始刚刚响起，对方的三名敏攻系魂师在释放武魂的同时就已经全部冲了出来，兵分三路，同时向萧萧冲了过来。

王冬坐在地上冥想他们都看到了，作为最强的强攻系战魂师似乎连战斗力都没了，这样的机会他们怎会放过？虽然先前也都消耗了不少，但一上来就全力以赴了。

王言站在场边，目光紧紧地盯视着霍雨浩，不放松半分。他相信，没有王冬的帮助，仅仅凭借一个萧萧是不可能战胜三名对手的。那可是三名敏攻系魂师啊！他一定要想办法看出霍雨浩是如何动手，魂技又是如何释放的。

霍雨浩的眼睛亮了起来，淡金色的光芒虽然并不明显，但王言清楚地看到了。但是，对于魂师来说，释放武魂的时候眼睛发生颜色变化是再正常不过的情况。王言也看到霍雨浩脚下那一圈看似单薄的白色魂环又出现了，但他却依旧看不出霍雨浩的武魂是什么。

此时，那三名敏攻系魂师已经动了。三个不同的方向，而且三人的速度也是各不相同，略有差距，两名扑向前面的萧萧，一名则从侧面绕开，想要从后面直接偷袭霍雨浩。配合得相当默契。

萧萧的目光始终直视着前方，就像是根本无视了他们一般，双手抬起在头顶，作出一个托天的动作。三生镇魂鼎瞬间飞出，在空中一分为三，同时在三个方向迎向三名对手。

令人震撼的一幕出现了，萧萧在没有用眼睛去注视的情况下，她那一分为三的三生镇魂鼎分别挡住了那三名敏攻系魂师前进的必经之路。三名敏攻系魂师都是一环巅峰的修为，魂力都在十九级左右。因为全力发动，所以速度极快，想要变招根本来不及。只能硬生生地撞上了那三座大鼎。

他们可没有先前那拥有大力神猿武魂的黄楚天那样层次的力量。撞击在三生镇魂鼎上，立刻就是一个七荤八素。更让人震惊的还在后面。

第20章
本体武魂的秘密？

因为三生镇魂鼎不但来得快，而且相当突然，所以，那三名敏攻系魂师都没能来得及发动魂技。在所有观战的人看来，萧萧能够心分三用已经很了不起了，不可能再有余力控制着分成三份的武魂在恰当的时候发出魂技。毕竟，三个对手来的速度都不同，是有先后顺序的。

可是，萧萧就是让他们看到了震撼的一幕。三声轰鸣接连响起，三个鼎之震各自在不同的位置发动。

全都是在与敏攻系魂师碰撞的瞬间发动的，以至于这三名敏攻系魂师在身体被弹出的同时，竟然先后被震晕了。他们没有强攻系战魂师的体魄，这晕眩的时间自然是比先前黄楚天更长。三个三生镇魂鼎再次追上他们的身体撞击而上。

"砰砰砰。"三面迎敌，三面奏凯。三道身影同时被撞击得飞出了场地。

三道黑光重新升起，在萧萧头顶上重合为一，伴随着她武魂的收起悄然消失不见。

全场鸦雀无声，以萧萧为主导的这场胜利甚至要比上一场更加震撼，整个战斗过程不到半分钟。凭借着一己之力，她硬撼三名敏攻系对手，甚至没让对方冲过半场，三方向战斗，三方向全面获胜。

王言是亲眼目睹了霍雨浩团队先前所有考核的，在他心中，这三人团队中最强的自然是王冬，最神秘也是最沉稳的是霍雨浩。萧萧的器武魂似乎不错，但相对来说更倾向于半辅助、半控制。在他心目中，反而落在了后面。

而就在刚才这一刻，萧萧用自己的实力向王言证明了，她在这三人团队中也有着举足轻重的地位。王言完全无法想象，一名不过是十一岁左右的少女竟然能够在战场上如此冷静、精确地判断出敌人的全部攻击线路并且予以重击。就算是四环魂宗级别的控制系战魂师都未必能够做到如此行云流水的阻敌、控敌、退敌，她这么一个小姑娘又是如何做到的？

其他几组原本看着霍雨浩他们在第一场消耗极大，以为有机可乘的，现在心中全都绝了念头。人家这三人之中，有两个都是能单挑一组人的实力啊！太强悍了。

不过，整体实力不次于霍雨浩团队的黄楚天团队就没有那么幸运了。蓝氏姐妹虽然从昏迷中清醒了过来，但她们始终头痛欲裂，魂力又消耗过度，甚至都没有上场。只能由黄楚天一个人继续参与比赛。

黄楚天先前的魂力也消耗了许多，还被王冬的翅翼铡刀所伤。而且，一对三的情况下，对方注意力全都在他一个人身上。而先前萧萧虽然也相当于是一对三，但有霍雨浩站在后面的威慑力，就让对方的精力必定会被分散。

因此，黄楚天就悲剧了，第二场比赛坚持了一会儿后，终于还是被对手击败，从而让团队获得了第二场败绩。

剩余的比赛对于霍雨浩三人来说，就进入到了一个良性循环，谁都不愿意在和他们对抗的时候硬碰，都在与他们抗衡的时候尽可能保存实力去对付别人。后面三场，他们赢得可以说是异常轻松。尤其是到了第四场比赛时，王冬的魂力已经全部恢复，有他和萧萧两人往霍雨浩身前一站。对手就只是象征性地对抗一下就认输了。

最终，代表新生一班的霍雨浩团队在循环赛阶段十战全胜，获得了本区域最佳成绩。

黄楚天团队毕竟底蕴强悍，在连输了两场之后，蓝氏姐妹多少恢复了一点，重新登场，黄楚天也展现出了彪悍的实力。面对后面三场本身已经消耗许多的对手，终于接连获胜，最终获得了十场比赛中的七场胜利，进入前六十四应该是问题不大的。

循环赛全部结束，王言也终于按捺不住了。

"霍雨浩，你们三人留一下，其他团队各自回去休息。"霍雨浩三人被他叫住了。

"王老师。"霍雨浩来到王言面前。

王言向他点了点头，微笑道："恭喜你们在新生考核循环赛过程中获得了全胜的好成绩。在新生考核中能有这样成绩的队伍恐怕不超过十支。你们确实很强。不过，我一直都很好奇，霍雨浩，身为队长的你，武魂究竟是什么呢？虽然我看不出你在战斗中都做过什么，但我相信，你才是这支团队的核心。我没说错吧？"

霍雨浩愣了一下，有些腼腆地道："王老师过奖了，我们能获得这么好的成绩，是因为王冬和萧萧的实力强大，我只是个陪衬而已。您也看到了，我只有一个十年魂环。"

王言微微一笑，道："你也不用自谦了。如果你没有足够的实力，我不太相信王冬和萧萧这样的天赋肯让你做队长。而且，我也调查过你在学院这三个月的表现。你知道你们一班的学员都怎么称呼你吗？"

霍雨浩愣了一下，摇了摇头。

王言道："他们都叫你钢铁雨浩，因为你有着钢铁一般的意志，天赋最弱，但最为努力。成为了新生一班的楷模。不过，我一直没有打听你的武魂是什么，因为我想亲眼看出你的武魂和魂技，以证明自己的能力。可事实让我不得不承认，我输了。自始至终，我都没看出你的武魂是什么，也没有发觉你使用的魂技又是什么。每场比赛都能看到你那白色的十年魂环光芒闪耀，但我就是看不出你的魂技作用为何，能否为我解惑呢？"

霍雨浩道："王老师，我的武魂是灵眸，属于精神属性武魂，至于魂技，请让我保密吧。毕竟我们后面还要继续参加考核呢。"他的武魂是什么在学院里并不是太大的秘密，知道的人也不少，如果这位王老师真心要打听的话，就一定能够得知，又何必小气呢？至于魂技，他就不愿意说出来了。

"灵眸？你的武魂是眼睛？"王言的反应比霍雨浩想象中要大得多。听了霍雨浩的解释后，他激动得险些跳起来，一脸兴奋地看着霍雨浩。

霍雨浩一愣，"王老师，您这是怎么了？"

王言双手同时抓住他肩膀，道："你先回答我，你的武魂是不是眼睛？"

霍雨浩点了点头，道："是啊！"

王言深吸口气，神色紧张地追问道："那你是不是本体宗的人？"

霍雨浩茫然摇头，"本体宗？王老师，我没听说过。"

一抹狂喜在王言眼眸中绽放开来，他松开抓住霍雨浩的双手，"太好了，这真是太好了。哈哈，没想到让我们史莱克学院捡了这么个大便宜。难怪，难怪你只有一个十年魂环作用却是巨大的，原来竟然是本体武魂。真是可惜了，要是你早来学院，说什么我也要帮你弄一个极限年份的第一魂环啊！"

看着王言有些神神叨叨的样子，霍雨浩不禁扭头看向王冬和萧萧。先前他和王冬已经遇到过马小桃那个不讲理的邪火凤凰了。这位王老师前两天一直挺正常的啊！怎么突然就变了呢？这让霍雨浩不禁想起他那小雅老师和大师兄说过的话，史莱克学院中，怪物学员已经不多了，但怪物老师数量却是不少的。

王言深吸一口气，平复着内心的震惊与喜悦，道："好了，霍雨浩，你们先回去休息吧。回头我再去找你。"说完，他转身急匆匆地走了。

看着他离去的背影，萧萧忍不住低声道："这位王老师不会是有病吧？"

霍雨浩皱眉道："不要这样说老师。"

王冬来到霍雨浩身边，道："他应该是因为你的本体武魂才失态的。我以前在家里好像也听说过，拥有本体武魂的人极为稀少，但从未听说过什么本体宗。"

霍雨浩摇了摇头，微笑道："算了，我估计王老师以后还会再找我的。咱们获得了全胜的好成绩，是不是该庆祝一下。我请你们去食堂吃点好的吧。"

萧萧有些跃跃欲试地道："食堂就算了，班长，我还没吃过你烤的鱼呢。今天说什么你也要满足一下我这个小小的心愿。"

霍雨浩呵呵笑道："没问题，现在时间还早。咱们先回宿舍休息一下，晚上我们在宿舍门口见。明天应该没什么事情，淘汰赛开始前总会让我们休整一下吧。"

三人一起返回了宿舍，萧萧上楼去了，女生宿舍对于男学员来说，那就是绝对的禁区。

霍雨浩跟王冬一起回了寝室。令他有些意外的是，王冬看起来似乎有点心事重重的样子。

"怎么了？王冬。想什么呢？"霍雨浩看着坐在床铺上的他问道。

王冬沉吟道："雨浩，我在想咱们今天第一场比赛的过程。我怎么想都觉得不对，我的千年魂环技虽然威力很强，但对方毕竟是武魂融合技啊！那时候，我能感觉到你将精神探测共享集中起来，探测到她们的魂技内部了，但并不是共享给我的。紧接着，她们的魂技就溃散了。你究竟做了什么？"

一边说着，他已经抬起头，目光灼灼地看向霍雨浩。

霍雨浩心头一跳，他知道，如果想要瞒过王冬，实在是有些困难了。王冬和王言老师不一样，两人同一寝室，又一起修炼了这么长时间，他对自己十分了解。如果编造一个谎言的话，或许能够蒙混过关，但是，必定会让王冬心存芥蒂。

因此，霍雨浩并没有第一时间回答他，反而陷入了犹豫和思索之中。

说实话当然是不可能的，百万年魂兽天梦冰蚕的存在实在是太过于震撼，无论是对什么人来说，都会产生难以想象的影响。告诉王冬实情，或许只会害了他。可是，不说实话又该怎么办呢？

突然间，霍雨浩脑海中闪过本体武魂四字，眼睛一亮，心中有了主意。

"王冬。"霍雨浩重新抬起头，目光中已经多了几分凝重之色。

王冬还从未见过霍雨浩这种模样，顿时瞪大了眼睛，道："难道你真有什么杀手锏？"

霍雨浩和他对视，不禁呆了一呆，因为王冬的眼睛实在是太漂亮了，长长的眼睫毛向上翘起，一双乌黑的大眼睛只是在边缘露出很少的眼白，那好奇的眼神令他的一双大眼睛就像是会说话一般。

霍雨浩心中暗暗感叹，难怪那些女生们都对他着迷呢，他确实是长得好看啊！

"也不能算是什么杀手锏吧，可以说，这是本体武魂的一个秘密。我也是不久前刚刚发现的。"霍雨浩压低声音说道。

王冬惊讶地道："本体武魂的秘密？"

霍雨浩点了点头，道："刚才回来前你也说了，本体武魂很少见。事实也正是如此，而且，我们本体武魂确实是有一些特异的地方。自从修炼了唐门的紫极魔瞳之后，我发现我的灵眸似乎又开始产生了一定的变异，当我的第一魂技精神探测共享凝视一个方向的时候，只要我愿意，就能够将精神力集中于一点冲撞过去，从而产生一定的精神冲击。我对一些学院内的小动物尝试过，确实是有效果的。今天被逼得急了，我就在战斗中尝试了一下。我也不知道效果竟然会这么好。也许，那蓝素素和蓝洛洛本来施展武魂融合技就很勉强，又有你的千年魂技牵制，再被我用紫极魔瞳带动的精神力冲击了一下，这才崩溃了。不过她们昏迷应该和我没什么关系吧。你忘了上课的时候老师讲过，武魂融合技的消耗极大，而且施展过后，一般都会有一定的反噬。越强大的武魂融合技，反噬也就越厉害。哪怕是最轻的反噬效果都是极度虚弱呢。今天她们施展了武魂融合技，我估计一段时间内也不能再次使用。"

王冬瞪大了眼睛，"你的意思是说，你的武魂受到紫极魔瞳的影响，竟然能够直接发动类似于魂技的精神攻击了？"

霍雨浩在自己唇前竖起食指，"你小声点，唯恐别人不知道吗？这可是我最大的秘密，都告诉你了哦。"

从某种意义来说，霍雨浩不能算是说谎，当然，也不全是事实。实在是因为百万年魂兽这种事太过惊人。给自己的灵魂冲击技能找了一个合适的来源，霍雨浩自己也是松了口气。他知道，伴随着自己在史莱克学院的继续学习，以后还会有各种各样的考核，为了应对这些考核，他根本不可能将灵魂冲击隐藏起来，既然如此，早晚都要找个理由出来，刚刚对王冬的这种说法，似乎是再合适不过呢。

王冬一脸震惊地看着霍雨浩："本体武魂竟然这么给力？居然还能自发地 进化出技能来。"

霍雨浩挠挠头，道："这也没什么吧。你的光明女神蝶不也是天生就具有飞行能力吗。还能伴随着你修为的提升来提升飞行高度。这种先天就带的能力，应该算是武魂的本能吧。"

王冬思索片刻后，道："不，不一样的。没错，我的光明女神蝶飞行能力确实是武魂本能。而你那精神冲击就不是了，因为它是接触了紫极魔瞳之后才进化出来的。也就是说，你的灵眸作为本体武魂、变异武魂，它自身就有一定的进化能力，这是我的光明女神蝶所无法比拟的。说不定，以后它还会再进化出什么技能呢。"

霍雨浩呵呵一笑，道："其实也不能算是什么技能，更准确的说法应该是灵眸不断提升我的精神力，而我将精神力以紫极魔瞳辅助灵眸释放出去后产生了一定的作用。"

王冬点了点头，道："你这样一说我就明白了，就像我将魂力提纯或者是压缩后进行攻防一样。只是你的精神力无形无相，使用起来更不容易被发现。没想到还有这样的妙用。"

心中的疑惑被解答，王冬那双漂亮的大眼睛流露出几分释然之色，不过，他的情绪很快又高涨起来，"雨浩，那对双胞胎的武魂融合技真的很强。如果我们都是三环的话，恐怕今天咱们是必输无疑啊！武魂融合技虽然不能持久，但威力巨大，爆发力极强。可以说是咱们魂师最顶级的技能了。以后她们的魂力越来越强，能够更长时间支撑武魂融合技的话，同级别中就很难有人能够抗衡。要是我们也能有这样的技能就好了。"

霍雨浩失笑道："别做梦了，哪有这种好事。我还记得老师讲过，武魂融合技必须要双方的武魂有极高的契合度，才有可能出现。可以说是千中无一。一旦两人的武魂有很高契合度的话，双方相遇就会有所感应。咱们在一起都住了三个月了，你有过和我产生契合的感觉吗？反正我是没有。"

令他意外的是，王冬听着他的话却低下了头，似乎在思考着什么。而且，他的面庞略微有些泛红。

"怎么了？"霍雨浩疑惑地问道。

王冬似乎是下定了决心，重新抬起头，目光中闪烁着几分古怪的神色，注视着霍雨浩，认真地说道："你连本体武魂的奥秘都告诉我了，那我再隐瞒就不厚道了。其实，我的能力一直都有所隐藏，我的气息也是如此。"

"啊？"这一下轮到霍雨浩吃惊了，王冬的实力有目共睹，光明女神蝶武魂的强大在新生考核中已经充分展现出来了，十场对抗，王冬的第二魂技都只用过一次，而且还没人看到是什么样子。他现在却说居然还有隐藏的实力，这怎能不让霍雨浩吃惊呢？

王冬道："你虽然感觉不到我身上的气息，但是，在我第一次受到你那精神探测共享辅助的时候，我就感觉到你的气息十分亲近了。我身上的气息之所以不外散，是因为受到我自身另一股力量的制约，只有身体相贴，你才能真正感受到我气息的存在。要不要试试？"

"身体相贴？怎么贴？"霍雨浩傻乎乎地问道。

王冬顿时气结，"笨蛋，拥抱一下不就行了吗？"

霍雨浩呵呵一笑，道："就这样啊！你直说不就行了。"一边说着，他很随意地张开手臂就向王冬抱去。

王冬却有些发呆，眼看着越靠越近的霍雨浩，他却丝毫没有霍雨浩的随意，身体下意识地紧绷起来，整个人似乎都进入到了一种特殊的僵硬状态之中。

霍雨浩很自然地抱住王冬，在他看来，朋友之间的一个拥抱，这不是很正常吗？但是，当他真的抱住王冬的时候，感觉却有些变了。

他突然想起来，这还是他们第一次如此亲密的接触，脑海中也再次回想起了当初曾经看到过王冬的背影。

原本他以为，大家都是魂师，天天苦练体能和魂力，王冬的身体应该也像他一样，肌肉结实。

可真的抱住了王冬，却和想象中完全不同。王冬的身体虽然很有弹性，但十分柔软，竟然有种柔若无骨的感觉。而且他身上还有一股淡淡的馨香气息。两人的身高差不多，霍雨浩抱住王冬，面庞就在他颈侧，下巴蹭到他修长的颈子时，光滑润洁的感觉令他心神微微一颤。

霍雨浩很想感叹一声，但又觉得有些不对。但以他的年纪，对于某些方面的认知还很单薄，也并没有想得太多，只是觉得抱着王冬比想象中要舒服得多。

"感觉怎么样？"王冬几乎是嗫嚅着说道。他并没有反手同样抱住霍雨浩，而是任由他抱着自己。他和霍雨浩的感觉也不一样，霍雨浩的身体很结实，还有一股浓郁的阳刚气息，略微带着几分少年淡淡的汗味儿，这种体验令王冬那漂亮的脸蛋变得一片通红。

"挺好的，很舒服。"霍雨浩几乎是下意识就按照自己心中所想回答道。

王冬一呆，紧接着表情顿时变得愤怒起来，"笨蛋，我是让你抱着舒服的吗？我是让你感受我武魂的气息。"

"呃……我忘了，再抱一会儿，我试试。"霍雨浩顿时有些窘迫，但也立刻抱更紧了一点。

王冬被他这一用力，不自觉地轻哼一声，想要推拒，但终究还是忍住了，双手勉强

抓住霍雨浩腰间两侧的衣服，嘴抿得紧紧的，看那样子，竟是像受了多大委屈似的。

霍雨浩缓缓提聚自己的魂力，同时认真感受着王冬身上的气息，不过，抱紧王冬之后，他的第一感觉就是香味浓郁了点，王冬的身体似乎有些绷紧，但依旧十分柔软。

渐渐地，霍雨浩感受到了王冬身上的气息波动，那是一种浓郁的光明气息，暖洋洋地，刺激着他体内的魂力缓慢运转起来，说不出的舒服。更让他惊讶的是，在这层光明气息波动之中，渐渐有了更加浓郁的生命气息。再之后，则是一种厚重沉稳的气息。

属于王冬的气息竟然一连三变，但每一次变化，都让他的亲切感增强几分，当他感受到王冬体内的最后一种气息变化时，他体内的魂力竟然已经开始自行循着玄天功的运行轨迹运转起来。

这……这是……

霍雨浩渐渐瞪大了双眼，而王冬也同样吃惊，被霍雨浩抱紧后，他的身上首先徐徐浮现出一层淡金色的气流，然后这层淡金色开始渐渐变成了蓝金色，最后又变成了暗金色。

颜色也是三变，这也是霍雨浩感受到气息变化后的一些奇异波动。

王冬毕竟要比霍雨浩经验丰富，霍雨浩只是默默地感受着他的气息，而王冬则一直观察着他的全部。他发现，霍雨浩身上也开始有光芒出现了，首先是淡淡的白色气流，柔和、厚重，更有着一种海纳百川般的质感，自己的气息与他这白色气息接触在一起时，竟然有种难以形容的舒适感，霍雨浩的气息就像是厚德载物一般，与他的气息完美融合。

紧接着，霍雨浩身上的气息也开始变化了，柔和厚重的气息渐渐变得清冷起来，一种淡淡的寒意从他身上生出，但却

充满了无尽生命一般的质感，正好与王冬身上的生命气息融合在一起。尽管一个是属于大自然的生命气息，一个是来自于远古寒冰的无尽生命，但共同的漫长生命波动，令他们的气息再次结合。

而到了最后，当王冬身体周围的颜色变成了暗金色气流时，霍雨浩身上的气息则由先前的冰蓝色变成了淡淡的灰色。

这一抹灰色很淡、很淡，但是，王冬震惊地感受到，那份厚重、沉淀，甚至还要超

越自己身上的暗金色。

是的，霍雨浩身上的气息竟然也是一连三变，而且，每一次都是和王冬的气息完美地结合在一起。

王冬抓住霍雨浩衣襟的双手渐渐地抬了起来，同样也抱住他，此时的他们，心中渐渐没有了杂念，完全沉浸在双方彼此气息变化的美妙感觉之中。

三种不同的气息不断的在变换着，而他们自身的魂力也徐徐运转起来，并随着时间的延长运转速度越来越快，三种气息的交替速度也在持续的增加。

不同颜色的气流不断围绕着两人的身体若隐若现，其实颜色都很淡，彼此的气息也只有彼此才能清晰地感觉到。

他们此时并不清楚这种状态对他们来说意味着什么，但都福灵心至地静静地抱着对方，默默的去感受着这份奇异并且令他们越来越舒畅的感觉。

渐渐的，无论是霍雨浩还是王冬，他们都感觉到对方的身体似乎融入了自己的身体一般，这种感觉实在是太美妙了。两人的灵魂似乎都随之开始升华似的。

就在这时，霍雨浩的精神之海中，一股清凉出现，一个他十分熟悉的声音响起。

"运气这么好？不会吧。"

这突如其来的声音吓了霍雨浩一跳，也让他从那奇妙的感觉中清醒了几分，下意识地就要放开双手。

那声音赶忙急促地道："快抱紧，笨蛋。"

霍雨浩顿时紧了紧手臂，对于这个声音，他有着绝对的信任，因为他已经辨别出，这声音的主人可不正是天梦冰蚕吗。

是的，天梦冰蚕在沉睡了数月之后竟然因为霍雨浩和王冬的拥抱而清醒了。

不过，它很快又沉默了，片刻后，它的声音才再次于霍雨浩脑海中响起："从现在开始，按照我的话去做。没想到，你竟然能够找到这个世界上与你的气息完全契合的人，这真的让哥很难理解，不，这几乎是不可能的啊！但是，你就是做到了。这对你来说，是一个再好不过的机遇。一定要把握住，这会让你们的未来无尽光明。"

霍雨浩下意识地在心中想道："天梦哥，我和王冬这是怎么了，什么叫气息与我完全契合的人？"

　　天梦冰蚕道："简单来说，你们现在的关系，就像是你们人类的夫妻一样，一边是阴，一边是阳，完全相同的两种气息，却各自代表着阴阳，彼此结合之后，就是一个完整的阴阳调和体，必然会迸发出极大的力量。好像你们人类的魂师管这种情况叫做武魂融合吧。也就是说，你和你抱着的这个小家伙的武魂有着完美的契合度。而且，武魂融合也有不同比例的，一般至少契合度要超过百分之五十以上才有融合的可能。而你们的融合却是百分之百，而且让哥也震惊的是，你们之间，居然是三武魂融合，这简直就不是奇迹，而是变态啊！"

　　"三武魂融合？"霍雨浩呆呆地道，"那怎么可能。王冬只有一个武魂，叫做光明女神蝶啊！我不也只有两个武魂吗，而且第二武魂究竟是什么都还没定下来。"

　　天梦冰蚕没好气地道："人家有几个武魂会全部告诉你吗？换了我，我也不会说啊！至于你自己，没错，你自己原来有一个武魂，我又给予了你一个冰武魂。这是两个。可是，你还记得那灰色的小球吗？那个来历莫名其妙的家伙，你别看他现在十分弱小，可我想尽办法都无法将它吞噬掉，它竟然也成为了一种诡异的武魂。这家伙究竟是怎么回事，以哥百万年的经验都捉摸不透。它似乎不能获得魂环，但它本身的灵魂力量竟然让我都觉得恐怖，我也不清楚这究竟是个什么东西，如果它以后真的成为你的武魂，我也无法想象会是什么样子的。可就是你的这个根本不能称之为武魂的武魂，竟然都和你抱着的这个小家伙融合了。要不哥怎么会这么震惊呢？"

　　霍雨浩震惊地道："那么说，王冬也是三生武魂了？"

第21章
三生武魂的融合？谁睡了谁？

天梦冰蚕淡淡地道："笨蛋，当然是。你也不想想，就算是双生武魂，也不可能让自己在你们人类所说魂环二十级的时候就能承受千年魂环的压迫力。正是因为他有三个武魂，每一个武魂都在改善他的体质，才让他能够在二十级的时候就做到拥有千年魂环这一点。你抱着的这个家伙，用你们的人类形容方法来说，就是那种万年难得一见的超级天才。"

霍雨浩万万没有想到，王冬竟然拥有着三生武魂，难怪他在面对萧萧的时候曾经说过，一对一的情况下，萧萧绝不是他的对手。难怪他有那么强烈的自信，才两环级别，可从未见到过他对谁流露出钦佩的情绪。没想到，他的天赋竟然好到了这种程度。

"傻小子，你有什么可吃惊的？从某种意义上来说，你也是三生武魂啊！而且，别忘了，你的第一魂环乃是史无前例的百万年魂环，我可以肯定，在整个斗罗大陆上，绝对找不到第二个百万年魂兽了，所以，他虽然是绝世天才，但你才是独一无二。对自己有点信心，就像现在，有哥这个史无前例的智慧魂环在，就要让你们在武魂融合的时候，你来占据主动。放松身体，一切都交给我。"

一边说着，一股清凉的气息已经瞬间从霍雨浩头部蔓延开来，传遍全身。在那份清凉之中，他对周围的感知极大地提升了。

就像是施展了精神探测一样，房间内的一切都呈现为了立体状，而且还有着各种颜

226

色的变换。霍雨浩终于看到了王冬身上颜色的变化。金色、蓝金色、暗金色，三种颜色交替闪烁。而他自己身上则是白色、冰蓝色和灰色，三种颜色不断变化。

正如天梦冰蚕所说的那样，他们的武魂契合度实在是太高了，每当霍雨浩身上的颜色变成白色时，王冬身上的颜色就是金色，然后冰蓝色对蓝金色，灰色对暗金色。

三对颜色彼此配合得十分协调。

不过，当天梦冰蚕开始行动后，霍雨浩的眼眸就悄然变成了淡淡的冰蓝色，与上次帮他抵抗马小桃恐怖的凤凰火焰不同。这次天梦冰蚕只是将一丝力量注入到霍雨浩的精神之海中，并没有直接控制他的身体，只是引导着霍雨浩的气息开始出现各种变化。

渐渐地，能够看到，霍雨浩身上的气息悄然变强了几分。在这种完全不由自主的武魂融合过程中，一方的气息出现变化，必然会导致另一方也跟随着出现变化。

王冬身上的气息顿时跟随着增强了几分，也就在这时候，一股强大的精神波动从霍雨浩身上释放开来，令霍雨浩和王冬两人同时一震，几乎是同一时刻晕眩了过去。两人的身体也倒在了王冬那铺着裘皮褥子的床上。

天梦冰蚕嘿嘿坏笑的声音响起："接下来，就看哥的吧。武魂融合也有主次之分，总要占点主动、占点便宜才好。咦，这个叫王冬的小家伙竟然是……既然这样，那我就少占点便宜好了。"

一丝丝冰蓝色的丝线开始从霍雨浩双手十指上徐徐飘出，飞快地将他和王冬的身体包覆在其中。如果仔细观察就能发现，这些丝线竟然全都是由魂力形成的，而且绝对不是霍雨浩的魂力。以他的修为，想要将魂力实质化还差得太远太远。

渐渐地，相互搂住对方的霍雨浩和王冬已经变成了一个巨大的茧子。

天梦冰蚕也是蚕，蚕结茧，那是天经地义的天赋本领。霍雨浩和王冬的气息顿时完全被集中在那冰蓝色的茧子之内，不断地在他们彼此体内游走、变化。

天梦冰蚕得意的声音传出："成了，就让他们继续吧。完美融合，百分之百。三武魂融合。我就不信不能把那灰色的缩头乌龟给逼出来。有本事你从乌龟壳里钻出来，和哥大战三百回合。哼哼哼。"

寝室内，重新变得安静下来，只有那冰蓝色的大茧闪烁着奇异的光泽，在那茧子外，没有半分的魂力波动出现，而茧子内的两人，则睡得很沉、很沉。

时间一分一秒地过去了，这一天，是霍雨浩唯一没有去卖烤鱼的一天。

萧萧等待了两人很久，都没见他们出宿舍，但就像男学员不能随便进女宿舍一样，女学员也不能随便进男宿舍啊！无奈之下，她只得自己返回宿舍休息去了。

唐雅倒是拉着贝贝到史莱克学院门口去等着吃霍雨浩的烤鱼，霍雨浩没来，他们倒是没有觉得太奇怪，毕竟，新生考核的赛制他们也听说了。每年赛制不同，今年格外的强悍啊！甚至他们还打听到了霍雨浩三人在考核中的情况。既然霍雨浩没出摊，他们自然就以为是在考核过程中太疲倦了，所以他们也没想太多，等了一会儿就回自己的宿舍去了。

没有吃到烤鱼而失望的还不只有他们，今天江楠楠也早早就来排队了。可惜，最终也只能失望而归。

但是，他们谁都不知道，这一天对于霍雨浩和王冬来说是何等的重要。同窗三个月之后的他们，彼此之间的关系就在这一天有了实质性的变化。

……

海神湖，湖心岛，湖畔。

不久前还在进行新生考核的王言老师此时就站在这里，只是，他脸上的神色却异常恭敬。

就在他身前不远处，一名头发乱蓬蓬的老者正坐在那里，他的形象着实有些糟糕。一身原本应该是白色长袍的衣服已经变成了灰褐色，还有多处破损，头发也是乱蓬蓬的。未穿鞋袜的双脚浸泡在清凉的海神湖水中，右手拿着一个硕大的葫芦。

葫芦是紫红色的，不知是何材质，他不时拿起来喝上一口，顿时有浓浓的酒香传出。另一只手里则抓着一只烧鸡，也不顾油腻，一口酒、一口肉吃喝地起来。

"玄老，就是这样。这几名学员虽然年纪还小，又是新生，但确实值得注意。"

"嗯……"被称为玄老的邋遢老者吞咽下一口鸡肉后扭头看了王言一眼，令人吃惊的是，他其他地方看上去都很苍老，一双眼睛却是格外的明亮，只是双眼居然是赤红色的，有种令人惊心夺魄般的感觉。不过，他的眼神有些散乱，甚至还带着几分茫然，似乎根本就没认真听王言的话。

"本体武魂，倒是有点意思。"玄老喃喃地嘟囔了一句，他的声音有些沙哑而苍老。

王言问道："玄老，头发武魂算不算本体武魂呢？"

玄老一边吃喝着一边说道："沾边吧。"

王言道："那既然如此，蓝素素、蓝洛洛姐妹应该值得您注意，这两个小姑娘还能够施展武魂融合技，如果又能与本体武魂沾边的话，未来的发展潜力应该很大。"

玄老摇了摇头，道："头发？不行。你号称是研究理论的，对本体武魂的认知怎么如此差劲？"

王言苦笑道："实在是没有研究的对象啊！关于本体武魂的资料更是少之又少。本体宗一直避世不出。"

玄老呵呵一笑，站起身来，湿漉漉的双脚踩踏在草坪上，看上去很是随意、舒服。"那我就教你个方法，辨别本体武魂的强弱，要从武魂这本体对于身体的重要性来看。作为武魂的这部分身体对于人体越重要，就是越好的本体武魂。所以，真正让我动心的，是那个灵眸少年。头发没了，还可以再长，眼睛没了呢？更何况，他还是精神属性。那就是说，他的武魂实际上是眼睛和大脑。你运气很好，在有生之年居然见到了最顶级的本体武魂。不过，我相信，他的本体武魂并未被完全激发出来，否则，怎会沦落到使用十年魂环的程度？你去告诉小宁，新生考核排位赛我会去看看。让他给我留个位子。"

"是。"

……

夜幕渐渐降临，王冬和霍雨浩宿舍中的冰蓝色光晕一直在静静地闪耀着。

渐渐进入深夜，时间在悄然流逝，而霍雨浩和王冬身上的气息也在潜移默化地出现着奇异的变化。他们彼此的气息颜色，更是在进一步地纠缠、融合着。甚至连彼此的魂力都开始进入对方体内，然后行成一个奇异的循环，并且在每一种不同颜色气息变换的时候循着不同的路线行走着。

如果是其他人进入武魂融合的状态，彼此融合的时间至少要三天三夜以上，但在天梦冰蚕的帮助下，直接就按照气息的感应帮他们完成了彼此武魂融合时候魂力的运行轨迹，节省了太多太多的时间。

一夜无话，天渐渐亮了。

冰蓝色的茧子渐渐淡化，露出了里面的情况。霍雨浩和王冬依旧在紧紧拥抱着，而他们身上变换颜色的气息已经消失，脸对着脸，彼此呼吸可闻，他们都睡得很熟很熟。

这是霍雨浩来到史莱克学院后，第一次没有早起就进行修炼，也是第一次没有去吃早点。

很快，宿舍外面开始热闹起来，其他宿舍的学员们已经起来了，都在忙着洗漱。

纷扰的声音渐渐影响了熟睡中的两人，王冬的身体率先动了动。

"嗯。"轻哼一声，王冬的声音带着几分慵懒，甚至还有几分细细的娇柔。当他缓缓睁开双眼的时候，正好看到近在咫尺的霍雨浩。

他先是愣了愣，然后再动动身体，这才发现，自己被霍雨浩搂得紧紧的，两人的胸腹间完全贴合在一起，霍雨浩的身上，还不时传来温热的感觉。

王冬只觉得这一觉睡的时间很长很长，他从未有过这样的感受，此时心中除了一丝异样之外，更多的居然是惊慌。

"霍雨浩，醒醒。"他轻轻地挣扎着，想要挣脱霍雨浩搂着自己腰间的手，但或许是因为这个姿势坚持的时间太长，导致两人的身体都有些僵硬，别说霍雨浩的手了，就连他自己的手想要收回来都有些酸麻。

"啊？"霍雨浩终于从睡梦中醒了过来，一眼也看到了面前的王冬。两人的距离实在是太近了，在王冬刻意向后仰头的情况下，他们的鼻子才终于没贴在一起。但是，王冬一眨眼，霍雨浩就有种他那长长的眼睫毛刷在自己脸上的感觉。

"你离我这么近干什么？"霍雨浩下意识地说道，他这一说话，顿时有热气喷在王冬脸上。

"你……"王冬大怒，猛然一挣，终于将自己的双臂收了回来，双手抓住霍雨浩的肩膀，向后一拉，同时把自己柔软的长腿抬起，塞到自己和霍雨浩之间，挡开一个距离。

霍雨浩在醒来的时候就下意识地松开了搂住王冬的双手，此时被他的长腿一隔开，他也终于从睡梦中完全清醒过来了。不过，下一刻，王冬让他更清醒了……

宿舍中，无论是霍雨浩还是王冬，他们的床铺都是单人床，王冬隔开二人的长腿猛然发力，顿时，霍雨浩被直接踹了下去，"扑通"一声就摔在地上。

"哎哟，王冬，你干什么？"霍雨浩在毫无防备的情况下被摔了个结结实实，顿时大为吃痛，一脸的愤怒。

王冬略微有些喘息地在床上坐起，先整理了一下自己散乱的衣服，怒道："你还问我干什么？你昨天晚上怎么睡在我床上？"

"呃……"霍雨浩这才发现，自己是从王冬的床上被踹下来的。一时间顿时没了声音，心中暗想，天梦哥啊天梦哥，你可害死我了。你不知道那家伙有洁癖的吗？怎么就让我睡着了呢？

心中虽然这样想着，嘴上却强辩道："这不能怪我吧，你看，你不是也睡着了？"

王冬怒哼一声，刚想再说什么，突然间，刺耳的铃声响起，吓了两人一跳。

"我晕，上课了，坏了，迟到了。快走。"霍雨浩瞬间从地上跳起来，一拉王冬，直接就往外跑。

王冬也意识到麻烦了，终究顾不上再和霍雨浩生气，只得跟着他一起跑了出去。

两人不但没有吃早饭，甚至连洗漱都来不及了，用最快的速度跑向教学楼。周漪什么脾气他们再清楚不过，上课迟到，那和自杀有啥区别？

他们的样子着实是有些狼狈，王冬还好点，起码他刚才把霍雨浩踹到地上的时候还整理了一下自己的衣服，霍雨浩却要狼狈多了，他的校服上衣有一半塞在裤子里，一半在外面，头发散乱就别说了，上衣扣子还开了两个，露出一片古铜色的胸膛。跑起来衣服都兜风。

不过，现在他们也顾不上这些，只想用最快的速度赶到课堂上，尽可能地熄灭周漪的怒火，他们可都已经迟到了啊！

一分钟，他们就已经来到了新生一班门口。

"报告。"霍雨浩中气十足地喊了一声。

"报告。"王冬的声音就要比他小了一些，甚至有点有气无力的。他偷偷地看了一眼身前的霍雨浩，眼神明显有些复杂。狠狠地抬起手，在霍雨浩后腰上拧了一把。

霍雨浩的脸色顿时一变，但他在教室门口已经看着周漪向他们这边走了过来，已经到了嘴边的一声惨叫硬生生地咽了回去。

其他学员早都到齐了，周漪看到霍雨浩这一副邋遢的样子，眼中竟是闪过一丝笑意，只不过霍雨浩因为受到后腰剧痛的折磨，一向观察细致入微的他竟然没有发现。

"你们两个，怎么回事？先给我进来。"周漪向两人一招手。

霍雨浩和王冬赶忙走进班里。王冬还很是贴心地回手将门关上了。

萧萧早就来了，看着两人这一副狼狈的样子，忍不住瞪大了眼睛。向着他们动了动嘴，却没有发出声音。看口型似乎是在问：天啊！你们两个昨晚干了些什么？

全班所有目光全都集中在二人身上，尤其是那衣衫不整的班长大人。

周漪用一贯冰冷的声音问道："我的班长大人，告诉我，你们两个这是搞什么？"

"呃……对不起，周老师，我们睡过了。"霍雨浩一脸尴尬的说道。现在只有主动承认错误了，周漪怎么惩罚他们也只有认了。

"谁睡的谁？居然能睡过了？"周漪难得地开了一句玩笑。

霍雨浩是一呆，在他身边的王冬瞬间就涨红了脸。实在是因为，被人家说中了啊……

全班继续静默，但这一次只是持续了三秒，紧接着，全班哄堂大笑。

王冬低着头，恨不得在地上找个缝隙钻进去得了，丢人，这简直是太丢人了。他也是此时才注意到霍雨浩那衣衫不整的德性，真是恨不得一巴掌拍死他啊！这个混蛋，害我丢尽了脸。

周漪竟然也笑了，尽管她那苍老的面庞笑起来比哭还难看，但霍雨浩确定，她确实是在笑。

周漪一抬手，超级老师的威信彰显无疑，哄笑声立刻安静了下来，不过，新生一班学员们眼中的笑意却是周老师也管不了的。

"行了，回到你们的座位上去。"周漪挥了挥手，竟然用前所未有的大度宽容了二人。

"啊？"霍雨浩和王冬都下意识地抬起头，并且全都以为自己听错了。

周漪眼睛一瞪，"怎么？睡过头了连人话都听不懂了吗？"

霍雨浩这才明白过来，一拉王冬的衣袖，两人灰溜溜地回到座位上坐了下来。不过，感受着周围戏谑的目光，都有些抬不起头来。

不过，这也幸好是在新生班，大家都是十一二岁的学员，对于谁睡了谁这个问题，他们只是觉得好玩而已，并没有过多的想法。这要是到了外院高年级班，再碰上几个腐女把他们男男之睡衍化一下的话，恐怕就更是热闹了。

周漪回到讲台后，淡淡地道："经过三天的时间，新生考核已经全部结束。最终的结果，昨晚已经统计出来了。"

听她这么一说，所有一班学员顿时全都打起精神，并不是每个小组都像霍雨浩他们那样有绝对把握通过考核的。

周漪那苍老的面庞上今天居然第二次流露出了那令人不敢恭维的笑容，她宣布道："我不得不说，你们很努力，也给我长脸了。咱们一班二十二组参加考核的学员，全部通过了新生考核。我很欣慰。"

"轰——"整个新生一班集体沸腾了，欢呼声响彻全班每一个角落，而这一次，周漪并没有阻止他们，只是面带微笑地看着这些孩子们欢呼雀跃。

他们确实有这个欢呼的资格啊！昨晚所有考核老师以及新生十个班级的班主任在一起完成了成绩的总结。

几乎所有考核老师都表示，新生一班的学员相比于其他班级更有韧劲，在密集的考核比赛中，他们展现出了惊人的意志力和战斗力，是所有班级中上演反败为胜最多的。最为显著的一点就是，新生一班的学员几乎获得了所有势均力敌比赛的胜利。

周漪自从成为史莱克学院老师后，第一次得到了来自学院的公开表扬。原本新生一班是学员数量最少的。但经过循环赛后，一半参与考核的新生被淘汰，现在新生一班反而成为了十个新生班级中学员最多的了。

无论周漪多么严厉，今天都是心情大好，这也是霍雨浩和王冬为什么在迟到的情况下也能顺利被放过的重要原因。

"好了，安静。"足足让大家欢呼了半天，周漪才示意他们重新恢复安静。

"通过了考核，只能确保你们留在学院，至少在一年级结束之前不会被轻易淘汰了。但也只是一年级。如果你们未来付出的少了，那么，在二年级的时候，我恐怕就无法再继续看到你们的身影。而且，只是通过新生考核而已，没什么太值得高兴的，在你们这二十二组人之中，还有十四组的新生考核并未结束，因为你们进入了前六十四名，

还要完成接下来的淘汰赛。而淘汰赛，才是真正证明你们优秀的时候。"

听了周漪这番话，霍雨浩和王冬才双双抬头，并且眼中都流露出了惊讶之色。他们新生一班全部参赛学员有二十二组，全都通过了考核不说，竟然还有十四组进入了前六十四名，也就是说，他们一个班级就占据了前六十四超过五分之一。相当于其他班级的两倍左右了。这样的成绩确实是值得骄傲啊！

周漪继续道："这次新生考核的循环赛中，一共有六组学员获得了全胜的成绩。在我们班只有一组。本来我是想给他们一些班级奖励的，可惜，他们今天上课迟到了。所以，功过相抵，不奖励、不惩罚。"

霍雨浩和王冬再次成为了全班的焦点，两人那个郁闷啊！彼此对视了一眼。这一对视不要紧，霍雨浩和王冬都是一呆。

因为他们在看向对方的时候，清晰地感觉到自身魂力都悄然波动了一下，一种难以形容的亲切感油然而生，甚至牵引着有种想要再次拥抱对方的感觉。

这一刻，他们才都同时想起，昨晚两人拥抱再到后来一起睡在王冬床上的起因。

王冬低声道："我们不会是成功了吧？"

霍雨浩心中的答案比王冬要肯定得多，毕竟有天梦冰蚕与他的交流啊！但他自然不能表现得太肯定，可眼眸中依旧忍不住流露出了热切之色。

"可能是吧。回头下课了试试？"

"嗯。"

两人几乎是同时向对方点头，那种难以言喻的默契感油然而生，哪怕没有精神探测共享在，他们似乎也能感觉到对方下一步要做什么似的，就像是双胞胎之间的彼此感应。这种感觉既美妙又有种特殊的异样。

"砰——"一声巨响将感受着彼此默契异样感觉的霍雨浩和王冬惊醒。两人同时抬头，正好看到了面含怒意的周漪。

呃……上课开小差被抓了。

"你们两个给我出去跑圈，穿上铁衣，下课铃不响就不许停下。刚取得一点成绩就沾沾自喜。"

冤枉啊！霍雨浩和王冬心中同时悲呼，但他们也知道，只要是这位周老师决定的事

儿，就绝不会更改。无奈之下，只得苦着脸走出了教室，回宿舍拿铁衣去了。

周漪看着两人垂头丧气出门的样子，哼了一声，道："你们都给我记住，无论获得了多大的成绩，都要有一颗谦虚谨慎的心。自大不但会使人退步，更会要了你们的命。明天淘汰赛即将开始，我给你们简单讲述一下淘汰赛要注意的地方。"

霍雨浩和王冬是注定听不到周漪的讲述了，不过幸好还有萧萧在，周漪虽然不说，但那意思也是要萧萧向他们传达。

"都怪你。"才一出教学楼，王冬就发作了，一脸怒气地向霍雨浩叫道。

霍雨浩一脸冤枉地道："这怎么能怪我？昨天可是你非要让我抱你的。"

"你说什么？"王冬目放寒光，咬牙切齿地看向霍雨浩。

"呃……我们是一个团队的，要团结。"霍雨浩郑重其事地看着王冬已经握紧的拳头说道。

"团结个屁，你害我受罚，你说怎么办吧。"王冬一脸怒气地说道，"还有，你昨晚睡了我的床，又怎么办？"

霍雨浩抬手拍拍他的肩膀，一把搂住他脖子，道："行了，大家都是兄弟，这点小事还计较，有意思吗？我们还是赶快完成周老师的任务才是，省得她继续发飙。"

霍雨浩这一搂，王冬顿时呆了呆，霍雨浩自己也是说话的声音越来越小。当他说完那句话的时候，两人的动作都停了下来，霍雨浩下意识地看向自己的手，王冬也是一样。

"怎么会这样？"两人异口同声地说道。

是的，在他们身上发生了一件很奇异的事情。当霍雨浩的手搂住王冬的脖子时，就像是两人的身体彼此接通了一般，霍雨浩的魂力很自然地流淌到王冬体内，而王冬的魂力又缓缓地流了回来。似乎他们已经成为了一个整体。虽然只是在王冬的脖子和霍雨浩的手臂之间完成的，但那种感觉很清晰。

"不对，再试试。"

霍雨浩收回搂住王冬的手臂，双手抓住王冬的双手。

王冬的手出奇的柔软，而且十分的滑润白皙，握着很舒服。不过此时的霍雨浩却顾不得体验。

　　两人双手相握在一起的瞬间，霍雨浩体内的玄天功魂力就率先动了，从他的右手迅速流入王冬的左手之中，然后他的左手似乎又有一股吸力，将王冬的魂力吸入到他体内。两人之间的魂力迅速循环起来，至少要比霍雨浩之前修炼时的运行速度快了一倍以上。

　　王冬本身就是天才中的天才，立刻意识到了什么，急忙道："控制一下试试，向你体内注入。"一边说着，他抽出了被霍雨浩握着的左手。这样一来，就只有他的魂力向霍雨浩体内注入了。

　　顿时，霍雨浩只觉得自己的魂力以惊人的速度暴增着，前所未有的力量感充斥全身。

　　他的经脉经过玄水丹的改造再加上玄天功的滋润，承受能力早已达到了同龄人的巅峰，虽然注入的魂力很多，但他并没有涨满的感觉。

　　两人之间，无形中已经有默契出现，霍雨浩立刻就施展出了自己的精神探测共享将王冬笼罩其中。

　　王冬闭上双眼，让自己更好地感受这份奇异，顿时，他发现霍雨浩精神探测共享的范围以惊人的速度增加着。

　　原本霍雨浩的精神探测共享就已经超过了直径六十米范围，直线探测也有百米左右的能力了。而此时，在王冬的魂力注入支持下，他的精神探测共享在很短的时间内，竟然达到了直径百米开外。

　　两人目瞪口呆地看向彼此，霍雨浩的声音都有些颤抖了："王冬，你听说过能够施展武魂融合技的两名魂师可以将彼此的魂力灌注给对方临时使用吗？"

　　王冬茫然摇头，喃喃地道："怎么会这样？难道，我们昨天的尝试真的成功了？"

　　霍雨浩一脸热切地道："找个地方试试？"

　　正在这时，不远处教学楼的窗户处，一声怒吼响起："你们两个不赶快穿上铁衣跑步，在那里手拉着手谈恋爱吗？"

第22章
浩东之力

霍雨浩和王冬吓了一跳，赶忙松开手，飞也似的向宿舍跑去。可他们此时的心跳都很剧烈，当然不是因为周漪喊出的那一句谈恋爱，而是因为他们彼此之间武魂出现的奇异变化啊！

两人冲回宿舍，彼此对视一眼，都看到了对方眼中的那一丝奇异，是啊！刚才出现的情况实在是太奇特了，无论是这几个月来在史莱克学院学到过不少魂师知识的霍雨浩，还是知识广博的王冬，都是第一次知道有这种情况的存在，这显然是超越普通魂师范畴的。

霍雨浩忍不住道："看来，昨天晚上这一觉我们是没白睡啊！"

"呸。"王冬瞪了他一眼，不过还是迅速抬起自己那双修长柔软的手，"再试一次。"

霍雨浩也急于求证先前出现的情况是否真实，迅速抬起双手与王冬握在一起。

四手相握，顿时，魂力流淌重新开始，两人的魂力并不相同，霍雨浩的玄天功魂力中正平和，温润自如。王冬的魂力则要霸道得多，还有凌厉与高贵的气息在。

如果把霍雨浩的魂力比作一名温和敦厚的少年，那王冬的魂力则更像一名出身高贵、高高在上、盛气凌人的少女。

气质如此截然不同的魂力，此时却形成了循环，完美地在两人体内流转着，而且在

运行的过程中，这两种魂力居然悄然融合，你中有我、我中有你，不分彼此，丝毫没有冲突出现，就像它们原本就是一体似的。

霍雨浩还好一些，毕竟他的玄天功魂力本就十分平缓，而王冬的感觉就充满了震惊，他深知自己的魂力有多么霸道、强悍，更具有强烈的排他性，而此时出现的一幕更是极大地超出了他认知的范围。

就是这么短暂的运转片刻，两人都有种神清气爽的感觉，显而易见的是，如果他们就这样手握着手修炼，要比各自单独修炼的速度快得多。而且，他们都深深感觉到，这只不过是个开始而已。两人的魂力如此完美地融合在一起，所能衍生出来的又岂止是能在一起修炼这么简单？

"走吧，咱们先去跑圈，晚上回来再好好研究研究。"霍雨浩主动松开王冬的手，披上铁衣转身就向外走去。

王冬听了他的话却是略微怔了片刻，嘴角也略微抽搐了一下，霍雨浩的话再加上昨天晚上莫名其妙地跟他拥抱着睡了一宿，让他心中难免产生几分歧义。在霍雨浩背后比了比拳头，这才拿上铁衣跟了上去。

穿着铁衣跑步已经持续了三个月的时间，此时再来自然是轻车熟路。霍雨浩和王冬老老实实地跑到了下课铃响起的那一刻，直到萧萧到操场上找他们才停下来。萧萧告诉他们，周老师早就走了。

霍雨浩是一身大汗，而修为要高上许多的王冬在刻意控制下甚至连汗都没出。

"怎么样？周老师都说了什么？"霍雨浩一边喘息着一边向萧萧问道。

萧萧耸耸肩膀，道："其实也没什么，就是给大家鼓鼓劲，传递给我们一些人挡杀人、神挡杀神的气势，然后再分析了一下对手的情况。我们想要夺冠的难度挺大的。看来，循环赛确实只是一个预演而已，而咱们史莱克学院也从来都不缺少天才啊！"

看着她的神色分明有些担忧，王冬不以为意地道："怎么了？连我们双生武魂的大天才都没了自信吗？"

萧萧撇了撇嘴，道："自信我当然有了。不过，不得不说，确实有些人比我们的天赋更好。周老师刚才说，在其他五组循环赛全胜的队伍中，有三组都出现了三环魂尊。面对三环，你又能有多少自信？"

"魂尊？"霍雨浩和王冬几乎是同时惊呼出声，一脸的不可思议。

萧萧苦笑道："可不是嘛。要不你们认为我为什么会这么没信心？"

霍雨浩道："周老师怎么说？"

萧萧道："周老师在说起那三组的时候，看上去也不太痛快，她似乎也是刚得知这个消息不久的。之前那三个班级从未散发出自己有魂尊学员的消息。他们和你一样，都是特招生。"

听她说到这里，王冬笑了，向霍雨浩道："看看吧，都是特招生，怎么差距就那么大呢？"

霍雨浩一阵无语，道："说这些有什么用，我们先想想如何克敌制胜才是关键。"

萧萧道："只能是尽人事而听天命了。那三个家伙都是各自团队的领袖，显然不是那么好对付的。你们想想，能够在十二岁之前就突破三环境界的，自身武魂就要强大到什么程度？而且，背后必定有一个全力支持的家族。他们的魂环也必定都是极限程度的。就算不像王冬这么变态，第二魂环就是千年级别，应该也差不了太多。我看，就连周老师都不是太看好我们了。我们只能把目标定在第四了。"

王冬哼了一声，道："三环又怎么样？魂尊又不是不可战胜的。我们也有我们的优势，你的双生武魂，还有我没完全发挥出的战斗力。再加上雨浩的本体武魂、精神武魂。我们三个联手，未必就输给他人。"

萧萧道："你以为我不想得第一啊！前三名才有实质性的奖励呢。第四名屁都没有。可是，我们的综合实力确实是不如人家啊！你们想想，一名魂尊级学员，他的队友至少也是和我们一样的大魂师吧。我们确实也有属于自己的优势，但除非是班长也突破二十级，再拥有一个强力的精神属性魂技，或许我们有点希望。"

霍雨浩看看萧萧，再看看王冬，认真地说道："你们都先别急。没错，我们的整体实力或许不如对方，但是，如果我们现在就失去了信心，那就一点机会都没有了。萧萧，你想想，我们在面对蓝素素、蓝洛洛姐妹的武魂融合技时，情况何等艰难？最终依旧获得了比赛的胜利。她们姐妹所施展的武魂融合技，在威力上决不逊色于魂尊级别的魂技吧，甚至犹有过之。可我们依旧撑过来了。别人有别人的优势，我们同样也有我们的优势，优势就在于我们目前还有隐藏实力在。我们的目标也只有一个，那就是冠

239

军。"

萧萧的信心似乎被霍雨浩重新唤醒了,微微颔首,道:"拼吧,反正能拼到什么程度就是什么程度。我们一起加油!"

霍雨浩伸出右手,王冬抢在萧萧之前将手掌搭在他手上,萧萧就只能按在王冬手上。

"我们是冠军,一定。"

霍雨浩道:"萧萧,欠你的烤鱼恐怕还要再拖欠几天了。接下来的淘汰赛对我们来说实在是太重要了,无论如何,我们都要集中精神趁着这几天提升修为,哪怕只是提升一丝一毫,也能增大我们获胜的机会。等淘汰赛结束了,烤鱼我管够。这几天我就不再出摊了。先集中精神修炼再说。"

萧萧嘻嘻一笑,道:"欠债可是要有利息的。班长,反正我是赖上你了,以后吃你的烤鱼是不会给钱的。"

霍雨浩呵呵一笑,道:"没问题,烤鱼我还请得起。"

萧萧道:"周老师说,明天上课铃响前在考核区集合,她还让我转告你们俩,不许迟到。我们首先要祈祷的就是运气了,不过,周老师说,我们这些在循环赛中全胜战绩的团队在淘汰赛前两轮会有优待,彼此不会遇到。这也是我们在循环赛获得好成绩唯一的作用了。只要我们正常发挥,至少进入十六强应该没什么问题。再往后,就要看我们自己的了。"

霍雨浩道:"这倒是个好消息,行,那先这样,我这一身汗,先回去洗洗,好去吃饭。"

萧萧道:"那我就不等你们俩了,先去食堂,明天见。"说完,她向霍雨浩和王冬挥了挥手,转身而去。

霍雨浩转身看向王冬,眉头微皱,道:"看来我们想要在淘汰赛上获得好成绩并不容易。走吧,我们先回宿舍,我洗个澡换身衣服,吃了饭咱们再好好研究一下武魂融合的问题。"

"嗯。"王冬点了点头,却显得有些沉默,甚至是茫然和呆滞,也不知道他在想些什么。回到宿舍后,霍雨浩自己拿了干净衣服和毛巾去洗澡了。王冬自己一个人坐在床上等他。

"砰。"门关了。王冬下意识地抬起头看向宿舍门，眼中的茫然渐渐流露出几分复杂。

早上因为迟到的缘故，他一直没来得及跟霍雨浩算算昨晚他睡在自己床上这笔账，霍雨浩现在已经跟没事儿人似的了，可王冬的感觉截然不同。

我，我竟然跟他睡了一整个晚上，而且，似乎还完成了武魂融合，还不是一般的融合。

王冬也不知道自己现在是怎样的心情，只是觉得心有点乱，乱得自己也不知该如何是好了。

愣神的时候，时间总是过得很快，不一会儿，霍雨浩就洗得清清爽爽的回来了。一进门，就带来一股沐浴后的淡淡芬芳气息。王冬一抬头，正好看到霍雨浩那双格外明亮的灵眸。

霍雨浩依旧没有发现王冬心态上的变化，向他招招手："走，咱们赶快去吃饭，回来后好研究一下武魂融合。或许，我们最后想要获得好成绩就要依靠这一招了呢。"此时的他，全身心都放在了新生考核淘汰赛上。

王冬略微有些迷惘的情绪似乎找到了目标，点了点头，道："好。"都已经发生了，多想无益，还是先努力在这次考核上获得好名次再说吧。萧萧说出现了几名魂尊级新生的时候，也激发了王冬的斗志。

他深信，自己的潜能一定不会比那些魂尊级新生差，只不过因为自幼十分懒惰，不怎么愿意修炼，所以才没有达到那样的程度而已。等级并不意味着一切，击败他们就能证明自己最优秀。

想通了这点之后，他心中也就不再纠结什么，跟霍雨浩到食堂痛痛快快地大吃一顿。因为去得晚了些，等他们吃完饭的时候，食堂里已经没什么人了。

回到宿舍，霍雨浩将门锁好，以免有人在他们修炼的时候进来打扰，同时在门外挂上了"请勿打扰"的牌子。这个牌子每一间宿舍里都有，只要挂上，就算是老师也绝不会轻易敲门打扰，因为这个牌子意味着里面的学员正在修炼。

不过，霍雨浩往日里很正常的行为此时在王冬眼中却令他微微有些窘迫，不过，他

很快就调整过来，当霍雨浩回过身后，他的神色也恢复了正常。

"我们怎么开始？"王冬向霍雨浩问道。

霍雨浩道："我们先尝试着联手修炼一段时间吧，这样也能让我们的魂力彼此融合效果更好，也更加熟悉。然后再尝试着通过融合后的魂力来增强我们的每一个魂技。等晚上我们再到学院外面去试试武魂融合技。"

王冬撇了撇嘴，道："你倒是挺有条理的。"

霍雨浩笑道："那是，别忘了，我可是班长。有条理那不是再正常不过了吗？来吧。"一边说着，他就要向王冬床上坐去。

"你干吗？"王冬却一把推住他的身体。

霍雨浩疑惑地道："修炼啊！我们不盘膝坐好怎么修炼？"

王冬却站起身，指了指霍雨浩的床，道："上你的床去修炼。"

霍雨浩一阵无语："如果你不怕硌屁股的话，我无所谓。"

王冬分明看到，霍雨浩的脸色略微有些难看，确实，霍雨浩是有些不高兴了，在他看来，大家已经是这么久的朋友了，王冬还计较来、计较去的，很是小家子气。

但王冬坚持了自己的意思，两人在霍雨浩的床上坐了下来。一坐下，王冬就有些郁闷了，确实，这纯粹的硬板床和自己铺着裘皮褥子的床相比，哪有半分的舒适度可言啊！不过，他也只能忍了，昨晚两人是不小心在他的床上睡了，总不能再让霍雨浩上了自己的床吧。

霍雨浩还是很大度的，在短暂的不满之后情绪已经恢复了正常，心中暗想，算了，每个人都有自己的生活习惯，总要尊重对方。这样一想，他心中的那一丝怨气也就消失了。

王冬看了霍雨浩一眼，发现他也正在看自己，心中不知为什么略微有些慌乱也有些歉然，赶忙抬起双掌，道："开始吧。就按你说的，我们先修炼到晚饭时间，看看效果怎么样。"

霍雨浩也抬起双掌与他相抵，两人刚一出现身体接触，魂力立刻就彼此牵引着相互融合起来。两种魂力在他们体内只是运转一周，就已经完成了整个融合的过程，接下来，他们体内流淌着的，就相当于是他们两种属性不同的混合魂力了。

　　早上他们发现这份奇异之后，毕竟时间尚短，没来得及仔细体会，此时静下心来修炼，渐渐就有不同的感受了。

　　没错，正如先前他们感受到的那样，两人在联手修炼的状态下，魂力提升速度极快。简单来说，他们各自的提升速度就相当于是两人平时修炼的和。

　　也就是说，如果霍雨浩自己修炼一个时辰，提升的魂力是一，王冬自己修炼一个时辰，提升的魂力是一点二。那么，现在他们一起修炼时，两种魂力混合着提升。不但增加了魂力的运转速度，同时，一个时辰下来，他们各自的魂力提升就都是二点二。

　　这样一来，霍雨浩的修炼速度就相当于是提升了一倍多，王冬也有接近一倍的提升。无疑，得到好处更多的是霍雨浩。因为王冬的修为要比他更高。但如果两人以后修为之间的差距拉近后，那么，一起修炼得到的好处就接近了。

　　对于魂师来说，修炼速度提升一倍，这是何等惊人啊！霍雨浩原本计划是要争取在一年级毕业时冲击二十级的，但如果按照眼前这个速度修炼的话，恐怕再有三到四个月，他就有达到二十级的可能了。而王冬按照这个速度一直修炼到年底的话，突破三十级也不是不可能的。

　　近三个时辰修炼下来，当外面天色渐渐暗下来的时候，他们从冥想状态中清醒过来。魂力各自收回体内，原本纠缠在一起的不同魂力顿时又分开了。他们都切实感觉到自己的修为比平时修炼要提升许多。

　　霍雨浩和王冬很有默契地同时睁开双眼看向对方，顿时都从对方眼中看到了惊喜之色。无论这种武魂融合的情况从何而来，对他们来说，都是大好事啊！尤其是霍雨浩，他得到的提升速度要比王冬多上许多，可以说是占了便宜的。

　　两人迫不及待地又开始尝试魂技的增幅，这一次，他们又发现了一个武魂融合后的奥秘。

　　他们的每一个技能都能够通过融合后的武魂进行增强，而且增幅的威力都是极大的，不只是一加一等于二那么简单。两人联手发动一个技能的时候，不但威力会暴增一倍以上，而且魂力消耗反而会降低一半。也就是说，他们完成两种魂力在体内的融合之后，使用魂技时的消耗就会变小。这相当于是他们融合后的魂力变成了一种极为高级的全新魂力了。

243

因此，他们这种状态不能说是武魂融合，更准确的说法应该是魂力融合才对。但让王冬有些无语的是，融合之后，竟然不是修为更强的自己占据主动。

他们身体接触在一起，魂力彼此融合之后，霍雨浩居然占据了主导地位。只要他意念一动，并且身体与王冬接触着，无论王冬是否配合。都能用融合后的魂力催动魂技，爆发出强大的威力。而王冬如果也想调动这融合后的魂力，却必须要霍雨浩同意并且配合才行。主次之分已然鲜明。

"为什么会这样？太不公平了。"王冬一脸愤愤地说道。

霍雨浩无奈地道："我也不知道啊！你放心好了，只要是你需要的时候，我一定会全力配合你的。"

他嘴上虽然说着不知道，但心中已经隐隐猜到，这种情况恐怕和天梦冰蚕脱不了干系。否则，凭什么是修为更弱的自己占据魂力融合后的主动呢？

"王冬，别郁闷了，我们魂力融合后产生的这种新魂力也应该有个名字。就以你的名字来命名好了。"

王冬扑哧一笑，道："算了吧。叫王冬力？真难听。不如取我们名字里的一人一个字好了。叫浩东之力。"

霍雨浩挠挠头，道："似乎是好听一些。"

王冬站起身，摸了摸自己的屁股，没好气地道："你这破床太硬了。晚上再修炼换我那边吧。浩东之力上你占了那么大的便宜。今天晚饭你请。"一边说着，他微微仰头，枕着自己的双手向外走去。

看着他那似乎很是无所谓的样子，霍雨浩不禁笑了，这家伙，就是嘴硬、傲气，实际上心好得很。

"请就请，反正我的钱都是卖烤鱼赚的，吃光了就吃你的。"一边说着，他就追了上去。

有了共同的浩东之力，无论是霍雨浩还是王冬，都明显感觉到彼此之间的关系发生了变化。在霍雨浩心中，他和王冬已经不只是朋友、同学，更是兄弟。他相信，王冬心中也是这么想的。至于是不是，那就只有王冬自己清楚了……

一边吃着晚饭，霍雨浩心中也有一些疑惑。这些疑惑是来源于对天梦冰蚕的理解。

天梦冰蚕曾经说过，只要他的身体承受能力达到，那么，就会给予他更多的本源之力，让他的魂环品级提升的同时，魂技也达到最强程度。

可是，当他与王冬联手催生浩东之力后，他的每一个魂技的威力都能得到大幅度提升，虽然也能感受到身体极限的来临，却依旧能够承受。既然如此，那为什么天梦冰蚕并没有将自己的魂技提升到这个层次呢？

"笨蛋。"就在霍雨浩心中疑惑的时候，天梦冰蚕的声音在他脑海中响起。

"天梦哥，你没睡啊？"霍雨浩顿时大为惊喜，在脑海中向他说道。

天梦冰蚕哼了一声，道："当然没睡，我有那么爱睡觉吗？"

霍雨浩暗暗腹诽，不爱睡觉能睡出百万年来？

天梦冰蚕道："你担心的问题再简单不过。确实，我没有将你的魂环提升到你身体的最高极限，那是因为，我不能让你变成一个涨满的气球。有一种鱼叫做虎河豚，它身上全都是刺，一旦遇到危险的时候就会瞬间充气，让身体膨胀起来，刺全部展开，让敌人无从下口。可以说，它在那种时候就会让自己的身体膨胀到极限。"

"这种情况下，它自身尖刺的攻击力确实被提升到最强程度了。但如果在这时有一根针刺过来呢？会发生怎样的情况？你也是一样。如果我把你的魂环提升到你所能承受的最强程度，那么，一旦遭受到打击或者修炼时出现意外，那么，你也会像一个气球那样，砰的一声爆掉。因此，我所说的你能承受极限，是要你能够完全承受并且没有副作用的情况下。而当你和那个王冬魂力融合的时候，这份融合的力量本身就会在瞬间对你们的体质产生一定的改善，这也是我昨晚帮你们彻底融合这两种魂力，达到百分之百融合度的最大好处。"

"也就是说，当你们魂力融合的时候，身体承受能力会因为这份融合后的魂力而变强。也就能承载更大的魂力，魂技使用时的威力也会增强。这本身就是武魂融合的奥秘所在。你们与普通的魂师武魂融合不同处就在于，你们的身体会受到魂力融合的不断改善。只要你们一直联手修炼下去，那么，你们的体质总有一天会变成这个世界上人类中最好的。修炼速度也将变成最快的。"

"当然，这个改善体质的过程会比较漫长。如果以后你们能够真正融合，那么，效果还会更好。"

霍雨浩疑惑地道："什么叫真正融合？"

天梦冰蚕似乎呆滞了一下，道："我也不知道，我也没试过嘛。好啦，你和他继续尝试吧。无论是魂力融合还是武魂融合，带给你们的好处都是巨大的。以后你会慢慢体会到的。"

说完这句话，天梦冰蚕就不管不顾地收声消失了。

"喂，你饭都快吃到鼻孔里了。"王冬看着霍雨浩发了半天呆，在他眼前挥了挥手。

"呃……"霍雨浩赶忙摸了摸自己的鼻子，却看到王冬在那里坏笑。

"你想什么呢？这么出神。"王冬好笑地道。他发现霍雨浩呆呆的样子很好玩。

霍雨浩道："当然是在想咱们的浩东之力。我在想，咱们能够出现魂力融合这种情况是为什么。思前想后之下，也就只有一个可能，那就是我们昨晚武魂融合时，契合度极高，才会出现这种情况吧。"

王冬眼睛一亮，"对啊！你说的有道理。若非如此，为什么我们会出现别人所没有的情况呢？快点吃，吃完了我们出去试试能不能施展出武魂融合技。不过，你知道武魂融合技该怎么施展吗？"

霍雨浩有些无语地道："我怎么会知道，难道不是水到渠成吗？"

两人大眼瞪小眼，忍不住都流露出一丝无奈的苦笑，确实，武魂融合技在课堂上虽然也有讲述，但这本身就是极为小众的能力，老师都只是一语带过，更别说是讲述如何施展了。毕竟，能够真正施展武魂融合技的人实在是太少了。

王冬道："算了，晚上我们先试试。要是不行，明天再找周漪老师问问，看有没有什么施展的办法。"

"嗯。"霍雨浩一边答应着，一边在心中不断地呼唤天梦冰蚕。他相信，有着百万年生命经历的天梦冰蚕一定会知道该怎么办。

"笨蛋，这点小事也要吵我。昨晚你们怎么干的就怎么干啊！二货。"天梦冰蚕似乎刚要开始睡觉，被霍雨浩吵醒了很是不满，嘟嘟囔囔地说了一句就又没声音了。

昨晚怎么干的就怎么干？霍雨浩愣了片刻后很快就明白过来了，拥抱？

快速吃过晚饭，霍雨浩和王冬带着兴奋、好奇的心情迅速出了学院，今天霍雨浩没

出来卖烤鱼，一出学院大门，就碰上了不少老客户对他一阵抱怨，他只能连连道歉，以自己要准备新生考核排位赛为由搪塞过去。

"我们比比速度。"王冬低喝一声，脚尖点地，猛然加速，如同箭矢般冲了出去。

如果是在三个月前，恐怕霍雨浩连他的背影都看不到。但三个月的身体苦练可不是白费的，霍雨浩双腿充分发力，速度同样飙升，虽然没有王冬看上去那么轻盈，但也绝对不慢。每一次踏地，都会在泥土上留下一个清晰的脚印，飞快地向王冬追去。

肌肉的爆炸力源源不断传来，体内魂力流转，不断补充着消耗的体力。

傍晚的空气清凉舒爽，此时的他们，大有一种人在风中穿梭的快感。没有铁衣的束缚，遍体清爽令他们都将自己的速度爆发到了最高程度。

王冬终究要比霍雨浩底子好得多，很快就拉开了距离。当距离相差超过三百米之后，他才放慢脚步，等霍雨浩赶上来。

"嗯，身为一名控制系战魂师，又不擅长于正面战斗，你的速度还是可以的嘛。"王冬看着赶上来的霍雨浩，老气横秋地说道。

霍雨浩呵呵一笑，道："距离差不多了吧。我们到林子里去吧。"

"嗯。"王冬点了点头，两人看看前后无人，同时展开身形，跑入大路旁边的树林之中，深入大约数百米后才停下脚步。

"就这里了。要怎么试？"王冬向霍雨浩问道。

霍雨浩道："咱们先试试浩东之力的恢复能力。"一边说着，他向王冬抬起了双手。

王冬抬手与他相贴，有着一下午的修炼经历，他们运转起浩东之力也算是十分熟悉了。正如他们预测的那样，魂力融合后所产生的浩东之力在恢复体力和魂力方面也有一定的增幅。不过这个增幅的程度就不如他们修炼时那么大了。

"效果一般啊！不过多少还有点用。"片刻之后，王冬消耗的体力率先恢复完毕，向霍雨浩说道。

霍雨浩点了点头，张开双臂，道："来吧。"

王冬一愣，看着霍雨浩顿时变得警惕起来："你要干吗？"

霍雨浩很自然地道："抱抱啊！"

247

"你……"王冬顿时脸色大变，脸色一阵青、一阵白的，"霍雨浩，没想到你是这种人。你信不信我打得你生活不能自理？"

霍雨浩哭笑不得地道："你想到哪里去了。笨蛋，你忘了我们是怎么出现武魂融合这种情况的？现在我们的魂力已经能够融合了。那么，催动武魂融合最简单的办法就是重复昨天的情况啊！"

王冬这才明白过来，顿时窘得脸色通红，虽然天色已经很暗了，但霍雨浩那双灵眸就算是在深夜中也能清晰视物，自然是看得一清二楚。

"你不说清楚就说要抱。你故意让我难堪是不是？"王冬用愤怒掩盖着自己的尴尬与羞窘。

霍雨浩无奈地道："谁知道你思想那么不健康，我们两个男人，能干什么？赶快吧。早点完事儿也好早点回去继续修炼。"

王冬犹豫着道："这荒郊野外的，我们不会像昨天晚上那样直接睡过去吧？"

霍雨浩无语的道："不会的，今天情况又不同。你怎么婆婆妈妈的像个女人。我来啦。"一边说着，他迅速上前一步，一把抱住王冬。

王冬身体一僵，在被霍雨浩抱住的一瞬间，他只觉得大脑有些空白。因为先前的全力奔跑，霍雨浩身上有些微微出汗，淡淡的气息扑面而来。

王冬的身体很柔软，抱着依旧和昨晚一样舒服，不过，霍雨浩此时可没有享受的想法。抱住王冬的同时，他立刻运转起自身魂力，开启灵眸武魂。而王冬在下一刻也醒悟过来。

身体的全面接触，令他们体内的魂力迅速转化为浩东之力，霍雨浩的双眸在傍晚显得格外明亮，淡金色光芒闪烁。

王冬在短暂的呆滞之后，也赶忙催动武魂。

刹那间，两人都有种奇异的感觉，在拥抱中释放武魂，与他们之前相互辅助催动浩东之力施展魂技截然不同。

就在王冬那双冰蓝色的翼翅在背后展开的一瞬间，他们的精神都出现了短暂的恍惚。

第23章
璀璨中的凋零，黄金之路

一边，是双眸散发出淡金色的霍雨浩；

一边，是背后炫丽双翼展开，释放出光明女神蝶武魂的王冬。

当他们在相拥后各自释放出武魂的同一时间，周围直径十米范围内全都亮了起来。有一种特殊的光芒从他们身上绽放开来。

那种光芒很奇特，是一种变换着蓝、紫、金三种颜色的奇异光彩。浓郁的光明气息为主干，还混合着许多奇异的魂力波动。

王冬背后出现了一个巨大的光影，那是一只完整的、瑰丽的光明女神蝶。

霍雨浩背后出现的，则是一只巨大的竖眼虚影，这只竖眼通体呈现为淡金色，但瞳孔中散发着淡淡的紫色。

霍雨浩和王冬的神志在短暂的空白后都已经恢复了正常，他们立刻发现，相拥的身体周围，已经尽是那浓烈的强光。

空中，两个巨大的光影缓缓靠近，而在接近的过程中，它们也都开始出现了变化。霍雨浩的灵眸光影渐渐变得更加深邃了，通体完全变成了蓝紫色，而金色完全收敛。

王冬的光明女神蝶光影却在靠近那灵眸的过程中剧烈地燃烧起来，燃烧着蓝金色的光焰。

终于，它们仿佛经历了一个世界那么久远，两大武魂光影终于在霍雨浩和王冬头顶

上方彼此接触在一起。

刹那间，霍雨浩和王冬同时身体剧震，体内融合而成的浩东之力如同井喷一般爆发开来，几乎是瞬间抽空了他们的一切力量。

燃烧中的光明女神蝶张开了它那双炫丽的翼翅，缓缓抱住了灵眸光影，刹那间，光明女神蝶的身影消失了，而蓝紫色的灵眸却是光芒大放。

炫丽的蓝金色光焰在灵眸光影上瞬间绽开，它徐徐下落，将拥抱在一起的霍雨浩和王冬守护其中。

巨大的灵眸看上去是那么深邃，仔细望去，仿佛其中有无尽的世界一般。就在下一瞬，一道恐怖的蓝、紫、金三色混合光芒射出。

这道宛如幻彩一般的光芒笔直而去，光芒所过之处，一切植被都化为了虚无。那一瞬的璀璨宛如亘古久远。三色光芒所过之处，光晕并未散去，留下的是一种迷离的扭曲与炫彩。

不过，霍雨浩和王冬却没能看到这一幕。就在那光芒迸发的同时，两人体内的浩东之力被瞬间抽空，强烈的虚弱感令他们瞬间倒地、昏迷……

武魂融合技一向是威力极大的技能，他们又是第一次尝试，其间经过了两个武魂融合化技的过程。魂力和心神消耗都是巨大的，又从未适应过这种情况，不昏过去才怪。

依旧保持着拥抱的姿势，他们就那么直挺挺地倒了下去……

一夜无话……

天渐渐地亮了……

当王冬从不知是昏迷中还是睡梦中清醒过来的时候，他真的连想死的心都有了。

前天晚上好歹是在床上，可昨晚，看看吧，两人抱得还是那么紧，却一身的尘土、草屑和露水。直接就在野外睡了这么一晚。这难道是传说中的露水姻缘？

"霍雨浩，你给我起来。"王冬挣扎着从霍雨浩怀抱中爬起，脸上的神色甚至有些歇斯底里了。

霍雨浩蒙眬地睁开双眼，发现天色已然大亮，也是吓了一跳，一翻身就坐了起来。但他下一刻看到的是站在自己面前，正居高临下瞪着自己，似乎随时都有可能爆炸的王冬。

王冬咬牙切齿地怒视着他，"昨天你不是说，不会再抱着睡了吗？"

"我……我说过吗？"霍雨浩呆呆地说道。

"你……我跟你拼了。"王冬猛地向前一扑，就跨坐在了霍雨浩身上，劈头盖脸地就要揍他。

霍雨浩赶忙一把抓住他的双手，目光呆呆地望向一旁，"你……你看……"

"看什么看……"话出口的时候，王冬下意识地顺着霍雨浩的眼神瞥了一眼，这一瞥令他的眼神再也收不回来了。

两人目瞪口呆地看到，就在他们侧向四十五度角方向，出现了一道壕沟，一道诡异的壕沟。

这道壕沟宽约一米五左右，一尺深，笔直地向前方延伸，一直蔓延出五十米开外，才悄然消失。

如果只是这样一道壕沟，绝不会让霍雨浩和王冬如此惊讶。毕竟，他们联手施展的武魂融合技甚至抽空了他们全部魂力，令两人昏迷了一夜，威力大也是正常的。

但最恐怖的地方在于，这条壕沟之中原本应该是泥土的部分，都呈现为一层一样的淡金色，这种淡金色居然和霍雨浩施展灵眸武魂时的颜色一模一样。

不只是地面的泥土，因为这道壕沟经过的地方还有几棵大树，其中有一棵是被贴着边缘扫过的，一个半圆的凹陷出现在那树干上，切割面也同样呈现着淡金色。壕沟两侧，那些只是被擦过的植被上，无不留下了这样的色泽。

此时此刻，在朝阳的照耀下，那一层淡金色仄仄生辉，就像是一条黄金之路般呈现在霍雨浩和王冬面前。他们看了又怎能不吃惊呢？

"这……这是你的光明女神蝶造成的？"霍雨浩呆呆地问道。

王冬此时还骑在他身上，下意识地摇了摇头，道："不，绝对不是。我的武魂虽然有金色，但是是亮金色或者是蓝金色，绝不是这种淡金。这……这个看上去和你灵眸的颜色是一样的啊！"

霍雨浩一拍他大腿，道："快下去，我们过去看看。"

"嗯。"王冬此时也被这条黄金之路吸引了，也没注意霍雨浩拍的地方已经接近自己屁股了，一翻身就从他身上站了起来，霍雨浩也紧随着站起来，两人快步来到那黄金

之路前蹲下身体。

王冬刚要伸手触摸，却被霍雨浩一把抓住了，"你说这个像我灵眸的颜色，还是我来。"说着，他的另一只手就探入了那壕沟之中，触摸在那金色之上。

这一触摸不要紧，霍雨浩瞬间如同触电般收回了手，一脸的震惊之色。因为在碰触到那金色的一瞬间，他只觉得自己的大脑仿佛瞬间错乱了一下似的。精神之海剧烈地波动了一下，那种感觉，就像是受到了灵魂冲击一般。

"这、这只是我们武魂融合技的残留？你试试。"霍雨浩赶忙向身边的王冬说道。

王冬早就好奇得不行，赶忙也探手触摸了一下那金色的壕沟。

他的反应比霍雨浩大得多，整个人都出现了片刻的呆滞，好半天才回过神来。

两人对视一眼，都看出了对方眼神中的震撼。

"这、这也太猛了吧。这只是我们武魂融合技的残留，我感觉像是被你的灵眸全力发动了攻击冲撞了似的。要是正面承受了我们这一击，那会到什么程度？"王冬的声音因为兴奋都有些颤抖了。没有魂师会不希望自己拥有强大魂技的。

霍雨浩道："你看，咱们这魂技的攻击距离应该是五十米，直线攻击。现在还不知道能不能锁定对手。威力确实是巨大，应该是破坏和精神双属性的。只不过是把我们俩的攻击力不知道提升了几倍。这样的攻击如果是正面命中，那威力……"

王冬兴奋地点头道："而且，武魂融合技的威力是一定会随着我们的修为提升而提升的啊！我们这武魂融合技真是霸道。要是再遇到蓝氏姐妹那个网子，我们绝对能瞬间攻破啊！"

霍雨浩也同样兴奋，但他就要比王冬冷静一些："王冬，你觉得咱们这武魂融合技在考核上能用吗？这种威力，我不认为魂尊能抵挡得住啊！"

王冬脸色一僵，道："这倒是个问题，威力太大也让人头疼。而且，我们也只有这一击之力，吓唬人都办不到。用完我们自己就先晕了。"

霍雨浩道："第一次用我们经验不足，下次再尝试应该不会消耗这么大了。但应该也确实只有一击之力。有这么强大的技能总是好事。回头我们多练习几次，习惯了应该会好得多。"

王冬道："下次那个马小桃要是再欺负我们，就给她来一下，以她的修为应该不会被打死吧，让她知道我们的厉害。"

霍雨浩道："我们这么强的武魂融合技总应该有个名字，因为我的判断失误让你在野外睡了一晚，这起名字的机会就让给你了。"

王冬当仁不让地道："好，算你识相。叫什么好呢？死亡凝视，怎么样？"

没等霍雨浩开口，他自己就先否定了："不行不行。这是我们两个发动的武魂融合技，怎么能没有我的武魂特点在呢？就叫光明女神的凝视，帅气吧？"

霍雨浩一脸无语地看着他，"你那光明女神蝶就是光明女神了？那意思分明是如同带来光明，如同女神一般美丽的蝴蝶。先不说有没有光明女神的存在，就算有，也和你没有一毛钱关系吧。"

王冬一脸黑线地道："你就不会说点好听的吗？难道叫蝴蝶的凝视？岂不是更难听？"

突然，他的眼睛一亮："有了，我们的武魂融合技干吗非要把我们的武魂都加上呢？那也太没特点了。如此绚丽的金色，还有我们武魂融合技发出那一瞬的璀璨，不如就叫做：璀璨中的凋零——黄金之路。怎么样？"

霍雨浩双目微微瞪大，"这名字倒是很棒，但会不会太长了些？"

王冬得意扬扬的道："长点才显得我们厉害嘛。简称黄金之路就是了，反正别人也不会知道是什么。回头咱们把周老师叫出来，让她帮咱们评定一下这璀璨中的凋零·黄金之路的威力和效果，这样我们也能做到心中有数。"

听王冬说到周老师三个字，霍雨浩突然激灵灵地打了个寒战，扭头看了一眼已经渐渐升起的太阳。

王冬在他的动作提醒下，也想起了些什么，两人对视一眼，又同时惨叫一声，立刻撒腿就跑。

又要迟到了……而且是在淘汰赛的时候，又要迟到了……

为了能以最快的速度赶回史莱克学院，两人不得不手拉着手全速狂奔，利用浩东之力，不但消耗更小，也能让他们的速度平均下来达到最快。

幸好，他们跑出的距离不算太远，没用多长时间就赶了回去，但依旧是迟到了。

考核区外，站了一排学院的老师，大约有近三十位之多，其中就有周漪老太太在。

她此时的眼神很是不善，目光在下面的近两百名学员中巡视，但就是没找到自己想要找的人。

萧萧早就来了，一脸焦急地等待着，现在已经开始点名了。而且是从他们一班开始的，霍雨浩和王冬却还没来。要是等点名结束的时候他们还未赶到的话，就要作弃权处理了。先不说错过这次机会有多么可惜，单是周老太太的怒火他们也承受不住啊！同一团队的自己恐怕也要倒霉了。

这两个家伙在干什么啊？昨天就迟到了，今天还迟到！

新生一班参赛学员最多，因此点名时间也最长，当点到萧萧他们这一组的时候，除了萧萧应答了之外，霍雨浩和王冬这两个名字竟然无人应答。这一来，不仅是全体新生震惊，就连老师们都是大吃一惊。

在史莱克学院历史上，这虽然不是第一次，但也绝对是极其少见的情况。就算他们已经通过了新生考核，在淘汰赛上不出现的话，必定会被视为藐视学院，会给所有老师留下不良印象的。

点名的老师略微停顿了一下后才继续对其他班级进行点名，一直点到了新生六班，霍雨浩和王冬才姗姗来迟。

两人一路急赶，又在野外睡了一晚，早上甚至没来得及洗漱，那样子是要多狼狈就有多狼狈，衣衫不整不说，身上还有泥土与露水混合留下的痕迹。

不过事已至此，他们也只能硬着头皮上了，总不能真的弃权啊！

"报告。"霍雨浩和王冬一起跑到老师和学员们之间的位置同时大声喊道。

点名的老师立刻停了下来，这位老师年约五旬，身材高大，黑面无须，一脸的冷峻之色。

"你们两个是哪个班级的？怎么回事？"

霍雨浩和王冬都认得，这位老师名叫杜维伦，乃是外院武魂系的教导主任，在外院的威信极大。

霍雨浩大声道："报告杜老师，新生一班霍雨浩、王冬，因修炼过度迟到。"

杜维伦脸色一沉，"考核你们都能迟到，还有没有时间观念了？罚你们两个今日比赛之后去擦新生教学楼的所有楼道地面。归队。"

"是。"霍雨浩和王冬赶忙答应一声，心中都松了口气，只要不是罚他们失去考核资格就好。两人赶忙小跑着回到新生一班队伍之中和萧萧站在一起。

杜维伦瞥了一眼站在不远处的周漪，这才拿起名单继续念下去。以他的脾气，如果换了别的学员，很可能就直接被取消考核资格了，反正他们也通过了新生考核。但霍雨浩和王冬的特殊之处就在于他们在循环赛上表现优异，获得了全胜的成绩，这才让这位铁面教导主任网开一面。

在史莱克学院，虽然并不是完全的唯成绩论，但实力强、成绩好，也一定会获得一些优待的。这在任何学院都是如此。

"你们俩这是干什么去了？你们就等着今天比赛结束后周老太太收拾你们吧。你们看她那眼神，跟刀子似的，要是眼神能杀人，你们俩都要被凌迟。"萧萧没好气地说道。

王冬一脸郁闷地道："你就别叽叽喳喳了，还不都怪霍雨浩，要不是他非要拉着我出去切磋，结果没算好时间，能迟到吗？"

霍雨浩和王冬在回来的路上就已经商量好了，他们会武魂融合技这件事暂时还要保密，毕竟他们现在还没打算在新生考核中用出来。他们一致决定只把这个好消息告诉周老师，好平息她的雷霆之怒。同时也让她辅导进行修炼。等运用娴熟了在以后的考核中再施展。

很快，外院武魂系教导主任杜维伦已经点名完毕，接下来就是抽签了。只是新生考核而已，没有太多繁杂的仪式。霍雨浩代表他们团队抽了签。全部参加淘汰赛的六十四组学员分成三十二场，捉对比拼。

昨天学员们有一天的休整时间，考核区也已经改善完毕。只是修改隔板位置就行了。重新分成了十六个区域。这一次，每个区域的面积都增大了数倍，参加淘汰赛的学员们也将有更为广阔的施展空间。

淘汰赛期间的规则很简单，每天上午一场、下午一场。被淘汰的团队直接回去上课，获胜的团队则留下来继续比赛。一共用三天时间决出最后的前三名。

抽签完毕后，六十四进三十二的比赛立刻开始，三十二场同时举行。这样就将考核的时间尽可能缩短了，给比赛后获胜的学员们有充分的休息时间，以便于进行下午的比

赛。

霍雨浩他们这一次被分在了第十五区，监考老师也换人了，这次是一名三十多岁的女老师，看上去十分和善。

抽签的时候只有编号，他们也不知道会遇到什么对手，等到了场地一看，却是有些无奈了。他们在第一轮抽中的就是新生一班的自己人，这场淘汰赛也就变成了内战。

对方的三名学员霍雨浩三人都认识，其中一名还曾经试图和王冬较过劲，据王冬自己说，那家伙私下里被他揍了一顿后就老实了。

周漪的判断何等准确，既然她定下了霍雨浩三人为新生一班的种子团队，实力自然不是其他团队能比的。比赛进行的时间并不长，虽然对手韧性十足，但在王冬和萧萧同时出手又有霍雨浩精神探测共享辅助的情况下，只用了不到十分钟，就结束了战斗，顺利进入三十二强。

不过，当霍雨浩三人从考核区走出来的时候，刚刚获胜的喜悦瞬间就荡然无存了。因为就在考核区门口处，一脸阴沉的周老太太正等在那里。

"萧萧先回去休息，你们两个，跟我来。"周漪说完这句话，冷哼一声，转身就走。

霍雨浩和王冬同时感觉到背后一阵发冷，幸好两人早已有所准备，对视一眼后，这才跟着周漪去了。萧萧只能递给他们一个自求多福的眼神。

周漪这次竟然将他们直接带回了自己的办公室。作为新生一班的班主任，她的办公室也在宿舍区北边，黑、紫两栋外院高年级教学楼后的教师办公区，办公室位于一层，只有她一个人在此办公。

跟着周漪走进办公室，霍雨浩和王冬都不禁惊讶起来。

这位性格冷硬，作风极为严厉的周老师，办公室布置得倒是十分雅致。整个办公室墙壁被粉刷成了淡粉色，桌子则是浅红色的一种特殊木料，还有大红色的待客沙发以及其他一些布置，里面还有一扇小门，似乎是专门用来休息的休息室。不得不说，史莱克学院给老师的待遇相当之好，哪怕是新生班级的班主任都能有自己独立的办公室。

霍雨浩最后一个进来，小心地关上门，周漪则已经坐在了待客用的大红色沙发上，双臂环抱于胸前，冷冷地道："说说吧，你们两个究竟怎么回事？行啊！连续两天迟到，是不是以为你们通过了新生考核，翅膀就硬了，我就管不了你们了？我告诉你们，只要我想，将你们开除出学院就是一句话的事儿。在这个世界上，从来不缺少天才，在我手中被开除的天才多得是，原因只有一个，那就是他们的性格不适合成为一名强者。给我一个不处分你们两个的理由。"

霍雨浩和王冬对视一眼，王冬碰了他一下，示意他来解释。

霍雨浩只得硬着头皮道："对不起，周老师，是我们错了。"三个多月来，他们也算是熟悉了周漪的脾气，硬顶绝没有任何好处，只会更加激怒这位周老太太，态度越好，受到的惩罚才可能越小。

"一句错了就完了？你们是不是觉得迟到并不是什么大事？但我要告诉你们的是，迟到就代表着懈怠，在你们这个年纪，就是天大的事。就这一个理由，我就能让你们两个滚蛋。说吧，我需要一个合理的解释。"

霍雨浩这才恭敬地说道："周老师，您别生气。是这样的，您还记得吗？前天我们团队遭遇到黄楚天团队的时候，他们团队中有一对儿双胞胎姐妹，分别叫蓝素素和蓝洛洛。"

"嗯。"周漪应了一声。

霍雨浩继续道："当时那场比赛，我们差一点就输掉了。因为蓝素素和蓝洛洛姐妹能够施展一个武魂融合技。后来在我们三人的齐心协力之下，才勉强抵挡住了她们那强大的技能，最终获得了胜利，从而以全胜成绩结束了循环赛。"

"回去之后，我和王冬都很羡慕她们那武魂融合技的威力。于是，我们就决定尝试一下，看看我们的武魂是否能融合。因为学院没有专门指导武魂融合技修炼的课程，我们就只能自己尝试了。谁知道第一次尝试，我们的武魂似乎成功融合了，在融合的过程中，我们俩就都昏倒在王冬的床上。等我们醒过来的时候，上课时间已经到了，这就是我们昨天迟到的原因。"

霍雨浩在解释的时候，分明感觉到王冬在身后用两根手指轻轻地捏住了他腰间软肉，再旋转了一个一百八十度。

身体吃痛，他又不敢表现出来，脸上神色顿时显得有些僵硬了。

"武魂融合？"周漪一愣，她没想到霍雨浩竟然会给出了一个这样的理由。下意识

地问道："你们成功了？"

霍雨浩挠挠头，道："昨天我们也不知道是否成功了，所以您让我们出去跑圈的时候，我们试了一下，似乎真的有戏。然后晚上我们就跑到学院外面去尝试武魂融合技了。没想到，一试之下，还真的成了。而且攻击威力似乎相当强大。但是，这是我们第一次施展武魂融合技，结果就导致了魂力透支，施展了那技能之后，我们俩直接就在野外昏倒了，等醒来的时候今天就又迟到了。周老师，我们真的只是为了努力修炼才迟到的，这只是意外，我们保证不会再犯了。"

说到这里，霍雨浩悄悄抬头，偷眼向周漪看去，看到的却是周漪一脸目瞪口呆的神色。

"你、你是说，你们两个人尝试武魂融合技，竟然成功了？"周漪的声音明显高了一个位阶，同时也从沙发上站了起来，一脸的吃惊与兴奋。

霍雨浩和王冬同时点了点头。

周漪兴奋的道："快，让我看看，你们的武魂融合技是什么？"

霍雨浩道："周老师，我们下午还有比赛。这技能施展后，会耗尽我们魂力的。"

周漪没好气地道："你们第一次施展的时候，消耗是最大的。之后再施展就不会有那么大了。要是武魂融合技每次施展都昏迷，那不成了自杀技能吗？赶快，我负责帮你们恢复魂力，耽误不了你们下午的比赛。来吧，直接向我施展。"

周漪都已经这么说了，霍雨浩和王冬自然不好拒绝，两人面面相对，霍雨浩很自然地张开双臂向王冬抱去，王冬虽然动作依旧有些僵硬，但也并没有排斥，闭上眼睛张开手臂，和霍雨浩拥抱在一起。

在身体接触的同时，他们也释放出了各自的武魂。

魂力瞬间相融，化为浩东之力在他们体内流转，拥抱中的他们都有种身体融合为一的感觉。

一秒、两秒、三秒……

周漪老师的办公室内落针可闻，但除了霍雨浩和王冬各自释放武魂所产生的魂力波动外，再没有其他动静出现。

周漪瞪大了眼睛看着他们，她甚至已经做好准备防御了，可霍雨浩只是和王冬拥抱

在那里，就再没有其他动静了，她眼角的肌肉已经开始抽搐起来。

霍雨浩和王冬也感觉到不对了，按照昨晚的情况，此时他们的魂力应该被迅速抽空才对啊！然后向一个方向爆发出璀璨中的凋零——黄金之路的强大攻击力。可现在什么都没有发生。

"你们两个在搞笑吗？"周漪冰冷的声音似乎是从牙缝里挤出来似的。听在霍雨浩和王冬耳中，不禁令他们激灵灵打了个寒战，下意识地松开拥抱对方的双臂，他们脸上也尽是愕然之色。

周老师身上有杀气，这是他们再次看着周漪时同样出现的感觉。这位周老太太明显已经处于爆发边缘了。

霍雨浩赶忙道："周老师，昨天晚上我们就是这样成功施展出技能的啊！我们也不知道怎么回事。"

周漪寒声道："你们两个在我办公室里拥抱，是要秀基情给我看的吗？今天我不好好收拾收拾你们，我就……"

没等周漪把狠话说出来，霍雨浩立刻就有所行动了，他一把拉住王冬的手，同时瞬间施展出了自己的精神探测并且共享给了周漪。

"嗯？"周漪因为怒气爆棚正准备发作，突然间，周围的一切都变得清晰起来，思感迅速向外延伸，眨眼的工夫，直径百米范围内的一切就全都以立体形式清晰地呈现在她脑海之中。

怎么范围变得这么大了？周漪还清楚地记得上一次霍雨浩施展精神探测共享的时候，覆盖的面积只有直径三十米左右，这一次却变成了直径百米，这个提升的幅度也太过巨大了吧。

看周漪有些发愣，霍雨浩赶忙解释道："周老师，您还记得吗？我曾经说过，我的精神探测会随着修为的提升而进化。经过这三个多月来您的悉心指导，我的精神探测已经能够达到直径五十米左右了。而且我还研究出来集中精神向一个方向进行探测，那样的话，探测范围会更大。而您现在所感受到的直径百米探测不是我一个人的功劳了，而是我和王冬完成武魂融合之后，我们的魂力也进行融合，是在他的辅助下，我的魂技才能有如此巨大的提升，探测范围足足提升了一倍之多。我的魂力也同样可以反向增幅他的魂技。这是不是能够证明我们完成武魂融合了？我们昨晚真的试验出了武魂融合技，您不信的话，我们可以带您去我们试验成功的地方看看，那里还留下了痕迹呢。"

听着霍雨浩的话，周漪渐渐冷静了下来，她知道自己有些冲动了。

三个多月来，霍雨浩在学院的表现她都看在眼中，在她的记忆中，从未有任何一名学员能够和霍雨浩比勤奋的。而且霍雨浩比同龄人要沉稳一些，有些少年老成的味道。要说欺骗自己，他也决不可能用这样一个如此容易被拆穿的谎言。

正所谓术业有专攻，周漪虽然是史莱克学院的老师，但她对武魂融合技的了解并不算太多，毕竟，这种技能实在是太小众了。听了霍雨浩的解释之后，她已经相信了他们的话，心中的愤怒也迅速消失了。

摆了摆手，周漪道："行了，收回你的技能吧，我相信你们就是。只是，你们这武魂融合技时灵时不灵的肯定不对。你们在我办公室里等一下，我去找一位熟悉武魂融合技的老师来，让他为你们解惑。"

周老太太一向是雷厉风行，话音一落她就已经到了门外，快步离去。

她一走，霍雨浩和王冬同时松了口气，两人坐倒在沙发上，霍雨浩抬起左手抹掉额头上的冷汗，王冬也想抬左手擦汗，却发现自己的手还被霍雨浩拉着。

"松手。"王冬没好气地把手抽出来，瞪了他一眼，"都怪你，要不是你非要出去试验技能，能被周老太太抓个正着吗？这下也没什么秘密可言了吧。"

霍雨浩靠在沙发上，呵呵笑道："怪我就怪我吧。不过，这也不是坏事。有老师指点我们修炼的话，我们也能少走不少弯路。你这爱抱怨的毛病什么时候能改改，也就我能忍得了你。"

王冬哼了一声，道："那是跟你，换了别人，我还懒得抱怨呢。不过，今天能看到周老太太那副震惊的样子，也算值了。你说，等咱们完成淘汰赛之后，周老太太还会教咱们吗？"

霍雨浩道："不好说。周老师教学很全面，但似乎也是有所侧重的。只不过我们年纪还小，修为又弱，还没到周老师展现出自己真正专业来教导的程度。反正等淘汰赛结束后重新分班就知道了。我还是希望跟着周老师的，老师严厉一些，对我们来说不是坏事，至少能够持续鞭策着我们努力修炼和学习。"

第24章

赌约

王冬笑道："你是受虐狂吗？对了，我们就在这里修炼一会儿好了。等周老太太一回来，看到咱们等她的时候都不忘修炼，一定会觉得我们很努力，她的心情就会好多了。"

霍雨浩抬手在他头上敲了一下，道："偷奸耍滑你倒是把好手。"

"放屁，你才偷奸耍滑。下午还要比赛呢，我们先前也有所消耗，趁早恢复恢复有什么不好？来不来？赶快的。"一边说着，他已经脱掉鞋子盘膝在沙发上坐好，并且向霍雨浩伸出了自己的双手。

霍雨浩一向是有空就修炼的，自然不会拒绝，学着王冬的样子和他四掌相接。两人同时催动魂力运行起来。

当魂力彼此流通融合的时候，他们的感觉和昨天下午的修炼又有所不同了。两人的魂力似乎变得更加亲近了，而且在最初融合的速度明显要比昨天更快，几乎只是一接触，浩东之力就出现了。在他们各自意识的带动下，按照他们修炼的运行轨迹运转起来，相比于昨天，修炼速度至少又提升了一成有余。

因为开始修炼时他们已经闭上双眼，因此并没有发觉，他们相接的双掌之上，淡淡的蓝、紫、金三色光芒缓缓散发出来，围绕着他们的手臂与身体开始盘旋，渐渐地，将他们的身体也渲染上了这样一层颜色。

原本他们只是想在这里恢复一下魂力而已，但这修炼一开始，他们很快就进入了状态。物我两忘，对于外界的一切都已经失去了感知。

在他们开始修炼后没多久周漪就回来了，还带回了另外一个人，如果霍雨浩和王冬此时是清醒着的话，一定会大吃一惊，因为周漪带回来的这位正是他们在循环赛阶段的监考老师王言。

看到霍雨浩和王冬修炼的样子，周漪是一愣，王言则是大吃一惊。然后两人竟然是很有默契地同时向对方比出了一个噤声的手势。

周漪眼中流露出一丝询问，王言向她摇摇头，然后悄悄地走到霍雨浩和王冬身前不远处蹲下身体，仔细地观察着他们的情况，并且认真地感受着他们在修炼过程中的魂力波动。

越是感受，王言脸上的震惊之色就越多，下意识地搓了搓双手。

周漪和王言认识也不是一天两天了，她知道他的这个动作意味着情绪的紧张和兴奋。她自己也是老师，同样能够感受到霍雨浩和王冬现在的状态很奇特，至少是她以前从未遇到过的。两名魂师竟然联手修炼，而且魂力不但不冲突还彼此融合。从那蓝、紫、金三色光芒的流转速度就能看得出他们现在的修炼有多快。就算是三环魂尊级别的魂师，都未必有他们现在这种速度啊！

霍雨浩和王冬的修炼连续完成了三十六个周天才停了下来，不但两人上午比赛时消耗的魂力已经全部恢复了，而且修为又有了一点进步。

同时长出口气，缓缓收回自身魂力，他们身上的三色光芒也徐徐散去。

睁开双眼，两人都有种神清气爽的感觉，如此修炼速度实在是太过瘾了。不过，他们很快就被吓了一跳。

"周老师，王老师？"霍雨浩吃惊地看到沙发旁不远处，周漪和王言一人坐着一把椅子，正聚精会神地看着他们。

王冬也被吓了一跳，两人这才意识到他们是在周漪的办公室。

霍雨浩有些尴尬地道："周老师，我们是想早点恢复魂力，好为下午的比赛做准备，所以才……"

周漪摆了摆手，道："不用解释了，知道刻苦是好事。这位是王言老师，学院理论

派的优秀教师，职称比我还要高上一级，对于武魂融合技也有很多研究。"

王言微微一笑，道："我想不需要介绍了，我们早就见过，他们循环赛时的监考老师就是我。"此时他的神色已经恢复了淡定，但至于内心是否淡定就只有他自己清楚了。

"王老师。"霍雨浩和王冬同时恭敬地向王言行礼。

王言点了点头，道："我仔细观察了你们的修炼情况。原本我还不相信周漪的话，现在看来，倒是我的见识少了。我现在完全可以为你们向周漪证明，你们完成了武魂融合并且具有武魂融合技。"

周漪有些惊讶地看着他，却没有插言。

王言道："你们二人的魂力竟然契合到了彼此没有丝毫冲突地融合在一起，并且起到辅助修炼的作用，这在咱们史莱克学院万年来的典籍记载中都未曾出现过。只有一个解释，那就是你们的武魂契合度为百分之百的完美，只有这传说中的情况才能让你们的魂力融合得如此不分彼此，并能共享彼此的修炼速度。恭喜你们，我甚至现在就可以预见，未来的你们，必定能够成为咱们史莱克学院的骄傲。"

霍雨浩听着王言的话不禁暗暗钦佩，他从天梦冰蚕那里也听过武魂完美契合这话，但王言并不完全了解他们，只是通过对他们修炼的观察就能有这样的判断，不愧是学院理论派的代表人物。

王冬不解地问道："王老师，既然如此，那为什么我们的武魂融合技今天却失效了呢？刚才我和霍雨浩尝试过，没法再次施展出来啊！"

王言呵呵一笑，道："你们以为武魂融合技就是普通的魂技吗？想要施展哪有那么简单。必须要你们的武魂处于最佳状态，你们的精气神也同样处于最佳状态的情况下才能施展出来。完美契合的武魂融合技我也是第一次见到。但按照我的经验，最初能够完成武魂融合之后，武魂融合技施展后是有一定缓冲时间的。在这段时间内，你们就不能再次施展武魂融合技。一般来说，这个缓冲时间会是七天，而随着你们修为的提升，这个时间会逐渐减少，直到你们能够完全应用这武魂融合技为止。"

霍雨浩道："王老师，那我们要到什么时候才能随意使用武魂融合技呢？"

王言道："那还早得很，至少要到你们两个的修为都达到七十级，拥有武魂真身后，才能随意运用武魂融合技，对任何魂师都是如此。不过，你们很可能是完美契合的武魂融合，因此，我建议你们从现在开始，每天都尝试着施展武魂融合技，直到再次施展出来为止。这样才能确定你们在每次施展武魂融合技之后的缓冲时间。等你们确定了这个时间之后一定要来找我，让我见识一下你们的武魂融合技究竟是什么。我可是好奇得很啊！"

有了王言的解释，霍雨浩和王冬对武魂融合技的认识就清晰得多了。

一旁的周漪问道："王老师，他们既然是完美契合的武魂融合，那除了能够彼此辅助修炼之外，还有什么其他好处？"

王言呵呵一笑，道："周老师，人心不足蛇吞象啊！你已经捡到了两个宝，单是相互辅助修炼这一点，就能让他们相互帮扶地提升一倍修炼速度。现在还看不出来什么，但你过几年再看，我敢肯定，不出三年，同龄人中绝对没有人的魂力修为能够和他们相比的。不过，你这一问也没错，完美契合的武魂融合技和普通武魂融合技的区别还有一个，那就是威力。这一点你应该也能想到才对。按照武魂融合技的规则，契合度越高，武魂融合技的威力也就越大。不过，我们都没见过他们这种完美的契合度，所以我才希望能够亲自感受一下他们的武魂融合技威力能够达到怎样的程度，还有攻击的效果是什么。"

周漪点了点头，道："谢谢你的点醒。王老师，这件事我们一起上报？"

王言摇了摇头，微笑道："不用了，你自己上报就好，你早就该晋升到高级教师了。而且这两个小家伙是你发现的，我可不能抢功。"

周漪微微一笑，向他点了点头。

王言站起身，道："你们两个小家伙可要努力，淘汰赛进前三十二了吧，等你们进入八强之后，就更要努力，学院会有高层观看你们比赛的。而且，冠军奖励在我们这些老师看来都是相当不错的，不能错过。相信我们以后还会有所交流，你们有什么问题也可以来找我，我的办公室就在四楼。周老师，那我就先走了。"

周漪一直将王言送到办公室门外，王言在临走之前，又深深地看了一眼霍雨浩和王冬，这才离去。

周漪却没再进屋，而是向办公室里的霍雨浩和王冬招了招手，"走吧，该吃饭了。

今天中午我请你们吃好的。"

虽然她嘴上没说，但主动表示请客吃饭，已经意味着她在为错怪霍雨浩和王冬道歉了。

霍雨浩二人都觉得有些不可思议，但很快就反应过来，兴高采烈地冲出办公室，跟着周漪一起到了食堂吃饭。

周漪请客果然不小气，居然请他们吃食堂最内侧的顶级菜肴。别说霍雨浩了，王冬都是第一次吃这么好的饭食。

食堂的顶级菜肴价格极高，每天的菜价都不同，但从来是以金魂币来计算的。今天的顶级菜肴有两个，周漪各自要了两份，一共花掉了近六十个金魂币之多。

"周老师，您太破费了。"霍雨浩有些不好意思地说道。他卖烤鱼这么久了，都没攒出来六十个金魂币。

周漪道："赶快趁热吃吧，你们不要以为学院弄出这顶级菜肴是为了赚钱。其实，在所有食堂的饭菜之中，唯有这顶级菜肴学院是赔钱的。"

"为什么？"霍雨浩和王冬几乎是异口同声地问道。

周漪淡然一笑，道："当然是为了学员的身体。你们认识这两道菜是什么吗？"她指了指面前的盘子。

两道菜肴都有着浓浓的香气，一道看上去是炖肉，另一道则是清汤。

那炖肉以瘦肉和筋为主，炖的汤汁浓郁、黏稠，肉质鲜嫩烂软，就连那些筋也都成了柔软的胶质，只是看上一眼都会令人食欲大增。

清汤则呈淡淡的金黄色，里面什么都没有，就只是汤，但却香气扑鼻，甚至比那炖肉还要浓郁，其中隐隐还有一些药草的味道。

无疑，这两道菜霍雨浩都叫不出名字来，王冬迟疑了一下，道："周老师，这炖肉好像是鳞甲魔鳄的肉？汤我却看不出来了。"

周漪点了点头，道："不愧是世家子弟，你说对了。这炖肉就是鳞甲魔鳄。鳞甲魔鳄乃是两栖类魂兽，力大无穷。食用它的肉，对我们魂师来说乃是大补，能够提高体质、增强经络韧性，是不可多得的好东西。只是这鳞甲魔鳄肉质坚硬如铁，想要让其百炼金刚化为绕指柔，就需要极为高明的烹调技艺才能做到。所以，我要告诉你们的是，

咱们史莱克学院不只是师资力量大陆第一，厨师也同样如此。成年的鳞甲魔鳄至少也是千年魂兽级别。现在你们还觉得这道菜贵吗？"

"至于这汤，乃是一种飞行魂兽经过长时间炖煮而成，有滋润内脏的功效。它能令我们魂师的内脏气息更加稳固，对修炼有好处。"

"之前我说过，在咱们这一届新生之中，有三名已经达到三十级魂尊修为的。他们的天赋固然很好，又肯努力。但也都是大家族的子弟，自幼无论在饮食还是丹药方面都有最好的辅助，所以才能有这等修为。王冬在来学院之前可能也有这等待遇，至于你为什么修为没有达到三环，我想，很可能是你自己懒惰的原因，或者是你自身的一些特殊情况导致的。而且，我没记错的话，你的生日刚过十一岁不久。"

王冬点了点头，"周老师，十二岁之前，我一定也可以到三环。"

周漪道："好了，你们赶快吃吧。吃完饭回去休息一会儿，下午的比赛就要开始了。我会将你们拥有武魂融合技的情况上报，如果最终你们被审批为外院核心弟子的话。那么，今后你们的饭菜都将由学院免费提供这种顶级菜肴。对你们的修炼有多少好处你们自己想得到。但是，拥有武魂融合技也不一定就能成为核心弟子，我们史莱克学院从来都不缺乏天才。在淘汰赛上最终的名次会很大程度地影响到你们是否能够进入那个核心圈子。实话告诉你们，当年，我也毕业于外院，但我却没能成为核心，更没有资格进入内院。成为核心弟子，是你们未来进入内院的重要一步。在核心弟子之中，几乎有半数都成功通过了内院的考核。成为核心弟子，也意味着你们将得到学院师资力量的倾斜，明白了么？"

"是。"霍雨浩和王冬一起答应一声，然后就立刻开始大快朵颐地吃了起来。

周漪对厨师的赞美立刻就得到了霍雨浩和王冬的认同，霍雨浩还好一些，本来他就没吃过什么上等食材。但王冬不一样，以前他也吃过这些好东西，但他家里烹调的味道和学院食堂做出来的顶级菜肴相比，差了可就不止一个档次了。

一顿美食吃完，霍雨浩和王冬都感觉到全身微微发热，尤其是肠胃之中，一阵阵暖融融的感觉传遍四肢百骸，说不出的舒服。果然是一分钱、一分货啊！

周漪一直送他们到宿舍门口，在离开前，她按住霍雨浩的肩膀，淡淡地道："天生不是贵族，就用自己的力量成为贵族。"

说完这句话，她才转身离去。从吃饭到现在，她的那份冰冷似乎已经完全消失了。

宿舍门口，那位似乎是宿舍管理员却从来不管事儿的老人还靠在躺椅之中，他似乎听到了周漪的话，嘴里嘟囔了一句什么，却没人能听清。

霍雨浩习惯性地向老人问好后，这才和王冬一起返回了宿舍。刚吃了好东西，总要再修炼一会儿，浪费是可耻的！而下午的比赛，显然不会像上午那么轻松了。

新生考核淘汰赛，三十二进十六的比赛在下午上课铃响起时于考核区正式开始。

和上午相比，参加淘汰赛的学员已经少了一半，再次进行了抽签后，学员们立刻前往各自抽取到的区域进行比赛。

因为是同一天的比赛，场地并没有任何变化，还是像上午一样的分割，但只有编号前十六的场地进行使用。

在考核区北边，竖起了一个高台，高台离地足有二十米，由六根金属柱支撑，从下向上看，无法看清上面能够容纳的人数，上面影影绰绰的，似乎有些人在那里观战。从二十米的高度，足以俯瞰整个考核区，看清每一个场地内比试的情况了。

霍雨浩和王冬这次可没迟到，而是早早就来到了考核区外进行抽签，总算是让萧萧松了口气。

这一次，三人的考核区变成了八号。当他们来到场地时，同样抽到八号区域的另一支团队已经来了。

令霍雨浩他们有些惊讶的是，对方这三人，竟然全都是女子，而且都是相貌很漂亮的小姑娘。

观战高台。

周漪静静地站在台上，巡视着下方即将开始的比赛。循环赛，新生一班是最大的赢家，但是，到了淘汰赛阶段，一些个体实力强大的学员，就开始展现出他们的潜能和实力了。六十四进三十二的比赛中，一班剩余下来的，只有五支团队了。虽然依旧比其他新生班级要多，但优势已不明显。

接下来的三十二进十六将至关重要。

"周老师，在找你们的种子队伍吗？我刚看了一下抽签，真是巧了，你选出的那支种子队伍，正好碰上我们班的种子队伍，在那边，八号考核区，你猜，谁能获胜呢？"

一名看上去三十岁左右的女性老师来到周漪身边，低笑着说道。

周漪眼神顿时一凝，"木槿，你以为你的学生赢定了？"

木槿虽然年纪不小，但却绝对可以用年轻靓丽来形容，她微笑摇头，道："那倒不是。凡事无绝对嘛。不过，我倒是没听说过这次你的班级里有什么特别优秀的人才，起码没有三十级以上的吧。真是可惜了。"

周漪眼神一冷，"你是来挑衅的？"

木槿脸上的笑容也瞬间消失了："是又如何？你们一班不是成绩好吗？我倒要看看，你教出来的学生能有几人进入前八。刚才抽签结束时我发现我的种子学员对上的是你的种子学员，就觉得心情很好。自从上次你在我的苦苦哀求下依旧开除了我弟弟之后，这还是我第一次心情如此之好呢。听说你想升高级职称了，唉，这次恐怕又要泡汤了吧。"

周漪却并不在看木槿那一脸挑衅的神色，目光投向下面的比赛场地，锁定在霍雨浩三人所在的第八区，淡淡地道："打赌么？"

木槿的目的就是要激怒和羞辱周漪，闻言立刻毫不犹豫地答应道："赌，你拿什么跟我赌？"

周漪终于不再无视她，转身面对她，沉声道："一块魂骨，你敢么？"

听到魂骨二字，木槿瞳孔骤然收缩了一下。

对于魂师来说，魂环已经是十分珍贵的存在了，因为那是每一位魂师都必须要得到才能突破瓶颈的存在。

而魂骨，却要比魂环更珍贵百倍，每一名魂师都能够融合六块魂骨，分别是头部魂骨、躯干魂骨和四肢魂骨。

每个魂环能够带给魂师一个技能，十万年魂环能够带去两个技能。也就是说，一名正常的魂师如果修炼到九环封号斗罗级别，就应该拥有九个技能。而魂骨完全是额外的一个体系，每一块魂骨，也能带给魂师一个技能，并且能够大幅度提升所附加身体位置的体质。

魂环是每一只魂兽必然会出产的，而魂骨却并非如此，只有十万年魂兽才有必然出魂骨的能力。而十万年以下位阶的魂兽，产出魂骨的几率只有万分之一啊！任何一块魂骨的出现，都必然会引起魂师的争抢。

魂师界流传着这样一句话，想要成为一名优秀的魂师，那么，就一定要努力提升自己的魂力，获得一个又一个年限尽可能高的魂环。

但是，如果想要成为一名顶尖魂师，斗罗大陆真正的强者，那么，就必须要拥有属于自己的魂骨，魂骨数量越多，实力也就越强大。甚至从某种意义上来说，魂骨还有丹药的效果，融合任何一块魂骨，都会对魂师的魂力有所提升。

此时周漪提出以魂骨来打赌，大有几分要倾家荡产和木槿一拼的意思。木槿又怎能不吃惊呢？最重要的是，她完全不明白周漪的信心是从何而来。

周漪嘴角处荡漾出一丝不屑，"怕了就离我远点，别让我闻到你身上恶心的香水味儿。"

木槿眼中厉光一闪，"好，我和你赌。虚言恐吓就想吓退我？我输了，给你一块魂骨，你要是输了，就让帆羽为我打造一件近体魂导器。"

周漪冷冷地道："和你赌的人是我，不是他。我输了，也一样给你一块魂骨。"

木槿哼了一声，"我不要你的魂骨，我就要帆羽为我打造近体魂导器。"

"好，我替她答应你了。"一个浑厚的声音响起，高大的身影不知道什么时候已经来到了周漪身边。可不正是周漪曾经带着霍雨浩去见过的那位魂导系的帆羽老师吗？

看到帆羽出现，木槿顿时脸色一变，先前嚣张挑衅的气焰竟然完全消失了，脸色有些苍白，略微后退一步，眼圈微红地看着帆羽，道："你和她联手欺负我。"

帆羽脸色平静，眉头却微微皱起，"是你无理取闹在先，如果要赌就来，不赌就不要再来招惹周漪。至于我们和你之间，只是同事，仅此而已。"

"赌，为什么不赌。我输给了她，不代表我的学员也会输给她的学员。"木槿猛地回过身，双手紧紧地抓住高台的栏杆，已经是水雾弥漫的双眸也同时转向了考核区的比赛场地之中。

霍雨浩三人完全不知道在观战高台上还有这样的一幕，此时他们的注意力完全在对手身上。

对面的三个小姑娘都很漂亮，同样是一身新生校服。站在最前面的小姑娘身材较高，比霍雨浩和王冬都还要略高一点，一头金色短发，看上去十分利落，水蓝色的大眼

睛有着长长的睫毛，脸颊上还有几个娇俏的小雀斑。

在她身后，左边的女孩子是一头如火般的红色短发，眼眸也是少见的红色，猛然看去，有些恐怖的味道，但仔细看的话会发现她的五官极为精致，肌肤更是白皙如玉，只是目光很冷，足以和周老太太相比。

右边的女孩儿则是和左边少女形成了鲜明对比，一头浅绿色的长发披散在身后，墨绿色眼眸尽显温柔，那种柔柔弱弱的感觉令人不自觉就会产生出怜惜之意。

监考老师道："双方入场通名。"

两边六个人同时走入宽阔的场地之中，分别站在场地两侧。他们三个依旧保持着原本的阵型，王冬在最前面，萧萧居中，霍雨浩在最后。

而对面的三名少女阵型也有所变化，先前站在最前面的金发少女退到了后面，另外两名少女则同时上前挡住了她。

红色短发少女傲声道："新生九班，巫风。二十五级强攻系战魂大师。"

浅绿色长发的少女有些嗔怪地看了她一眼，似乎是在怪她太过骄傲，连自己的魂力等级都说了出来，不过她却并没有改变这种报名的方式，柔柔的声音和巫风的冷傲就像她们的外表那样形成鲜明对比，"新生九班，南门允儿，二十四级敏攻系战魂大师。"

从二女身后又传出一个平淡的声音："新生九班，宁天，三十一级辅助系器魂尊。"

此言一出，霍雨浩三人同时一震，三十一级魂尊？他们确实没想到，才刚刚到了三十二进十六的比赛，就遭遇到了三名三环级别的魂尊新生之一，而且还是辅助系的器魂师。

要知道，器魂师修炼的速度一向是慢于战魂师的，可对方能在十二岁左右就修炼到三十一级，并且拥有三个魂环，这已经不只是天赋那么简单了。

震惊归震惊，霍雨浩三人也没忘通名，对方是从强攻系战魂师开始，他们这边也是。

"新生一班，王冬，二十四级强攻系战魂大师。"

"新生一班，萧萧，二十二级控制系战魂大师。"

霍雨浩最后一个开口："新生一班，霍雨浩，十七级控制系战魂师。"

听到十七这个数字的时候，对面的巫风明显撇了撇嘴，流露出一副不屑一顾的样子。

王冬双眼微眯，目光牢牢地盯视在巫风身上，不知道为什么，看到巫风那轻蔑的眼神，他心里就像是被点燃了一堆火焰似的。

巫风也感觉到了他的目光，四目相对，巫风冷哼一声。比赛尚未开始，双方已经有火药味儿冒出了。

霍雨浩拍了一下王冬的肩膀，王冬回头向他看去，两人对视一眼，虽然什么都没说，但已经彼此明白了对方的意思。

正在这时，监考老师大喝一声："比赛开始。"

王冬脚尖点地，一个箭步就已经冲了出去，人在前冲的过程中，炫丽的蓝金色双翼骤然舒展开来。

无论对面的巫风、南门允儿和宁天有多强的自信，在看到他那双炫丽夺目的光明女神蝶双翼时，也不禁被晃了一下眼睛，在心中暗暗赞叹一声漂亮。

(本册完)

《斗罗大陆第二部 绝世唐门2》2013年1月25日上市！敬请期待！

图书在版编目（CIP）数据

斗罗大陆. 第二部. 绝世唐门. 1 / 唐家三少著. --
长沙：湖南少年儿童出版社，2012.12
ISBN 978-7-5358-8840-2

Ⅰ. ①斗… Ⅱ. ①唐… Ⅲ. ①长篇小说－中国－当代
Ⅳ. ①I247.5

中国版本图书馆CIP数据核字(2012)第278189号

斗罗大陆 第二部 绝世唐门 1
唐家三少 著

策划编辑：李　芳　　　　　　　　责任编辑：唐　龙

质量总监：郑　瑾　　　　　　　　执行编辑：梁　洁

特约编辑：李　薇　　　　　　　　装帧设计：秋水书衣 STUDIO 居居 http://blog.sina.com.cn/jujunina

内文设计：周　勤

出版人：胡　坚

出版发行：湖南少年儿童出版社

社址：湖南省长沙市晚报大道89号　　　邮编：410016

电话：0731-82196340（销售部）　　　82196313（总编室）

传真：0731-82199308（销售部）　　　82196330（综合管理部）

常年法律顾问：北京市长安律师事务所长沙分所　　张晓军律师

经销：新华书店　　印刷：湖南凌宇纸品有限公司

印张：17　　　　　字数：340千字

开本：710mm×1000mm　1/16

版次：2012年12月第1次印刷

定价：26.00元
